La Voie du fantôme

Titre original : *The Ghostway*

© by Tony Hillerman, 1984
© Éditions Rivages, 1987, pour la traduction française
106, boulevard Saint-Germain - 75006 Paris
ISBN : 2-86930-101-4
ISSN : 0764-7786

Tony Hillerman

La Voie du fantôme

Traduction de Danièle et Pierre Bondil

Collection dirigée par
François Guérif

Rivages/noir

A MARGARET MARY

*Je tiens à remercier spécialement Sam Bing-
ham ainsi que les élèves de l'Ecole Communautaire de Rock Point qui ont consacré une
partie de leur temps à m'aider à comprendre
comment, en 1984, les Navajos se comportent
vis-à-vis des* chindis *de Dine'Bike'yah.*

Note des traducteurs

Le lecteur américain est tout aussi ignorant que le lecteur français des mœurs et des coutumes des Indiens Navajos. Nous avons donc décidé de respecter le choix de l'auteur, qui a disséminé ici et là dans son roman les informations nécessaires à en assurer la bonne compréhension, et de ne pas alourdir le texte d'une quantité de notes explicatives et de termes en italiques. Toutefois, il nous a semblé utile de faire figurer en fin d'ouvrage un glossaire qui devrait permettre au lecteur qui en éprouverait le besoin d'avoir une meilleure vue d'ensemble de cette civilisation. Les mots suivis d'un astérisque dans la traduction renvoient à ce glossaire. Nous avons en outre établi une carte des territoires navajos.

Par ailleurs, certaines particularités orthographiques (accords, majuscules notamment) se retrouvent dans le texte de Tony Hillerman ; et des termes d'origine indienne peuvent présenter des différences d'un livre à l'autre : quelques lignes extraites du remarquable ouvrage de Harry Hoijer, *A Navajo Lexicon,* University of California Press 1974, permettront aisément de comprendre pourquoi (extrait consacré aux noms, les verbes étant environ dix fois plus nombreux en navajo).

N 102   Táscìzìì 'swallow (the bird)'.
N 103   -tásLòh 'hair of arms and legs'.
N 104   tácééh 'sweathouse'.
N 105   -táál: hàtáál 'chant; ceremony'. See S 139.
N 106   tááláhòòyàn 'Awatobi ruin'. táálá- ?; hòòyàn, N 302A.
N 107   -tàal-: hàtàal-ìì 'singer (in ceremonies)'. Lit. 'one who sings'; see S 139.4, E 5.
N 108   tàzìì 'turkey'. See S 147.1

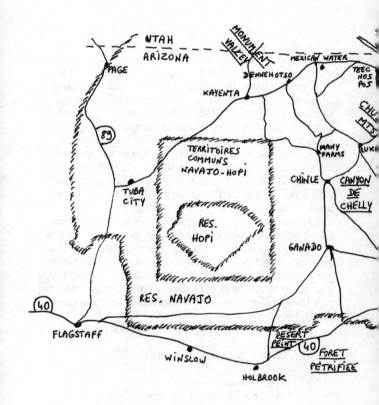

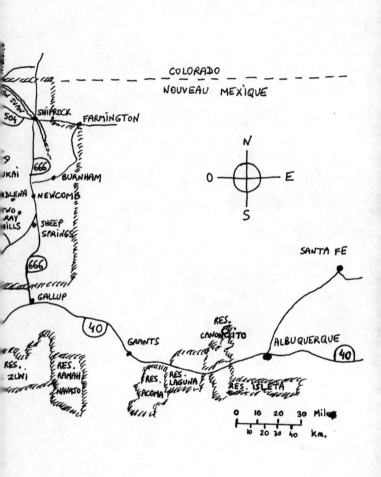

1.

Hosteen* Joseph Joe s'en souvenait de la manière suivante.

Il avait remarqué la voiture verte en sortant de la laverie-blanchisserie automatique de Shiprock. Le rougeoiement du soleil couchant se reflétait dans le pare-brise. Au-dessus de la ligne jaune des trembles qui bordaient la rivière San Juan, la forme bleu-noir du rocher de Shiprock se découpait sur la lumière rougeoyante. La voiture avait l'air toute neuve et elle tanguait en avançant lentement sur le sol gravillonné ; le conducteur était légèrement penché à sa portière. Il avait crié dans la direction de Joseph Joe.

— Hé, toi ! avait-il hurlé. Viens voir là une minute.

Joseph Joe s'en souvenait très bien. Le conducteur avait l'air d'être un Navajo mais ça n'avait rien de navajo de lui crier dessus comme ça : il avait quatre-vingt-un ans et les gens des environs de Shiprock ainsi que ceux des Monts Chuska s'adressaient à lui en disant Hosteen, ce qui signifie «vieil homme» et est une marque de profond respect.

Joseph Joe avait déposé le sac contenant son linge à

13

l'arrière du pick-up truck (1) de sa fille et s'était avancé vers la voiture. Il avait remarqué que les plaques d'immatriculation n'étaient pas jaunes comme celles du Nouveau Mexique, ni blanches comme celles de l'Arizona. Elles étaient bleues.

— Je cherche un gars qui s'appelle Gorman, avait dit le conducteur. Leroy Gorman. Un Navajo. Qu'est arrivé ici y a pas longtemps.

— Je ne le connais pas, avait répondu Joseph Joe.

Il s'était exprimé en navajo parce qu'en se rapprochant il avait vu qu'il ne s'était pas trompé. Le conducteur était bien navajo. Mais il avait fixé Joseph Joe en fronçant les sourcils.

— Tu parles anglais ? avait-il demandé.

— Je ne connais pas Leroy Gorman.

Cette fois, Hosteen Joe s'était exprimé en anglais.

— Il est dans le coin depuis plusieurs semaines. Un type jeune. Un peu plus vieux que moi. De taille moyenne. Merde, enfin, vu la taille de ce bled, c'est obligé que tu l'aies vu.

— Je ne le connais pas, avait répété Joseph Joe. Je n'habite pas ici, dans cette ville. J'habite chez ma fille. Là-bas, vers le rocher.

Joseph Joe avait fait un geste pour désigner la frontière de l'Arizona et le vieux piton volcanique qui se découpait sur le crépuscule. Il avait expliqué :

— Je n'habite pas ici avec tous ces gens.

— Je parie que tu l'as vu, avait insisté le conducteur.

Il avait tiré son portefeuille de sa poche et en avait sorti une photographie.

— Le voilà, avait-il ajouté en la tendant à Hosteen Joe.

Joseph Joe l'avait examinée attentivement ainsi que la courtoisie l'exigeait. C'était un cliché Polaroïd semblable à ceux que prenait sa fille. Il y avait quelque chose d'écrit au dos, ainsi qu'une adresse. L'image représen-

(1) *Pick-up truck* : omniprésent dans les états de l'Ouest, il s'agit d'un camion léger, en général monté sur un châssis d'automobile, dont l'arrière ouvert autorise tous les transports.

tait un homme qui se tenait devant la porte d'une caravane, laquelle était partiellement abritée du soleil par un tremble. Hosteen Joe avait retiré ses lunettes, les avait essuyées sur sa manche avec soin puis avait longuement étudié le visage de cet homme jeune. Il ne l'avait pas reconnu, et c'était ce qu'il avait dit au conducteur en lui rendant la photographie. Après, il ne se souvenait pas tout à fait aussi bien du reste parce que c'était à ce moment-là que tout avait commencé.

Le conducteur était en train de lui dire quelque chose à propos de la caravane, peut-être que Gorman y habitait, peut-être qu'il essayait de la vendre ou autre chose encore, et il y avait eu un bruit de freins sur la route, un bref couinement de pneus, à la suite de quoi la voiture avait reculé, avait brusquement changé de direction et s'était engagée sur le parking de la laverie. Elle était neuve elle aussi. C'était une Ford.

Elle s'était immobilisée juste devant l'autre voiture. Un homme qui portait une veste à carreaux en était descendu, s'était approché d'eux et avait brusquement fait halte en remarquant apparemment Joe pour la première fois. Veste-à-Carreaux avait dit quelque chose au conducteur. Dans le souvenir de Joseph Joe c'était «Salut, Albert», mais le conducteur n'avait rien répondu. Puis Veste-à-Carreaux avait dit «T'as oublié de faire ce qu'on t'avait dit. Faut que tu viennes avec moi. T'es pas censé être ici.» Ou quelque chose d'approchant. Alors il avait tourné son regard vers Joseph Joe et lui avait dit : «On a des choses à se dire, grand-père. Allez, filez maintenant.»

Hosteen Joe avait fait demi-tour et était reparti vers le pick-up truck de sa fille. Derrière lui il avait entendu le bruit d'une portière qu'on ouvre. Puis qu'on referme. Un cri. Le claquement sec d'un coup de feu. Puis un autre coup de feu, un autre et encore un autre. En se retournant, il avait vu Veste-à-Carreaux par terre, sur le gravier, et le conducteur qui se maintenait debout en se raccrochant à sa portière. Puis le conducteur était monté dans la voiture et avait démarré. Quand il avait atteint la route goudronnée, il avait pris la direction de la rivière et de l'embranchement qui lui permettait d'aller soit vers Teec Nos Pos à l'ouest, soit vers Gallup au sud.

Des gens sortaient déjà en courant de la laverie et ils l'avaient assailli de questions. Mais Hosteen Joe était resté là à contempler Veste-à-Carreaux qui gisait sur le gravier, étendu sur le flanc, un pistolet à côté de lui, avec du sang qui lui coulait dans la bouche. Après, il était monté dans le véhicule de sa fille.

Le conducteur était un Navajo mais ça c'était une histoire entre hommes blancs.

2.

— C'est drôle comme ça fonctionne, les prémonitions, déclara le shérif adjoint. Ça fait presque trente ans que je fais ce métier et j'en avais jamais eu.

Jim Chee ne répondit pas. Il tentait de déterminer le moment exact et précis où il s'était aperçu que ça n'allait plus du tout avec Mary Landon. Il n'avait nulle envie de penser aux prémonitions du shérif adjoint. Il avait dit quelque chose à Mary sur sa maison mobile qui était trop petite pour eux deux et elle avait dit «Hé, là, Jim Chee, attends un peu, où en es-tu de cette demande dont nous avions parlé pour que tu entres au FBI ?», et il lui avait répondu qu'il avait décidé de ne pas la poster. Et Mary était demeurée assise là, dans le Crownpoint Café, sans dire un mot ni le regarder, et elle avait fini par pousser un soupir et secouer la tête en disant, «Pourquoi faudrait-il que tu sois différent de tous les autres ?» Et elle avait émis un rire absolument dénué de joie. Il se rappelait tout cela et consacrait toute son attention à la conduite de la voiture et à la piste rocailleuse qui épousait le haut relief au cœur des Monts Chuska. La lune s'était couchée et la nuit était entrée dans cette période de ténèbres glaciale et implacable qui s'installe juste avant les premières lueurs grises de l'aube. Chee conduisait avec seulement ses feux de position : exactement comme Sharkey le lui avait ordonné. Cela voulait dire qu'ils progressaient lentement et qu'ils risquaient de prendre la mauvaise direction à chacun des endroits où la piste se divisait en deux pour aller se perdre vers une source, le hogan* de quelqu'un, un bain parasitaire pour les moutons ou Dieu sait quoi. Ce n'était pas leur lenteur qui inquiétait Chee. Le plan de Sharkey consistait à arriver au hogan de Begay suffisamment tôt avant le lever du jour pour pouvoir se mettre en position. Ils avaient largement le temps. Mais ce qui l'inquiétait c'était de prendre la mauvaise direction. Et Mary Landon occupait toutes ses pensées. De plus, tout cela, le shérif adjoint l'avait déjà dit.

Et il le redisait une fois de plus.

— Dès le départ j'ai eu une impression bizarre. Quand Sharkey nous en a parlé, là-bas, dans le bureau du capitaine Largo. J'ai senti ma peau se contracter sur ma nuque. Comme si elle devenait toute froide. Et un fourmillement sur les bras. Y a quelqu'un qui va déguster, que je me suis dit. Y a quelqu'un qui va prendre du plomb dans les miches.

Chee sentit que le shérif adjoint le regardait et qu'il attendait qu'il réponde quelque chose.

— Hum, fit-il.

— Oui, renchérit le shérif adjoint. J'ai comme l'impression que le dénommé Gorman, il est planqué là-haut à nous attendre avec son flingue prêt à tirer et que quand on va s'amener y en a un qui va se faire prendre pour cible.

Chee fit ralentir la voiture de la Police Tribale Navajo pour contourner un endroit où les eaux de ruissellement avaient causé un effondrement dans la piste. Dans le rétroviseur il distinguait les feux de position du pick-up truck de Sharkey. L'agent du FBI maintenait une distance d'une centaine de mètres entre eux. Le shérif adjoint interrompit son monologue pour allumer une cigarette. Dans le flamboiement de l'allumette de cuisine son visage donna l'impression d'être jaune : un visage vieux et sinistre. Son nom était Bales et il était effectivement assez vieux, d'autant que le soleil des hauts plateaux du Comté de San Juan avait laissé sur sa peau l'empreinte de quelques années supplémentaires. Mais il n'était pas taciturne. Sa réputation était celle d'un homme de bonne composition à la langue toujours en mouvement. Il rejeta la fumée.

— C'est pas que j'aie l'impression que je vais me faire prendre pour cible, reprit-il. C'est comme une impression générale que ça va arriver à quelqu'un.

A nouveau, Chee se rendit compte que Bales attendait qu'il réponde quelque chose. Cette coutume des hommes blancs qui consistait à exiger de celui qui les écoutait davantage que son attention était contraire aux règles de courtoisie des Navajos. Chee en avait pour la première fois pris conscience alors qu'il venait d'arriver à l'Université du Nouveau Mexique. Il avait donné rendez-vous à une jeune fille qui était avec lui en sociologie et elle l'avait accusé de ne pas l'écouter : il lui avait fallu deux ou trois incidents semblables pour finalement parvenir à saisir que, alors que les gens de son peuple supposaient que s'ils parlent, on les écoute, les hommes blancs avaient périodiquement besoin d'être rassurés à cet égard. Le shérif adjoint Bales avait précisément besoin d'être rassuré de la sorte et Chee chercha ce qu'il pourrait dire.

— Il y a déjà quelqu'un qui s'est fait prendre pour cible, dit-il. Ils sont deux à qui c'est arrivé, en comptant Gorman.

— Je voulais dire quelqu'un d'autre.

— Si ce n'est pas vous, dit Chee, il ne reste plus que moi, Sharkey, ou l'autre agent du FBI qu'il a amené avec lui. Ou peut-être Grand-Père Begay.

— Je pense pas. Je pense que ça peut pas être

quelqu'un d'autre que l'un de nous si j'en crois cette pré-monition que j'ai.

Assuré désormais de pouvoir compter sur l'attention de Chee, Bales emplit ses poumons de fumée et laissa planer un moment de silence tandis qu'il savourait le goût du tabac.

Mary Landon avait remué son café. «Tu as décidé de rester», avait-elle déclaré en regardant le café et non pas Chee. «Je me trompe ? Quand est-ce que tu allais me le dire ?» Et qu'avait-il répondu ? Quelque chose d'idiot ou d'égoïste, à n'en pas douter. Il ne parvenait plus à se souvenir exactement de ce qu'il avait dit. Mais il se souvenait de ce qu'elle avait dit, elle ; avec précision, clarté et exactitude. «Quoi que tu racontes, ça ne veut dire qu'une seule chose. Ça veut dire que je passe en second. Il y a d'abord Jim Chee, le fait qu'il est Navajo. Je suis censée être une sorte d'adjonction à son existence. Madame Chee et les enfants navajos.» Il l'avait interrompue, rejetant cette accusation, et elle avait dit que les coutumes et les manières de vivre des Navajos ne devenaient importantes pour lui que lorsqu'elles allaient dans le sens de ce qu'il avait de toute façon l'intention de faire. Une fois déjà elle avait dit la même chose et il savait pertinemment ce qui allait suivre. Les Navajos, lui avait-elle fait remarquer, entrent dans le clan de leur femme en se mariant. Le mari devient un membre de la famille de sa femme. «Qu'as-tu à répondre à cela, Jim Chee ?» avait-elle insisté. Il n'avait rien trouvé à lui répondre.

Le shérif adjoint rejeta la fumée puis baissa légèrement sa vitre pour permettre à l'air froid de l'aspirer au dehors.

— Ça me casse le cul cette façon qu'ils ont au FBI de jamais rien vous dire. «Le suspect s'appelle Albert Gorman.» (Sa voix monta d'un cran dans les aigus tandis qu'il faisait une faible tentative pour imiter l'accent de l'ouest du Texas de l'agent Sharkey, membre du FBI). «On soupçonne Gorman d'être en possession d'un pistolet calibre trente-huit.» (Bales reprit la voix éraillée qui lui était habituelle). «On le soupçonne, mon cul. Ils ont retiré une balle de trente-huit du corps du type qu'il a descendu.» (Il changea à nouveau de voix). «Los Angeles nous signale qu'il est de la première importance que le suspect soit appréhendé vivant. Nous avons des questions très importantes à lui poser.» (Bales émit un grognement de mépris). «Ça vous est déjà arrivé d'arrêter quelqu'un à qui y avait pas de questions à poser ?» (Il ricana). «Comme par exemple de lui demander combien de bières il avait bu avant de prendre le volant ?»

Chee fit entendre un grognement. Il contourna un endroit où le sol s'était effondré le long d'une avancée rocheuse. Le rétroviseur lui confirma une nouvelle fois que le pick-up truck de Sharkey était toujours derrière lui.

«Je ne vois pas comment nous pouvons trouver un terrain d'entente», avait dit Mary Landon. «Je ne vois absolument pas comment nous pouvons y parvenir.» Et il avait répondu : «Mais si, Mary. Bien sûr que si.» Mais c'était elle qui avait raison. Comment faire pour concilier les deux ? Soit il continuait à appartenir à la Police Navajo, soit il acceptait un travail à l'extérieur de la réserve. Soit il continuait à être un Navajo, soit il devenait un Blanc. Soit ils élevaient leurs enfants à Albuquerque, à Albany ou dans une autre ville des hommes blancs en tant qu'enfants de race blanche, soit ils les élevaient sur le Plateau du Colorado en tant que membres du Dinee*. N'importe quelle demi-mesure était pire que l'une ou l'autre de ces solutions. Chee en avait vu suffisamment d'exemples parmi les Navajos déracinés qui habitaient les villes proches de la frontière de l'État pour ne pas l'ignorer. Il n'existait pas de solution de compromis.

— Vous savez ce qu'y paraît ? reprit le shérif adjoint. Y paraît que toute cette histoire est liée à un agent du FBI qui s'est fait descendre à L.A. Y paraît que Gorman et Lerner, le type qu'il a descendu devant la laverie, y travaillaient tous les deux sur la côte pour la même bande. Une bande spécialisée dans le vol des bagnoles. Un sacré trafic. Et qu'il y a plusieurs caïds qui se sont retrouvés mouillés là-dedans. Plus l'agent du FBI qui s'est fait truffer de plomb. Et c'est pour ça que les Fédéraux ils tiennent tant que ça à lui parler au dénommé Gorman.

— Hum, fit Chee.

Il contourna prudemment un genévrier, mais pas suffisamment prudemment. La roue avant gauche plongea dans un trou qui était invisible à la lumière des phares. Il y eut une violente secousse qui fit tomber le chapeau du shérif adjoint sur ses yeux.

— La voiture qu'il conduisait, le type qui s'est fait descendre, reprit celui-ci, elle a été louée là-bas, à l'aéroport de Farmington. Ils vous l'ont dit ?

— Non, fit Chee.

En fait, ils ne lui avaient pas dit grand-chose... ce qui correspondait tout à fait à ce dont il avait appris à s'attendre quand il était placé sous les ordres des agents fédéraux. «J'ai un petit boulot pour vous», lui avait dit le capitaine Largo. «Il faut que nous mettions la main sur le type qui a fait le coup du parking.» Chee avait trouvé que c'était là une curieuse manière de s'exprimer car l'agence de Shiprock de la Police Tribale Navajo, de même que tous les policiers travaillant le long de la frontière séparant les États de l'Arizona et du Nouveau Mexique, tentaient de retrouver le type en question. Mais Chee avait pris l'habitude d'entendre Largo s'exprimer de manière curieuse. Le capitaine s'était ensuite expliqué tout en lui tendant un dossier : il contenait une copie de la photographie d'Albert Gorman fournie par le FBI, un extrait de casier judiciaire mentionnant plusieurs arrestations et une condamnation prononcée pour vol de véhicules à moteur, ainsi que des renseignements de type biographique. Il n'y avait pas, sur les formulaires utilisés par la police de Los Angeles, d'espaces prévus pour faire figurer le genre de renseignements dont Chee avait besoin : le nom de la mère de Gorman ainsi que son clan*, qui était le clan «dans lequel» Albert Gorman était né, et le clan de son père, qui était le clan «pour lequel» il était né. A moins qu'il n'ait oublié ce qu'il fallait faire pour rester un Navajo en vivant à Los Angeles, ou,

21

comme cela se passait parfois à l'extérieur de la réserve, qu'il n'ait jamais appris les coutumes des Navajos, c'était aux endroits où habitaient les membres de ces clans qu'il faudrait chercher Albert Gorman. Largo le savait bien :

— Ce que je veux que vous fassiez, c'est que vous laissiez tomber tout ce sur quoi vous êtes en train de vous amuser. Contentez-vous de dénicher ce gars-là. Il n'a pas franchi les barrages routiers établis à Teec Nos Pos et nous avions une voiture sur place un quart d'heure après les coups de feu, par conséquent il n'a pas filé par l'ouest. Et il n'est pas allé jusqu'au barrage routier de Sheep Springs, par conséquent il ne nous a pas faussé compagnie en fonçant vers le sud. Donc, à moins qu'il n'ait pris vers l'est dans la direction de Burnham, et cette route ne mène nulle part, il est sans doute monté dans les Monts Chuska.

Chee avait acquiescé, remplaçant mentalement le «sans doute» par un «très certainement».

Largo s'était extirpé de son siège et était allé se planter devant la carte murale. C'était un homme imposant qui avait des hanches étroites et un torse en forme de barrique : cette silhouette massive en forme de trémie qui est si répandue chez les Navajos de l'ouest du Nouveau Mexique. Avec son doigt, il avait tracé un cercle autour d'une partie de la carte qui englobait le massif de Shiprock, les monts Carrizo et Lukachukai, l'extrémité nord des Chuska ainsi que la région comprise entre eux.

— Ce qui réduit les possibilités à cette petite zone, avait-il déclaré. On va voir avec quelle vitesse vous allez réussir à le dénicher.

La petite zone avait à peu près la superficie du Connecticut, mais sa population ne devait pas dépasser quelques centaines d'habitants. Et ces quelques centaines étaient des gens qui ne manqueraient pas de remarquer et de garder le souvenir de tout ce qui pouvait sortir de l'ordinaire. Si Gorman avait engagé la voiture verte au volant de laquelle il roulait sur la route menant au sud de Teec Nos Pos, ou à l'ouest de Littlewater, les gens l'auraient vue, en auraient parlé et s'en seraient souvenus : bien des suppositions auraient été échafaudées à cause d'elle. Tout ce qu'il y avait à faire, c'était rouler, rouler sans relâche, parler, parler sans relâche, et ne pas se préoccuper du nombre de jours que cela prendrait pour la retrouver.

— La rapidité avec laquelle je le trouverai dépendra de la chance que j'aurai, avait déclaré Chee.

— Dans ce cas, ayez-en beaucoup, lui avait répondu Largo. Et quand vous l'aurez trouvé, appelez-moi, un point c'est tout. N'essayez pas de l'arrêter. N'essayez surtout pas de l'approcher. Ne faites rien qui pourrait lui flanquer la trouille. Contentez-vous d'utiliser votre radio pour nous avertir et nous préviendrons le FBI.

Appuyé contre la carte, Largo avait regardé Chee en arborant son expression la plus neutre possible.

— Vous comprenez ce que je vous dis ? N'allez pas foutre le bordel. Cette affaire est du ressort du FBI. Ce n'est pas, et j'insiste, une affaire concernant la Police Tribale Navajo. C'est une affaire fédérale. Ce n'est pas l'affaire de Jim Chee, simple policier navajo. Pigé ?

— Oui, avait dit Chee.

— Chee trouve. Chee m'appelle. Chee s'en tient là. Chee ne va pas s'amuser à foutre le bordel en allant faire l'andouille tout seul dans son coin.

— OK.

— Je suis très sérieux, avait insisté Largo. Je ne sais pas grand-chose, mais d'après ce que j'ai cru comprendre, ce type est lié d'une manière ou d'une autre à une grosse histoire qui s'est passée à Los Angeles. Et il y a un agent du FBI qui a été tué.

Largo avait observé une pause suffisante pour laisser à Chee le temps de réfléchir à ce que cela signifiait, puis il avait repris :

— Cela signifie que quand au FBI ils disent qu'ils veulent lui parler, à ce type, ils veulent *vraiment* lui parler. Vous, vous vous contentez de le trouver.

Chee l'avait donc trouvé, et maintenant qu'il l'avait

trouvé, il servait de guide au FBI afin qu'ils terminent le travail, le shérif adjoint Bales les accompagnant pour que le bureau du shérif du Comté de San Juan fût représenté comme il se doit.

Bales étouffa un bâillement.

— Ouais, dit-il. Le type qu'est mort il était arrivé dans un avion qu'il avait loué. Enfin, en tous cas, les gars de l'aéroport y z'ont dit qu'un avion privé était venu se poser, qu'il en était descendu et qu'il avait loué une voiture. Un gangster arrivé tout droit de Los Angeles. Avec un casier judiciaire long comme le bras.

— Hum, fit Chee.

Il était au courant pour l'avion, la voiture de location et le casier judiciaire. Un homicide était quelque chose de suffisamment étranger à la réserve pour alimenter les conversations. Le FBI n'avait rien dit à personne. Mais la Police de Farmington l'avait dit à la Police de l'Etat du Nouveau Mexique, qui l'avait dit au Bureau du Shérif, lequel l'avait dit aux policiers navajos, qui l'avaient dit aux responsables de la défense de la loi et de l'ordre public du Bureau des Affaires Indiennes, qui l'avaient dit au Service de Surveillance des Routes de l'Arizona. Dans le petit monde assez terne dont la fonction est de veiller à l'application et au respect des lois, tout ce qui sort de l'ordinaire représente une denrée précieuse qui équivaut à des semaines de conversations.

— Je me demande s'il est gravement blessé, remarqua le shérif adjoint.

—Ça ne fait pas tellement de doute. Grand-Père Joseph Joe est censé l'avoir vu se raccrocher à la portière et il avait l'air sérieusement touché. Et quand j'ai regardé à l'intérieur de la voiture, il y avait du sang sur le siège avant.

— J'étais justement en train de me poser la question, intervint le shérif adjoint. Comment vous l'avez retrouvé ?

— Juste une question de temps, répondit Chee. Vous savez ce que c'est. Il n'y a qu'à continuer à demander jusqu'à ce qu'on tombe sur la bonne personne.

Il lui avait fallu trois jours pour trouver la bonne personne, un garçon qui descendait du bus le ramenant de l'école de Toadlena. Il avait vu la voiture verte passer sur la route qui allait de Two Gray Hills à Owl Springs au sud. Chee s'était ensuite arrêté au Comptoir d'Echanges de Two Gray Hills et s'était renseigné sur les gens qui vivaient le long de cette route et sur la façon de les trouver. S'en était suivi un autre après-midi épuisant passé à rouler sur des pistes douteuses.

— Je l'ai trouvé hier vers la tombée de la nuit, ajouta-t-il.

D'une pichenette, Bales repoussa son chapeau sur l'arrière de son crâne.

— Et Sharkey qui décide d'attendre et de lui mettre la main dessus vers le lever du jour, pendant qu'il est en train de dormir. Ou pendant qu'on espère qu'il est en train de dormir. Et bien sûr, on n'est même pas certains qu'il y soit.

— Exact, dit Chee.

Mais pas un seul instant il ne doutait qu'Albert Gorman y fût. Cette route affreuse conduisait au hogan de Begay et pas ailleurs. Et de l'endroit où sa voiture avait été abandonnée, les traces de Gorman menaient chez Begay. C'étaient les traces hésitantes et incertaines d'un homme qui était soit ivre, soit grièvement blessé. Et, pour finir, il y avait ce qu'il avait appris au Comptoir d'Echanges de Two Gray Hills sur le chemin du retour. Le patron n'était pas là mais la femme qui s'occupait de la caisse lui avait dit que oui, Grand-Père Begay avait un visiteur.

— Hosteen Begay est venu il y a trois ou quatre jours, avait-elle dit, et il a demandé quels médicaments il devait prendre pour quelqu'un qui s'était blessé tout seul et qui avait très mal.

Elle lui avait vendu un flacon contenant des cachets d'aspirine ainsi qu'un timbre pour mettre sur une enveloppe qu'il voulait poster.

Depuis plusieurs centaines de mètres, la lumière des

feux de position se reflétait sur des taches d'huile noires provenant d'un carter percé. Maintenant, elle se réfléchissait sur une voiture verte qui bloquait la piste. Chee se gara juste derrière elle, éteignit les feux de position et coupa le moteur avant de descendre.

Sharkey avait baissé la vitre de sa portière. Le regard fixé sur Chee, il se penchait à l'extérieur.

— Un peu plus d'un kilomètre en suivant la piste, lui dit Chee en indiquant la direction du doigt.

Ce fut à ce moment-là qu'il remarqua pour la première fois que le brouillard était en train de se former. Il flottait légèrement, telle une fumée grise, dans le faisceau des lanternes de Sharkey, à l'instant précis où celui-ci les éteignit. Puis Chee sentit l'humidité lui imprégner le visage et l'odeur du brouillard lui emplir les narines.

3.

Dans les hautes montagnes désertiques du Plateau du Colorado, le brouillard n'a pas sa place. Sa formation est la conséquence partielle d'un accident climatique qui se produit lorsqu'un front froid franchit une chaîne de montagnes et se heurte à de l'air plus chaud sur la pente opposée. Et il ne survit pas plus longtemps qu'un poisson sorti de l'eau. C'était presque l'aube lorsque les quatre hommes atteignirent l'endroit où habitait Hosteen Begay et le brouillard avait déjà perdu son caractère de nuage opaque empêchant d'y voir quoi que ce soit. Il n'allait plus survivre que par poches, sous forme de nappes ou de fragments. Chee se tenait à la limite de l'un de ces fragments, à l'endroit exact où Sharkey lui avait dit de se poster : sur la pente, orientée à l'ouest, de la prairie où Begay avait construit son hogan. Son rôle consistait à s'assurer que si Gorman essayait de s'échapper, il ne pourrait le faire dans cette direction-là. Il s'appuyait de la hanche contre un rocher. Il attendait et observait. Pour l'instant, il observait le shérif adjoint Bales qui se tenait à côté d'un pin ponderosa, la main droite posée contre le tronc de l'arbre et la gauche tenant un pistolet à canon long dont la gueule était pointée vers le sol. La base du tronc et la partie inférieure des jambes de Bales étaient masquées par le brouillard, ce qui donnait l'illusion, dans la lumière diffuse, que l'homme et l'arbre étaient comme détachés de la terre ferme. Au-dessus de la prairie, le brouillard était presque opaque et ne s'effilochait par endroits qu'en raison d'un petit vent froid qui commençait à souffler avec l'aube. Chee jeta un coup d'œil à sa montre. Dans onze minutes, le soleil allait se lever.

Le hogan était légèrement en contrebas de l'endroit où Chee et le shérif adjoint attendaient. A travers la brume qui refluait, Chee pouvait en discerner le toit conique, lequel paraissait fabriqué avec des dosses détachées de troncs de pins ponderosa lors de leur premier passage devant la lame de la scierie. La brume revint en tournoyant, obstruant la vue, puis repartit. Le petit conduit à fumée en fer blanc qui dépassait du milieu du toit conique semblait bouché, obstrué par quelque chose qui y avait été enfoncé de l'intérieur. Chee scruta le hogan, s'efforçant d'en discerner davantage. Il ne parvenait à envisager qu'une seule raison que l'on pouvait avoir pour bloquer le trou à fumée d'un hogan.

Il fit claquer sa langue contre son palais, produisant un son indéfinissable qui était juste assez fort pour attirer l'attention du shérif adjoint. Puis, d'un geste, il lui fit part de son intention de se rapprocher du hogan. Bales eut l'air surpris. Il tapota du doigt le cadran de sa montre afin de rappeler à Chee qu'ils devaient attendre encore plusieurs minutes. Au lever du jour exactement, Sharkey et son compagnon se montreraient à la porte du hogan, laquelle était orientée à l'est. Si Hosteen Begay émergeait pour bénir le jour nouveau selon la manière traditionnelle, ils l'emmèneraient pour le mettre à l'abri puis se précipiteraient à l'intérieur du hogan et se rendraient maîtres de Gorman. S'il ne se montrait pas, ils se précipiteraient de toute façon dans le hogan. Tel était leur plan. Chee avait maintenant le sentiment que ce serait là un exercice d'une absolue futilité.

Il suivit la pente en s'éloignant de Bales, se dirigeant vers le mur nord du hogan. D'après ce que Chee avait appris sur Hosteen Begay à Two Gray Hills, c'était un vieux monsieur de l'ancienne école, un homme de traditions, un homme qui connaissait les coutumes navajos et qui les observait. Il avait donc construit son hogan ainsi que Femme-qui-Change* l'avait enseigné : avec une seule porte d'entrée faisant face à l'aube, la direction des ténèbres, la direction du mal. C'était par un trou pratiqué dans le mur nord du hogan que le cadavre devait être enlevé lorsque par malheur la mort frappait quelqu'un qui se trouvait à l'intérieur. Puis le trou à fumée était bouché, l'entrée condamnée à l'aide de planches, et les lieux abandonnés en laissant béant le trou par lequel on avait fait passer le cadavre afin de prévenir le Peuple* que la mort s'était emparée de ce hogan. On pouvait faire sortir le corps, mais jamais le *chindi** malfaisant du mort. La contamination due à la présence du fantôme* était permanente.

Chee avait décrit un arc de cercle long d'une centaine de mètres en restant hors de vue. Il était maintenant pratiquement plein nord par rapport au hogan. A travers la brume moins dense il distinguait le trou sombre où les rondins du mur avaient été fendus à coups de hache. Quelqu'un était effectivement mort à l'intérieur du hogan de Hosteen Begay et y avait laissé son fantôme.

4.

— La chose à faire est de trouver le corps... s'il y en a un, dit Sharkey. Vous vous en occupez, Chee. Nous, nous allons voir ce que nous pouvons découvrir par ici.

Sharkey se tenait à l'entrée du hogan. C'était un homme de petite taille à l'aspect rude qui pouvait avoir quarante-cinq ans. Ses cheveux blonds et bouclés étaient coupés courts.

— Ici y a un autre pansement qu'a servi, énonça la voix de Bales qui provenait de l'intérieur du hogan derrière Sharkey. Y a du sang séché sur çui-là aussi.

— Qu'est-ce que vous voyez d'autre ? demanda Chee. Il y a une couverture ?

— Allez voir si vous pouvez trouver où ils ont mis le corps, lui ordonna Sharkey d'un ton impatient.

— Tout de suite, dit Chee.

Il avait déjà une idée sur l'endroit où il pouvait être. D'après la description qui leur avait été faite de Gorman, il n'était pas particulièrement lourd. Mais Begay était un vieil homme et porter le corps d'un adulte n'avait pas dû être facile. Il l'avait probablement traîné en se servant des couvertures qui avaient constitué son lit. Et le meilleur endroit pour l'enterrer sautait aux yeux. Vers le nord-ouest, une série de falaises dominaient la petite prairie de Begay et, au pied de celles-ci, s'accumulaient d'énormes pans de rochers qui s'étaient détachés des parois. C'était l'endroit idéal où mettre un corps de manière à ce qu'il soit à l'abri des prédateurs. Chee prit la direction de la pente d'éboulis.

Le second de Sharkey escaladait la rive de l'arroyo* qui passait derrière le hogan. Il adressa un signe de tête à Chee.

— Rien dans le corral ni dans l'enclos à moutons, dit-il. Et le fumier a l'air ancien.

Chee lui retourna son signe de tête en regrettant de ne

pas avoir retenu le nom de cet homme et en se demandant ce que le mot «ancien» signifiait quand il était appliqué à des excréments d'animaux. Qu'il datait d'hier ou de l'année dernière ? Mais rien de tout cela ne l'intéressait particulièrement. Cela regardait Sharkey et pas lui. Gorman était peut-être un Navajo par la chair et le sang, mais il était un homme blanc par le conditionnement et par le comportement. Il faut laisser aux Blancs le soin d'enterrer les Blancs, disait approximativement le dicton. Il voulait retourner à Shiprock, à son travail à lui et à ses propres problèmes. Qu'est-ce qu'il allait faire pour Mary Landon ?

Il suivit le seul chemin relativement praticable qui menait jusqu'aux blocs rocheux tout en remarquant très rapidement qu'il avait vu juste. Quelque chose de lourd avait été traîné par ici, laissant derrière lui une piste constituée d'herbes brisées et de terre remuée. Puis Chee remarqua, dans l'éboulis qui se trouvait juste au-dessus de lui, la trace fraîche laissée par des blocs rocheux qui avaient été délogés par quelqu'un les ayant poussés ou ayant fait levier de telle sorte que la force de gravité avait engendré un éboulement. La manière la plus simple de recouvrir un corps. Puis il repéra le bleu d'un jean.

Le corps avait été placé sur un pan de rocher qui s'était détaché de la falaise des siècles plus tôt. Placé là, le corps était hors de portée des coyotes, et les rochers qui avaient été poussés afin de le recouvrir l'avaient mis à l'abri des oiseaux. Le morceau de toile bleue qui avait accroché l'œil de Chee était le bas d'une jambe de pantalon. Il fit le tour de la tombe tout en l'observant. Il ne pouvait rien distinguer de ce qui appartenait à la tête et pas grand-chose du corps, à l'exception de la semelle de la chaussure droite et, dans une trouée entre les blocs rocheux, d'un petit fragment de chemise bleue correspondant à une épaule.

Il y avait quelque chose qui gênait Chee, quelque chose qui était de manière infime en désaccord avec l'harmonie des choses telle qu'elle aurait dû être. Mais quoi ?

Il escalada la pente et examina d'en haut le site de l'enterrement. Rien d'autre qu'un éboulis de rochers qui n'avait
pas l'air naturel. Il regarda au-delà, scrutant l'endroit où
avait vécu Hosteen Begay. Le soleil était levé maintenant,
suffisamment haut au-dessus de l'horizon pour lui
réchauffer le visage. En contrebas, le hogan était toujours
dans l'ombre. Un endroit bien choisi, bien aménagé, avec,
attenant, un enclos à moutons bien construit, un abri
Montgomery Ward assez récent pour le stockage et une
série de tuyaux soudés en place qui servaient pour les
barils de pétrole dans lesquels Hosteen Begay conservait
l'eau qu'il buvait ou dont il se servait pour la cuisine,
ainsi qu'un abri sous lequel il gardait la nourriture pour
ses bêtes. Un endroit bien organisé. Plus loin, à travers
une ligne de pins ponderosa, le soleil levant éclairait le
velours gris vallonné du bassin de la San Juan. Une terre
à moutons (herbe-aux-bisons, bouteloue, sauge herbe-
aux-lapins, herbe-aux-serpents), ponctuée par les flèches
gothiques du rocher de Shiprock qui se dressaient en noir
sur le ciel et, au-delà de Shiprock, à quatre-vingts kilomètres de distance, la tache qui trahissait les cheminées
de la centrale de Four Corners.

Chee s'imprégna de cette vue, laissant l'immensité des
grands espaces s'emparer de son être. Mais quelque chose
continuait à solliciter son attention. Quelque chose qui
ne s'accordait pas avec le reste. Dans cette harmonie générale, il y avait une dissonance.

Il reporta son regard sur le hogan et l'étudia attentivement. Bales se tenait tout près de l'enclos à moutons.
Les deux agents du FBI étaient hors de vue, peut-être à
l'intérieur du hogan où la mort était venue et où leur igno-
rance les protégeait de la méchanceté du *chindi* de Gorman. Un site parfait. Il y avait tout ce qu'il fallait. Du
bois à brûler. De l'herbe en été. De l'eau fraîche au printemps dans l'arroyo qui se trouvait derrière le hogan. La
beauté était présente dans le site et dans la vue qu'il
offrait. Sans compter l'isolation, le sens de l'espace, ce
que les Indiens pueblos et les Blancs appelaient solitude

mais que les Navajos recherchaient. Certes, l'hiver on devait être bloqué par les neiges ici, et il devait faire un froid mordant. On devait se trouver à plus de deux mille cinq cents mètres. Mais le hogan avait été construit pour l'hiver. Cela avait dû être extrêmement dur pour le vieil homme, de l'abandonner. Et pourquoi l'avait-il fait ?

C'était cette question, comprit Chee, qui ne cessait de le travailler. Pourquoi le vieil homme n'avait-il pas fait ce que le Dinee faisait depuis cent générations lorsqu'ils voyaient la mort approcher ? Pourquoi n'avait-il pas sorti Gorman agonisant du hogan, ne l'avait-il pas emmené à l'air pur et à ciel ouvert sous l'œil du Soleil Père ? Pourquoi n'avait-il pas fait à ce petit-fils un lit de mort à l'abri de l'enclos, là où aucune cloison n'aurait emmuré son *chindi* quand la mort l'aurait libéré, là où le fantôme aurait pu se perdre dans l'immensité du ciel ? Gorman avait dû succomber à une mort lente, progressive, causée par la perte de son sang, à des blessures internes et à l'infection. La mort n'avait pas eu de quoi prendre le vieil homme au dépourvu. La culture navajo n'était pas de celles qui cachent les gens dans des hôpitaux à l'heure de leur mort. On grandissait en côtoyant la mort des personnes âgées qui vous étaient proches, on était présent au moment de la mort, on la respectait. Begay avait dû voir cette mort-là venir depuis des heures, il avait dû l'entendre dans les poumons de Gorman, la voir dans ses yeux. Pourquoi n'avait-il pas emmené le mourant dehors selon la coutume du Peuple ? Pourquoi avait-il laissé ce précieux foyer devenir à jamais contaminé par la présence du fantôme ?

Sharkey apparut sur le seuil du hogan et demeura là, le regard levé vers Chee. Chee, invisible au milieu des blocs rocheux, lui retournait son regard. Bales et l'autre agent du FBI étaient maintenant hors de vue. Comment s'appelait-il donc ? Cela lui revint brusquement : Witry. Une autre pensée se fit brusquement jour en Chee. Se pouvait-il que le corps qui se trouvait sous les rochers fût celui de Begay ? Se pouvait-il que Gorman eût tué le vieil homme ? Cela ne semblait guère plausible. Mais Chee se rendit compte que son humeur maussade avait changé. Brusquement, il était intéressé par cette affaire.

Il s'avança de façon à ce que Sharkey puisse le voir.

— Par ici ! cria-t-il.

Il ne leur fallut pas longtemps pour déplacer les rochers.

— J'ai laissé les photos dans le pick-up truck, dit Sharkey. Mais il correspond à la description de Gorman.

Le corps, visiblement, ne pouvait être celui de Hosteen Begay. Il était bien trop jeune. Trente-cinq ans environ, se dit Chee. Il reposait sur la pierre, visage dirigé vers le ciel, jambes allongées, bras le long du corps. Un sac à pain en plastique, dont le haut avait été fermé en le tortillant, était posé à côté de sa main droite.

— Voilà ce qui l'a tué, fit remarquer Bales. Il l'a pris en plein dans le côté. Ça a dû faire de sacrés dégâts à l'intérieur sans qu'il y ait moyen d'empêcher le sang de couler.

Sharkey regardait Chee.

— Je suppose qu'il n'y a pas moyen de faire venir un véhicule jusqu'ici, dit-il. Je suppose qu'on va être obligés de le porter jusqu'au pick-up truck.

— On pourrait aller chercher un cheval, répondit Chee. Et le sortir de là comme ça.

Sharkey s'empara du sac et l'ouvrit.

— Ça ressemble à un récipient qui serait rempli d'eau. Et de farine de maïs. Ça vous dit quelque chose ?

— Oui, dit Chee. C'est ce qu'on fait toujours.

Sharkey renversa précautionneusement le contenu du sac sur le rocher, obligeant par ce geste la forme physique de Gorman à effectuer sans eau ni nourriture le voyage long de quatre jours qui allait le conduire jusqu'au monde souterrain des morts.

— Et voilà son portefeuille. Briquet. Clefs de voiture. Peigne. Je suppose que c'est tous les trucs qu'il avait dans ses poches.

Sharkey fouilla dans les divers compartiments du portefeuille, disposant à côté du genou de Gorman sur le rocher les bouts de papiers qu'il en retirait avant de se mettre à en faire l'inventaire. Le permis de conduire en premier. Sharkey le tint dans sa main gauche, fit de la main droite pivoter le visage de Gorman vers lui, puis effectua la comparaison entre le visage et la photographie.

— Albert A. Gorman, énonça-t-il en lisant. Le regretté Albert A. Gorman. 11713, La Monica Street, Hollywood, Californie.

Il fit rapidement le compte de l'argent qui paraissait essentiellement se composer de billets de cent dollars et siffla entre ses dents :

— Deux mille sept cents avec une quarantaine de dollars en plus, dit-il. Eh bien, le crime ne payait pas si mal pour lui.

— Hé ! s'exclama Witry. Il s'est trompé de pied pour les chaussures.

Sharkey interrompit son inventaire et regarda les pieds de Gorman. Il portait des chaussures de jogging basses de couleur marron : dessus toile, semelles caoutchouc. Les chaussures avaient été inversées, la droite chaussant le pied gauche.

— Non, intervint Chee. C'est normal.

Sharkey le fixa d'un œil moqueur.

— Enfin, expliqua Chee, c'est comme ça qu'il faut faire. Traditionnellement, quand on prépare un corps avant de l'enterrer, on inverse les mocassins. On les intervertit. (Chee se sentit rougir sous le regard de Sharkey). Pour que le fantôme ne puisse pas le suivre après la mort.

Silence. Sharkey se replongea dans l'examen des objets qu'avait contenus le portefeuille de Gorman.

Chee étudia la tête de Gorman. Il y avait de la terre sur son front et ses cheveux étaient couverts de poussière rocheuse engendrée par l'éboulement qui avait servi à l'enterrer. Mais ils étaient plus que poussiéreux. Ils étaient gras et emmêlés : c'étaient les cheveux d'un homme qui était resté allongé plusieurs jours en attendant la mort.

— Beaucoup de fric, déclara Sharkey. Cartes de crédit : VISA, Mastercard. Permis de conduire délivré en Californie. Permis de chasse délivré en Californie. Carte d'adhérent à l'Olympic Health Club. Photos de deux femmes. Coupon donnant droit à deux Maxi-Burgers pour le prix d'un. Carte d'assuré social. Point final.

Il plongea la main dans les poches de la veste de Gorman, la déboutonna et vérifia ses poches de chemise, retourna celles de son pantalon. Il n'y avait strictement rien dans les poches de Gorman.

Tandis qu'il retournait à son véhicule, Chee conclut qu'il avait une seconde énigme à ajouter à la question concernant la raison pour laquelle Hosteen Begay n'avait pas préservé son hogan contre le fantôme. Un autre exemple de négligence. Begay, à certains égards, avait bien préparé l'homme qui faisait partie de sa famille. Albert A. Gorman était passé par le trou sombre qui menait au monde inférieur avec quantité d'argent qu'il ne pourrait plus dépenser. Aucun fantôme ne pouvait suivre ses traces devenues trompeuses. Il avait reçu l'eau et la nourriture symboliques nécessaires pour le voyage. Mais il allait arriver sans avoir été purifié. Ses cheveux sales auraient dû être abondamment lavés avec de la mousse de yucca*, puis peignés et coiffés en nattes. Faire bouillir des racines de yucca, cela prend du temps. Est-ce que quelque chose avait contraint Hosteen Begay à faire vite ?

5.

Le début de l'hiver descendit du Canada, déposa sur le Plateau du Colorado une pellicule de neige, puis repartit. Les dernières oies du Canada, les retardataires, apparurent le long de la San Juan, restèrent vingt-quatre heures puis s'enfuirent vers le sud. L'hiver se manifesta à nouveau, froid et sec cette fois-ci. Il s'abattit sur les montagnes de l'Utah et envoya en avant-garde des rafales de vent qui vinrent souffler d'un bout à l'autre de la région des canyons. A la sous-agence de la Police Tribale Navajo installée à Shiprock, le vent sifflait et grondait, il fouettait les murs et faisait trembler les vitres, détournant l'attention de Chee de ce que le capitaine Largo était en train de lui dire et de ses propres pensées concernant Mary Landon. La réunion du lundi matin avait duré plus longtemps que d'habitude mais elle touchait à sa fin. Les hommes de terrain, les chefs d'équipes, les radios et ceux qui travaillaient à la prison avaient quitté la pièce. Chee et Taylor Natonabah avaient reçu l'ordre de rester après les autres. Chee était affalé sur sa chaise pliante dans un angle de la pièce. Ses yeux étaient fixés sur Largo qui expliquait quelque chose à Natonabah, mais en esprit il revivait le soir où il avait rencontré Mary Landon : Mary le regardant au milieu de la foule pendant la vente aux enchères des couvertures indiennes à Crownpoint, Mary assise en face de lui au Crownpoint Café, ses yeux bleus rivés sur les siens tandis qu'il lui parlait de sa famille* : de ses sœurs, sa mère, son oncle qui lui enseignait la Voie* de la Montagne et la Voie de la Chasse ainsi que d'autres rites* guérisseurs appartenant aux coutumes navajos, le préparant à devenir *yataalii**, l'un des hommes-médecine shamans qui maintenaient le Peuple en harmonie avec son univers. L'intérêt véritable qui se lisait sur le visage de Mary. Et Mary, finalement, lorsqu'il lui avait laissé la possibilité de s'exprimer, qui lui avait parlé de ses élèves de l'école élémentaire de Crownpoint, de la différence qu'il y avait entre les enfants des pueblos indiens auxquels elle avait fait la classe l'année précédente à l'école de Laguna-Acoma et ces jeunes Navajos, puis de sa famille dans le Wisconsin. Dès cette première rencontre il avait su, se disait-il maintenant, que cette jeune femme blanche était la femme avec laquelle il avait envie de partager sa vie.

Un nouveau coup de vent projeta du sable contre les vitres et s'insinua quelque part par des fentes pour faire circuler de l'air glacé autour des chevilles de Chee. Ses souvenirs firent un bond dans le temps et il se retrouva au week-end où il avait emmené Mary avec lui sur le plateau jusqu'au hogan d'été de sa mère au sud de Kayenta. Quand, par la suite, il avait demandé à sa mère ce qu'elle pensait de Mary, elle avait répondu : «Est-ce qu'elle sera une Navajo ?» Et il avait répondu : «Oui. Elle le sera.» Il savait maintenant qu'il s'était trompé. Enfin, certainement. Mary Landon ne serait pas une Navajo. Que pouvait-il faire pour y remédier ? Ou bien, s'il ne pouvait rien faire, Jim Chee pouvait-il renoncer à être un Navajo ?

Natonabah partait en remontant la fermeture-éclair de sa veste bordée de fourrure, le visage cramoisi et la bouche mauvaise. Visiblement le capitaine avait exprimé des critiques de cette manière bien personnelle qui consistait à parler en sourdine. Chee cessa de penser à Mary Landon et interrogea à nouveau sa conscience. Il l'avait déjà fait automatiquement quand le capitaine lui avait fait signe de rester après les autres et il n'avait trouvé nul exemple de circonstances où il aurait pu passer outre aux règles et aux ordres du capitaine. Mais maintenant, le gros visage tout rond de Largo l'observait, et il était encore plus aimable et plus doux que d'habitude. Ce qui était souvent synonyme d'ennuis. Qu'est-ce qu'il avait bien pu faire ?

— Vous avez rattrapé tout le travail en retard ?

— Non, capitaine, dit Chee en se redressant sur sa chaise.

— Vous avez coincé cette Yazzie qui n'arrête pas de faire son trafic de vin ?

— Non, capitaine.

— Et le môme qui a joué du couteau sur la Réserve Ute, vous l'avez trouvé ?

— Pas encore.

Ça allait être pire qu'il ne s'y était attendu. Cette histoire de coups de couteau chez les Utes n'avait été ajoutée que le vendredi précédent à la liste des affaires dont il était chargé.

Largo avait le regard plongé dans le dossier dans lequel il rangeait les rapports de Chee. C'était un dossier bien rempli, mais le capitaine prit apparemment la décision d'abréger un peu l'épreuve. Il parcourut l'ensemble rapidement puis referma le dossier et le retourna sur son bureau.

— Vous avez encore toutes ces affaires-là en suspens, hein ? Tout ce qu'il faut pour faire travailler vos méninges ?

— Oui, capitaine. Beaucoup de choses en train.

— J'ai pourtant eu l'impression qu'il vous restait du temps de libre, reprit le capitaine. Que vous cherchiez quelque chose pour occuper vos loisirs.

Chee attendit. Largo aussi. Ah, se dit Chee, autant s'en débarrasser une bonne fois pour toutes.

— Comment ça, capitaine ? demanda-t-il.

— Vous avez emprunté le dossier de l'affaire Gorman.

L'expression de son visage indiquait qu'il voulait savoir pourquoi.

— Par simple curiosité, assura Chee.

Maintenant il allait avoir droit à un sermon sur le respect des prérogatives, il allait s'entendre dire qu'il devait s'occuper de ce qui le regardait.

— Vous y avez trouvé quelque chose d'intéressant ?

La question le surprit.

— Il n'y a vraiment pas grand-chose dedans, dit-il.

— Aucune raison que ce soit le cas. Cette affaire ne nous concerne pas. Qu'est-ce que vous cherchiez ?

— Rien de particulier. Je me demandais qui était Gorman. Et qui était l'homme qui était sur ses traces. Celui qu'il a abattu à la laverie automatique. Ce que Gorman fabriquait à Shiprock. Quelle était la place de Begay dans tout ça. Des trucs comme ça.

Largo joignit le bout de ses doigts au-dessus de son

bureau en leur donnant la forme d'une tente, puis la contempla.

— Pourquoi cette curiosité ? s'enquit-il sans quitter ses doigts des yeux. Un échange de coups de feu dans un parking. Le survivant qui se réfugie chez l'un des membres de sa famille pour se cacher et se soigner. Tout cela me paraît normal. Qu'est-ce qui vous gêne ?

Chee haussa les épaules.

Largo l'observait.

— Vous savez, dit-il, ou en tous cas vous avez dû entendre dire qu'un agent du FBI s'est fait descendre en Californie en liaison avec cette histoire. Ces gens-là sont toujours extrêmement susceptibles. Cette fois-ci ils vont l'être encore plus.

— C'était par simple curiosité, répéta Chee. Il n'y a pas de mal à ça.

Il expliqua à Largo la manière dont le corps de Gorman avait été préparé, ses cheveux non lavés, et les questions qu'il s'était posées en constatant que Begay n'avait pas sorti Gorman du hogan avant l'instant de la mort.

Largo l'écouta puis dit :

— Vous en avez parlé à Sharkey ?

— Ça ne l'a pas intéressé.

Largo eut un sourire sarcastique.

— Il n'avait peut-être pas tort, reprit Chee. Je ne sais pas grand-chose de Begay. Beaucoup de Navajos n'en savent pas assez sur ce qu'il convient de faire pour préparer un mort. La plupart s'en moqueraient totalement.

— Ceux qui sont plus jeunes que lui, peut-être, ou ceux des villes. Begay n'est pas jeune. Il ne vit pas en ville. Qu'est-ce que vous savez de lui ?

— On lui dit Hosteen, je suppose donc que les gens qui habitent là-haut le respectent. C'est à peu près tout.

— J'en sais un peu plus que vous. Begay appartient au Tazhii Dinee. En fait, on m'a raconté que sa tante est l'*ahnii** du clan. Il habite là-haut au-dessus de Two Gray Hills depuis si longtemps que plus personne ne s'en souvient plus. Possède un droit de pacage. Elève des moutons. Reste tranquillement dans son coin. Paraîtrait que c'est un sorcier*.

Largo avait débité tout cela d'une voix égale et neutre, en n'insistant pas davantage sur la dernière phrase que sur la première.

— Il paraîtrait que pratiquement tout le monde en est un, déclara Chee. J'ai entendu dire que vous en étiez un. Et moi aussi.

— Il semble avoir bonne réputation. Les gens là-haut ont l'air de l'aimer bien. Ils disent que c'est quelqu'un d'honnête. Qu'il se préoccupe des siens.

Il n'y avait pas plus beau compliment pour un Navajo. La pire insulte était de dire de quelqu'un qu'il se conduisait comme s'il n'avait pas de proches. En pays navajo, la famille passe avant tout.

Chee avait bien envie de demander à Largo pourquoi il avait recueilli tous ces renseignements sur un vieil homme qui restait tranquillement dans son coin au cœur des Monts Chuska. Ainsi que le capitaine l'avait dit, la fusillade du parking était l'affaire du FBI, une affaire d'hommes blancs qui était totalement en dehors du domaine d'intervention de la Police Tribale Navajo. Plutôt que de poser la question, il attendit. Cela faisait deux ans qu'il travaillait pour Largo, d'abord à la sous-agence de Tuba City et maintenant ici, à Shiprock. Largo lui dirait exactement ce qu'il souhaitait qu'il sache et il le ferait à son rythme à lui. Chee ne savait pas grand-chose du Tazhii Dinee, hormis que ce Peuple du Dindon était l'un des plus petits parmi la soixantaine de clans que comptaient les Navajos. Si la tante de Begay était l'*ahnii* du clan, son juge/matriarche/fontaine-de-sagesse, c'était qu'il appartenait à une famille très respectée et qu'il possédait une connaissance suffisante des coutumes navajos pour préparer comme il convenait l'un de ses parents pour son enterrement.

— Gorman était le fils de la plus jeune sœur de Begay, compléta Largo. Le Bureau des Affaires Indiennes a transféré et relogé toute une partie de ce clan à Los Angeles dans les années quarante et cinquante. En fait, Begay semble être l'un des rares de toute cette famille à n'être pas parti. Je crois que l'une de ses sœurs est restée également. Elle habitait du côté de Borrego Pass. Elle est morte maintenant. Et quelques membres du Tazhii Dinee sont censés être allés s'installer dans la Réserve de Canoncito. Mais il ne reste plus grand-chose du clan en tant que tel.

Largo se dirigea vers la fenêtre et, le dos tourné à Chee, regarda les effets du mauvais temps sur le parking au dehors.

— Nous avons une jeune fille qui a disparu de l'Ecole Indienne Sainte Catherine, dit Largo. Probablement une fugue. Probablement sans importance. (Ici, le capitaine observa la pause qu'utilise celui qui raconte une histoire pour ménager ses effets). C'est la petite-fille de Hosteen Begay. Elle a dit à une amie qu'elle était inquiète pour lui. Les sœurs de Sainte Catherine ont appelé la police là-bas, à Santa Fe, parce qu'elles ont dit qu'elle n'était pas le genre de fille à faire une fugue. S'il y a un genre pour ça. (Largo marqua une nouvelle pause, les yeux toujours fixés sur une chose ou une autre dans le parking). Elle a suivi ses cours le matin du quatorze. Elle n'est pas venue en classe l'après-midi.

Chee ne fit aucun commentaire. L'épisode sanglant du parking s'était produit le onze au soir. Le douze, Grand-Père Begay était entré au Comptoir d'Echanges de Two Gray Hills, y avait acheté sa pauvre petite bouteille de cachets d'aspirine, et avait expédié une lettre. Combien de temps cela prenait-il à une lettre pour parvenir de Two Gray Hills à Santa Fe ? Deux jours ?

Largo revint vers son bureau, trouva un paquet de cigarettes dans son tiroir et en alluma une.

— L'autre point, dit-il à travers un nuage de fumée bleue, c'est qu'au FBI ils sont encore plus furieux que d'habitude. Vraiment dans une rage folle. Je suis donc allé un peu aux renseignements. Il en ressort qu'un de leurs agents, un vieux de la vieille, s'est fait descendre il y a deux mois et qu'il travaillait sur quelque chose qui est lié à cette histoire.

Il mit un terme à son inspection du parking et fixa son regard sur Chee avant d'ajouter :

— Vous êtes dans la police depuis suffisamment longtemps pour savoir ce qui se passe quand un flic se fait tuer ?

— On me l'a dit.

— Bon, en tous cas, ils ne veulent *jamais* que nous allions mettre notre nez dans ce qui est de leur ressort. Alors imaginez comme ils seraient contents si cela se produisait alors que l'un de leurs agents s'est fait tuer. Et qu'ils n'ont personne sur qui coller ça.

— Ouais, fit Chee.

— Malheureusement, poursuivit Largo, en toute logique c'est à vous qu'il revient de vous occuper de la jeune fille qui a disparu de Sainte Catherine.

Chee ne releva pas la remarque. Ce que Largo sous-entendait c'était que Chee avait la réputation d'aller fourrer son nez partout. Et il ne pouvait pas dire le contraire.

— Vous voulez que je sois prudent, dit-il.

— Je veux que vous fassiez usage de votre matière grise. Essayez de voir si vous pouvez lui mettre la main dessus. Si vous tombez sur quelque chose qui est en rapport avec ce qui est arrivé à Gorman, vous faites machine arrière. Vous me le dites. Je le dis à Sharkey. Tout le monde est content.

— Oui, capitaine.

Debout à côté de la fenêtre, Largo le regardait.

— Je suis tout ce qu'il y a de plus sérieux, avertit-il. Pas de conneries, hein ?

— Non, capitaine.

6.

La jeune fille s'appelait Sosi. Margaret Billy Sosi. Dix-sept ans. Fille de Franklin Sosi, sans domicile connu, et de Emma Begay Sosi (décédée), de Borrego Pass. Ashie Begay, grand-père, aux bons soins du Comptoir d'Echanges de Two Gray Hills, figurait sur la fiche comme étant la «personne à prévenir en cas d'urgence.» Cette fiche était la photocopie d'une feuille d'inscription que l'on utilisait à l'internat de Santa Fe, et il n'y avait rien dessus, ni sur le formulaire joint de la Police Tribale Navajo concernant les personnes disparues, qui apprit à Chee quelque chose qu'il ne savait déjà. Il remit les deux feuilles dans leur chemise et se pencha sur les copies qu'il avait faites du rapport concernant le meurtre de Gorman.

Le vent qui soufflait maintenant directement du Nord tournoyait autour de son pick-up truck et projetait contre sa porte des particules qui provenaient du sol du parking. C'était là une partie de ce tout que constituaient l'instant et le lieu, et s'en irriter aurait été contraire à sa nature navajo. Mais cela le rendait nerveux. Il parcourut rapidement le rapport consacré à Gorman, s'intéressant d'abord à la chronologie des événements qui s'étaient déroulés devant la laverie automatique, en venant ensuite à la transcription que le policier chargé de l'enquête avait faite de son entretien avec Joseph Joe : il cherchait à découvrir ce quelque chose de bizarre qui l'avait tracassé lorsqu'il avait lu le rapport la première fois.

«Le témoin Joe a déclaré que Gorman l'avait appelé et fait venir jusqu'à la voiture puis avait échangé quelques mots avec lui. Joe a déclaré que pendant qu'il s'éloignait du véhicule de Gorman, la voiture de location conduite par Lerner était entrée sur le parking…»

Puis avait échangé quelques mots avec lui. A quel sujet ? Quelle raison Gorman avait-il eu de venir en voiture depuis Los Angeles pour se faire descendre devant une laverie automatique ? Chee avait l'impression qu'une réponse à la première question permettrait peut-être d'avoir des éléments de réponse pour la seconde. Une question qu'il semblait assurément logique de poser... une chose qu'il aurait demandée à Grand-Père Joe. Pourquoi ne la lui avait-on pas posée ? Chee regarda le nom du policier qui avait mené l'enquête. C'était Sharkey. Sharkey avait l'air malin.

Chee lut le reste du rapport. Sur un terrain d'aviation de Pasadena, Lerner avait trouvé un appareil prêt à l'emmener jusqu'à Farmington où il avait loué une voiture à la compagnie Avis. D'après le temps qui s'était écoulé, il avait aussitôt pris la route de Shiprock et n'avait pas traîné. De toute évidence, il était sur la piste de Gorman. Comment l'avait-il retrouvé à la laverie ? Cela n'avait pas dû être très difficile s'il connaissait la voiture que Gorman conduisait. Il avait dû essayer de la repérer, et la route qui venait de Farmington passait juste devant le parking où Gorman s'était garé. Ce qui laissait la question du pourquoi. Les données qui figuraient dans le rapport concernant Gorman lui-même semblaient faire de lui quelqu'un de tout à fait insignifiant : un voleur de voitures, sans plus. Lerner, d'après le rapport et d'après ce que Chee avait entendu dire, était un petit gangster de Los Angeles. Le coût et le côté voyant de la location de l'avion paraissaient grotesques en relation avec un incident qui faisait intervenir des gens ayant aussi peu d'importance.

Chee remit le rapport dans le dossier et jeta un rapide coup d'œil sur les papiers qui étaient arrivés sur son bureau. Pas grand-chose. Une note lui demandant de rappeler et spécifiant qu'«Eddie» avait appelé à propos du «Blue Door». Eddie était pompiste de nuit à la station service Chevron juste à côté du pont sur la San Juan. Sa mère était une alcoolique ; Eddie n'aimait pas les trafiquants et le Blue Door Bar qui se trouvait en dehors de Farmington, à la limite de la réserve, était le repaire de ceux qui introduisaient bière, vin et whisky au plus profond de la réserve. Les intentions d'Eddie n'étaient pas en cause, mais les renseignements qu'il fournissait semblaient malheureusement ne jamais déboucher sur rien.

La note suivante signalait à tous les policiers qu'une jument pie avait été volée au Comptoir d'Echanges de Two Gray Hills ; qu'il y avait un mandat d'arrestation délivré contre un dénommé Nez qui avait frappé son beau-frère à coups de marteau au camp à moutons de la famille, au-dessus de Mexican Water ; et qu'il y avait confirmation de l'identification d'une femme entre deux âges trouvée morte sur le bas-côté de la route menant de Shiprock à Gallup. La cause du décès était également confirmée. Elle avait été écrasée par un véhicule alors que, rendue inconsciente par l'alcool, elle gisait sans connaissance sur la chaussée. Chee jeta un second coup d'œil au papier d'identification. Le nom ne lui disait rien mais il connaissait cette femme de même qu'une vingtaine d'autres, leurs maris et leurs fils. Il les avait arrêtés, les avait pris à bras-le-corps pour les faire monter dans sa voiture de police, avait nettoyé derrière eux et avait transporté leurs corps inertes sur des brancards et dans les ambulances. A la bonne saison, on les retrouvait ivres-morts devant les camions de l'US 666 ou de la Route Navajo 1. En ce moment, avec le vent glacial qui se mettait à souffler, on allait les retrouver ivres-morts dans les fossés gelés.

Ce même vent se jetait contre un pick-up truck, engendrait un courant d'air froid autour de son visage. Chee mit le contact et fit démarrer le moteur. Où était Mary Landon en ce moment ? Elle faisait la classe à ses élèves de Crownpoint. Chee se souvint de l'après-midi où il était resté dans l'allée, devant les fenêtres de sa classe, et où il l'avait regardée : une pantomime silencieuse derrière la vitre. Mary Landon qui parlait. Mary Landon qui riait. Mary Landon qui encourageait, montrait son approbation, expliquait. Jusqu'au moment où l'un des élèves l'avait aperçu et l'avait regardé faire, et où il était parti profondément gêné.

Il chassa cet épisode de ses pensées et fit sortir le pick-up truck du parking. Il irait voir Eddie plus tard pour le Blue Door Bar. La jument pie volée, le beau-frère irascible et tout le reste pouvaient attendre. Son véritable travail consistait pour l'heure à retrouver Margaret Billy Sosi, dix-sept ans, petite-fille d'Ashie Begay, sœur de clan d'un homme maintenant mort que les gens appelaient Albert Gorman et qui donnait l'impression d'avoir essayé de fuir quelque chose, mais de ne pas avoir fui assez vite ou assez loin. Et par conséquent, la première étape pour retrouver Margaret Billy Sosi consistait à retrouver Hosteen Joe Joseph et à lui poser la question que Sharkey ne lui avait pas posée, à savoir ce qu'Albert Gorman lui avait dit à la laverie automatique de Shiprock.

7.

Retrouver Joseph Joe s'avéra assez facile. Dans des cultures qui font cas de la propreté et où l'eau est rare, les laveries sont des aimants : elles représentent un centre de vie sociale au même titre qu'un lieu utilitaire. Chee considéra automatiquement que les gens qui travaillaient à la laverie de Shiprock connaissaient leurs clients. Il ne se trompait pas. La femme entre deux âges qui dirigeait l'endroit lui fournit toute l'ascendance généalogique de Joseph Joe ainsi que le chemin à suivre pour parvenir à son hogan d'hiver. Poussé par le vent du nord, Chee traversa le pont qui enjambait la San Juan au volant de sa voiture officielle puis tourna vers l'ouest en direction de l'Arizona et à nouveau vers le sud entre les pentes desséchées où poussaient herbes-aux-serpents et herbes-aux-bisons en direction de la flèche de basalte noire qui dominait la région et donnait son nom à la ville de Shiprock. Le Vaisseau de Pierre avait jalonné toute la jeunesse de Chee : de chez sa mère, au sud de Kayenta, il le voyait se dresser vers l'est sur l'horizon : et il représentait un gros pouce noir qui pointait dans le ciel au nord pendant les interminables hivers de solitude qu'il avait passés à l'internat de Two Gray Hills. C'était là qu'il avait appris que le Rocher aux Ailes des légendes de son oncle avait, des millénaires auparavant, existé sous la forme d'un bouillonnement furieux de lave en fusion dans la cheminée d'un immense cône de cendres. Le volcan s'était éteint, des millions d'années avaient passé, l'érosion due aux intempéries (comme le vent mordant qui était en train de souffler) avait eu raison des cendres et des scories et n'avait laissé qu'un noyau extrêmement résistant de couleur noire. Dans la lumière maussade de l'automne, il s'élançait vers le ciel telle une cathédrale gothique surréaliste, jaillissant mille pieds au-dessus des herbes fouettées par le vent et offrant à la maison de planches et de papier goudronné de Joseph Joe, à huit kilomètres de distance, une toile de fond grotesque dans sa démesure même.

— Je l'ai déjà raconté au policier blanc, répondit Joseph Joe à Chee.

Joe versa du café dans un gobelet de plastique qui servait à fermer une bouteille Thermos puis dans une tasse blanche autour de laquelle figurait l'inscription MCDONALD REELU POUR LE PROGRES DE LA TRIBU, tendit à Chee la tasse politique, but une petite gorgée dans l'autre et recommença à tout raconter depuis le début.

Chee l'écoutait. Le vent s'insinuait dans les fentes, faisait bruire le *Times* de Farmington que Joe utilisait comme nappe et faisait légèrement bouger le vêtement de rechange qui était accroché à un fil de fer en travers de l'un des coins de la pièce. Par l'unique fenêtre orientée au sud, Chee voyait le piton volcanique et ses hautes parois tantôt apparaître de manière diffuse derrière la poussière soulevée par le vent, tantôt se détacher en noir devant le ciel envahi de poussière. Joseph Joe acheva son récit, but son café et attendit la réaction de Chee.

Par courtoisie, Chee avala une petite gorgée. Il buvait beaucoup de café. («Tu bois trop de café, Jim», lui disait Mary. «Un jour je vais te reconvertir en buveur de thé. Quand je t'aurai mis le grappin dessus, je vais m'arranger pour que tu dures longtemps.») Il aimait le café, en estimait l'arôme, la saveur. Ce café-là était horrible : vieux, sans goût, amer. Mais il le but. En partie par courtoisie, en partie pour cacher la surprise causée par ce que Joseph Joe lui avait dit.

— Je tiens à être sûr d'avoir tout bien compris, dit-il. L'homme de la voiture, celui qui est arrivé le premier, il a dit qu'il voulait retrouver quelqu'un qui s'appelle Leroy Gorman ?

— Leroy Gorman, répéta Joe. Je m'en souviens parce que je me suis demandé si j'avais jamais connu quelqu'un qui portait ce nom-là. Il y a beaucoup de Navajos qui s'appellent Gorman, mais j'en ai jamais connu un qu'on appelait Leroy Gorman.

— L'homme à qui vous avez parlé, son nom c'était Gorman aussi. Est-ce que le policier blanc vous l'a dit ?

— Non, répondit Joe en souriant. Les hommes blancs ils me disent jamais beaucoup de choses. Ils me posent des questions. Peut-être qu'ils étaient frères.

— Ils étaient probablement de la même famille en tous cas. Mais ça me donne l'impression que le policier blanc ne vous a pas posé assez de questions. Je me demande pourquoi il ne vous a pas demandé ce que Gorman vous avait dit.

— Il me l'a demandé, précisa Joseph Joe. Je lui ai dit.

— Vous lui avez dit que Gorman vous a demandé où il pouvait trouver Leroy Gorman ?

— Absolument. Je lui ai dit la même chose qu'à vous.

— Est-ce que vous lui avez parlé de la photo que Gorman vous a montrée ?

— Absolument. Il m'a posé un tas de questions là-dessus. Il a noté ça sur son carnet.

— La photo, là, dit Chee. Une grande caravane ? Pas une maison mobile ? Pas un de ces trucs qui ont leur moteur à eux et un volant, mais un machin qu'on tire derrière une voiture ?

— Absolument, répondit Joseph Joe.

Il se mit à rire et son visage tout ridé vit le nombre de ses crevasses multiplié par l'amusement.

— J'avais un gendre qui vivait dans l'un de ces trucs. Y a de la place pour rien.

— Deux choses, dit Chee. Je veux que vous vous souveniez de tout ce que vous avez dit au policier blanc sur la photo : tout ce qu'on voyait dessus. Et après, je veux que vous essayiez de vous souvenir si il y a quelque chose que vous ne lui avez pas dit. C'était simplement une photo de caravane ? Est-ce qu'il y en avait un tas d'autres autour ? Elle était accrochée derrière une voiture ? Il y avait quelqu'un, sur la photo, qu'était là par hasard ?

Joseph Joe réfléchit.

— C'était une photo couleur, dit-il, une Polaroïd.

Il se dirigea vers une malle en fer blanc placée contre le mur, en souleva le couvercle et en sortit un album de photos dont la couverture était en carton noir.

— Comme celle-là, dit-il en montrant à Chee un cliché Polaroïd qui le représentait debout à côté de la porte de chez lui en compagnie d'une femme d'une quarantaine d'années. Même format. Y avait la caravane au milieu, avec un arbre qu'était plus ou moins au-dessus, et juste de la terre devant.

— Personne sur la photo ?

— Juste la caravane.

— Quel genre d'arbre ?

Joe réfléchit.

— Un tremble. Je crois bien que c'était un tremble.

— Quelle couleur, les feuilles ?

— Jaunes.

— La caravane ?

— Elle était en aluminium, dit Joseph Joe. Vous en avez déjà vu. Arrondies aux deux bouts. Une forme

49

arrondie. Des gros trucs. (Joe indiqua la taille avec ses mains et partit d'un nouveau rire). Peut-être que si mon gendre il en avait une aussi grosse que ça, y serait toujours mon gendre.

— Et la photo, reprit Chee. Vous m'avez dit qu'il l'avait sortie de son portefeuille. Est-ce qu'il l'y a remise ?

— Absolument, dit Joe. Pas dans une de ces petites poches où on range son permis et compagnie. Trop grande pour ça. Il l'a rangée avec l'argent. Là où on met l'argent.

— Vous l'avez dit au policier blanc, ça ?

— Absolument. Il était comme vous. Il m'a demandé plein de questions sur la photographie.

— Bon, dit Chee. Est-ce que vous avez pensé à quelque chose que vous ne lui avez pas dit ?

— Non. Mais j'ai pensé à des choses que je vous ai pas dit à vous.

— Je vous écoute.

— Au sujet de l'inscription. Au dos de la photo il y avait une adresse d'écrite, et quelque chose d'autre, mais j'ai pas pu voir ce que c'était. Je sais pas lire. Mais j'ai bien vu que c'était quelque chose de court. Juste deux ou trois mots.

Sur le chemin du retour, Chee réfléchit à tout cela. Pourquoi dans son rapport Sharkey n'avait-il rien dit sur la photo ni sur le fait qu'Albert Gorman essayait de retrouver Leroy Gorman ? Est-ce que ce passage avait été supprimé avant que la Police Tribale Navajo ne reçoive sa version du rapport ? Quel genre de jeu jouait donc le FBI ? Ou s'agissait-il du jeu que jouait Sharkey, et non le FBI ?

— Ils te veulent au FBI, lui avait dit Mary. Tu les as impressionnés à l'Académie de Police. Ils t'ont accepté quand tu as déposé ta candidature. Ils t'accepteraient à nouveau si tu la redéposais. Et ils te garderaient tout près de la réserve. Tu leur serais bien plus utile ici. Pourquoi est-ce qu'ils t'enverraient ailleurs ?

Et il lui avait répondu quelque chose du genre ce n'est

pas la peine d'y compter. Quelque chose du genre à Washington, un Indien c'est un Indien, et il y avait autant de chances qu'ils l'envoient travailler avec les Séminoles en Floride, exactement de la même façon qu'ils ont un Séminole, là-bas, à Flagstaff, qui travaille avec les Navajos. Et Mary n'avait rien répondu du tout, avait simplement changé de sujet. Exactement comme Chee le faisait en ce moment, obligeant sa mémoire à se détourner de cette peine.

Il se rappela Sharkey, debout à côté du corps de Gorman, le portefeuille de Gorman à la main, qui entassait son contenu sur le rocher. Pas de photo de caravane. Sharkey avait-il mis la main dessus ? L'avait-il cachée quelque part ? Chee avait une excellente mémoire, la tradition d'un Peuple qui ne possédait pas de mémoire écrite et qui maintenait vivante sa culture par la force de l'esprit, qui entraînait ses enfants à mémoriser les détails des peintures de sable et des rites guérisseurs. Il y fit appel pour recréer la scène, ce que Sharkey avait dit et fait, Sharkey qui regardait dans le compartiment à billets du portefeuille, qui en retirait l'argent, qui regardait à nouveau, qui inspectait les rabats et les poches : Sharkey qui cherchait un cliché Polaroïd qui ne s'y trouvait pas.

8.

La lumière devenait rouge. Le soleil avait plongé à l'ouest en dessous de l'horizon, et les nuages dans cette direction, d'un jaune éblouissant quelques instants plus tôt, se coloraient maintenant de pourpre. Bientôt, il ferait trop sombre pour y voir. Alors Chee devrait prendre sa décision une bonne fois pour toutes. Soit il retournerait à son pick-up truck, rentrerait chez lui, et tirerait un trait sur cette idée qui ne représentait qu'une perte de temps, soit il irait regarder dans le seul endroit où il n'avait pas regardé. Ce qui voulait dire prendre sa torche électrique et entrer par le trou dans les ténèbres. A un certain niveau de pensée cela semblait très normal. Il se baisserait, passerait la jambe au-dessus du pan de mur démoli, et se retrouverait debout à l'intérieur du hogan de Hosteen Begay où la mort avait frappé. Pour le Jim Chee qui était ancien étudiant de l'Université du Nouveau Mexique, abonné à *Esquire* et *Newsweek*, membre de la Police Tribale Navajo, amant de Mary Landon, titulaire d'une carte de lecteur à la Bibliothèque Publique de Farmington, étudiant en anthropologie et en sociologie, diplômé de l'Académie de Police du FBI, possesseur de la carte de Sécurité sociale numéro 441-28-7272, c'était là le pas logique à franchir. Il avait à nouveau effectué le long trajet sur la piste cahoteuse jusqu'au cœur des Monts Chuska, avait parcouru à pied les trois derniers kilomètres accidentés qui séparaient son véhicule du hogan afin de voir ce qu'il pourrait trouver là. Comment son esprit logique aurait-il pu ne pas justifier qu'il fallait fouiller le hogan ?

Mais «Jim Chee» n'était que ce que son oncle appelait son «nom d'homme blanc». Son véritable nom, son nom secret, son nom de guerre était Celui-qui-Pense-Longuement et lui avait été donné par Hosteen Frank Sam Nakai, le frère aîné de sa mère et l'un des chanteurs* les plus respectés des Navajos de Four Corners. Depuis qu'il était parti pour Albuquerque afin d'étudier à l'Université du Nouveau Mexique, il n'avait pas souvent pensé à lui-même en tant que Celui-qui-Pense-Longuement. Mais maintenant, si. Il était au sommet de la pente d'éboulis au pied de laquelle il avait découvert le corps de Gorman et il observait le hogan en contrebas avec le regard d'un Navajo. La porte qui était orientée vers l'est était bloquée par des planches. (Il l'avait à nouveau condamnée avant de partir, réparant les dégâts causés par

Sharkey). Lé trou à fumée était obstrué. Le *chindi*, qui avait quitté le corps de Gorman à l'instant de la mort de celui-ci, était enfermé à l'intérieur : il représentait l'ensemble de tout ce qui, dans la vie du disparu, avait été mauvais ou en désaccord avec l'harmonie navajo.

Tout, dans la façon dont Celui-qui-Pense-Longuement avait été élevé, le conditionnait à éviter les *chindis*. «Si tu es obligé d'être dehors pendant la nuit, bouge sans faire de bruit,» lui avait enseigné sa mère. «Les *chindis* errent dans les ténèbres.» Et son oncle : «Ne prononce jamais le nom des morts. Leur *chindi* croit que tu les appelles.» Il avait appris à accepter ces fantômes quand il était à l'école secondaire et les avait ramenés à des concepts rationnels, faisant d'eux quelque chose de comparable aux tabous alimentaires des juifs et des musulmans, aux démons des chrétiens. Mais là, sur la pente d'éboulis, dans la lumière mourante, dans le silence de mort de ce soir d'automne, tout le rationalisme de l'université était annihilé.

Et il y avait un autre angle sous lequel tout cela pouvait être vu. «Tu l'as fait,» allait lui dire Mary Landon. «Quand tu es entré par ce trou du mort tu as fait la preuve que tu peux être un Navajo sur le plan émotionnel et qu'en même temps, intellectuellement tu as su t'assimiler.» Et il lui répondrait, «Non, Mary, tu ne comprends pas, c'est tout», et elle dirait...

Il rejeta ces pensées et réfléchit à ce qu'il avait appris de neuf. Pratiquement rien. Il était venu directement de l'endroit où Joseph Joe habitait et s'était mis au travail en examinant méticuleusement les alentours du hogan. Il avait appris que Begay faisait davantage usage de son bain de vapeur que la plupart des gens, qu'il élevait des chèvres en plus de ses moutons et qu'il possédait deux chevaux (dont un avait des fers neufs). Parmi les ajouts récents au tas de détritus de Begay se trouvaient une boîte de saindoux vide, un sac de farine fine vide, et des boîtes de conserves qui avaient contenu des pêches, du maïs à la crème et de la viande de porc avec des haricots. Les ordures lui apprirent que Begay chiquait (une habitude peu répandue parmi les Navajos), qu'il ne faisait usage ni de bière, ni de vin, ni de whisky et que (à en juger d'après les vieux pansements spéciaux du Dr Scholl) il avait des oignons à la base du gros orteil. Rien dans tout cela qui pût l'aider.

Il n'avait pas davantage trouvé quelque chose qui pût l'aider pendant la seconde étape de sa quête, au cours de laquelle il avait minutieusement passé au peigne fin l'arroyo qui se trouvait derrière le hogan, et ce dans les deux sens, et fait le tour des pentes boisées qui s'étendaient au-dessus et en-dessous de la petite prairie de Begay. Cela n'avait fait que confirmer ce qu'il avait appris lors de sa première inspection des lieux. Comme on pouvait s'y attendre de la part de tout berger prudent, cela faisait plusieurs semaines que Begay avait emmené ses bêtes pour les faire brouter moins haut avant que les premières tempêtes de l'hiver ne les isolent en altitude. Et quand il avait abandonné cet endroit, il était monté sur le cheval qui venait d'être ferré et avait conduit l'autre par la bride après l'avoir lourdement chargé. Il avait suivi la pente, sans doute pour rejoindre un raccourci dont il savait qu'il débouchait sur la route de Two Gray Hills. Peut-être, se dit Chee, pourrait-il suivre ses traces suffisamment longtemps pour se faire une idée de sa destination. Mais il n'y avait rien de moins sûr. Le temps qui s'était écoulé, le vent et la saison sèche rendaient aléatoire la lecture des traces, et même s'il en était capable, ce travail ne ferait d'ailleurs certainement que le mener à la route du comptoir d'échanges.

Le vent qui avait soufflé dans la journée était de cette sorte de bourrasques que détestent tous ceux dont la tâche consiste à déchiffrer des pistes : un vent sec et abrasif qui vous jette du sable au visage et efface les traces. Mais il s'était apaisé en fin d'après-midi et maintenant le calme absolu d'une zone de hautes pressions automnale s'était installé en altitude. De l'endroit où il se tenait sur la pente d'éboulis, Chee voyait, au-delà de la pâture désertée par

Begay et ses bêtes, sur plus de cent cinquante kilomètres en direction du sud-est jusques et y compris la bosse bleu sombre sur l'horizon qui était le Mont Taylor, la montagne préférée de Mary Landon. (A cette heure-ci, Mary devait en avoir fini avec sa journée d'école, avoir fini de dîner et elle avait dû sortir faire sa promenade du soir : assise quelque part, sans doute, elle devait elle aussi regarder le Mont Taylor, mais de bien plus près. Chee se représentait la jeune femme très clairement, il voyait ses yeux, l'arrondi de sa joue, sa bouche...)

Grand-Père Begay avait passé du temps à nettoyer son hogan et à charger ses affaires sur le cheval. Pourquoi n'avait-il pas pris le temps de rassembler les quelques racines de yucca nécessaires pour obtenir la mousse avec laquelle il aurait lavé les cheveux de son frère de clan ? Quelle était la raison de sa précipitation ? Etait-ce la peur ? Un besoin urgent auquel il devait vaquer ? Chee scruta le hogan, essayant de se représenter le vieil homme en train d'abattre sa hache contre le mur à demi démoli où il creusait le trou pour sortir le cadavre, détruisant ce qui, depuis longtemps, devait représenter beaucoup pour lui.

C'est alors qu'il entendit le bruit.

Il parvenait jusqu'à lui, porté par l'air immobile et froid. C'était le bruit que fait un cheval. Un hennissement. Cela venait de l'arroyo : de la source ou du corral de Begay qui se trouvait juste derrière. Chee y était allé deux heures auparavant et il avait passé trente minutes à établir, d'après les traces et le fumier, qu'aucun animal n'y était venu depuis de nombreux jours. Et ce n'était pas davantage la saison à laisser les bêtes brouter librement dans des endroits aussi élevés. Le cheptel avait été descendu, il y avait déjà longtemps, vers des pâturages situés moins haut, et même les bêtes égarées avaient fui vers la vallée le froid intense du matin. Ashie Begay était remonté chercher quelque chose qu'il avait oublié.

Le cheval se trouvait exactement où Chee le pensait : à la source. C'était une jument pie assez vieille, rouan et blanche, qui correspondait à la description de celle qui avait été volée à Two Gray Hills. Un licou fait avec une corde de fortune était passé autour de sa vilaine tête qui avait la forme d'un marteau. Un autre morceau de corde la maintenait attachée à un saule. Il n'était guère vraisemblable que Hosteen Begay, qui possédait ses propres chevaux, l'eût prise. Qui, alors ? Et où était-il ?

Le vent nocturne commençait à se lever ainsi que cela arrivait souvent au crépuscule sur les versants des montagnes exposés à l'est. Rien de comparable avec les bourrasques sèches du matin, mais suffisant pour secouer la crinière touffue de la jument et remplacer le silence de mort par des milliers de petits bruits que le vent faisait naître dans les branches des pins. Sous le couvert de tous ces murmures, Chee suivit la rive de l'arroyo à la recherche de celui qui avait volé le cheval.

Il remonta l'arroyo. Le redescendit. Chercha entre les troncs des pins ponderosa qui couvraient les pentes. Reporta son regard vers l'éboulis où il se tenait quand il avait entendu le cheval. Mais personne n'aurait pu parvenir là-bas sans qu'il le voie. Il n'y avait que le hogan où avait frappé la mort, l'enclos des moutons et le parc réservé aux chèvres, aucun des trois ne paraissant un lieu possible. Le voleur avait dû attacher son cheval puis remonter directement la pente de l'autre côté de l'arroyo. Mais pour quelle raison ?

Juste derrière lui, Chee entendit quelqu'un tousser.

Il fit volte-face, sa main cherchant son pistolet. Personne. D'où était venu le bruit ?

Il l'entendit à nouveau. Quelqu'un qui toussait. Qui reniflait. Le bruit provenait de l'intérieur du hogan de Hosteen Begay.

Le regard de Chee était fixé sur le trou du mort, cette brèche noire percée dans le mur nord. Il avait armé son pistolet sans même s'en rendre compte. C'était incroyable. Personne ne pénétrait dans un hogan où la mort avait frappé. Personne n'entrait par le trou dans les ténèbres. Les hommes blancs, oui. Comme Sharkey l'avait fait.

Et le shérif adjoint Bales. Comme Chee lui-même, qui avait appris à accepter les fantômes de son peuple, le ferait peut-être s'il avait une raison suffisamment sérieuse pour ça. Mais assurément la majorité des Navajos ne le feraient pas. Donc celui qui avait volé le cheval était un Blanc. Un Blanc qui était enrhumé et qui avait le nez qui coulait.

Chee s'éloigna sur sa gauche sans faire de bruit pour sortir du champ de vision que quelqu'un aurait en regardant par le trou. Puis il s'approcha silencieusement du mur et le longea. Il s'immobilisa à côté du trou, le dos appuyé contre les planches. Pistolet levé. Oreille tendue.

Il y eut un mouvement. Un reniflement. Un autre mouvement. Chee s'appliqua à avoir une respiration aussi légère que possible. Et attendit. Il entendit des bruits et de longs silences. Le soleil était maintenant sous l'horizon et la lumière était descendue très bas dans la gamme des couleurs pour atteindre un rouge très sombre. Vers l'ouest, au-delà de la crête, il voyait Vénus qui brillait dans le ciel sombre. Bientôt il ferait nuit.

Il y eut un bruit de pieds se déplaçant sur la terre, un bruit de vêtements frottant contre quelque chose et une forme émergea du trou. D'abord un bonnet de laine, de couleur noire. Puis les épaules d'un caban, une botte et une jambe : une forme ramassée sur elle-même pour pouvoir se glisser à travers le trou qui n'était pas très haut.

— Restez-là, ordonna Chee. Ne bougez pas.

Un cri de frayeur. La silhouette bondit en avant, trébucha. Chee l'agrippa.

Presque instantanément, il se rendit compte qu'il avait attrapé un enfant. Le bras qu'il tenait solidement à travers l'étoffe du caban était petit et frêle. La lutte ne dura qu'un instant, engendrée par une panique rapidement contrôlée. Une fille, découvrit Chee. Une Navajo. Mais quand elle parla, ce fut en anglais.

— Lâchez-moi, dit-elle d'une voix essoufflée et effrayée. Il faut que je parte.

Chee s'aperçut qu'il tremblait. Elle s'était mieux

accommodée que lui de la frayeur de cette rencontre.

— Il faut d'abord que vous répondiez à quelques questions, dit-il. Je suis de la police.

— Il faut que je parte, répéta-t-elle.

Elle fit une tentative pour voir si elle pouvait lui échapper puis cessa de se débattre et attendit.

— Votre cheval, dit Chee. Vous l'avez pris hier soir, là-bas à Two Gray Hills.

— Emprunté, corrigea-t-elle. Il faut que je parte pour le rapporter.

— Qu'est-ce que vous fabriquez ici, dans le hogan ?

— C'est mon hogan. J'habite ici.

— C'est le hogan de Hosteen Ashie Begay, dit Chee. Enfin, ça l'était. Maintenant c'est le hogan d'un *chindi*. Vous ne l'aviez pas remarqué ?

C'était une question idiote. Après tout, il venait de l'agripper alors qu'elle sortait par le trou du mort. Elle ne se donna pas la peine de répondre. Elle ne dit rien du tout, resta simplement où elle était, immobile et effondrée.

— C'était stupide d'entrer à l'intérieur, dit-il. Qu'est-ce que vous y avez fabriqué ?

— C'était mon grand-père, dit-elle.

Pour la première fois, elle venait d'avoir recours à la langue navajo, utilisant le mot qui signifie le père de ma mère.

— Je me suis juste assise à l'intérieur. Je me rappelais des trucs.

Il lui fallut un moment pour expliquer cela, parce que les larmes ruisselaient maintenant sur ses joues.

— Mon grand-père n'a pas pu laisser de *chindi* derrière lui. C'était un saint. Il n'y avait rien de mauvais en lui pour faire un *chindi*.

— Ce n'est pas votre grand-père qui est mort ici, dit Chee. C'est un homme appelé Albert Gorman. L'un des neveux d'Ashie Begay. (Chee marqua une petite pause, essayant d'y voir clair dans la famille Begay). Un oncle, pour vous, je pense.

Le visage de la jeune fille avait reflété tout le désespoir qui peut se voir sur un visage d'enfant. Maintenant il était rayonnant.

— Grand-père est vivant ? Il est vraiment vivant ? Où est-il ?

— Je ne sais pas, avoua Chee. Parti vivre avec des gens de sa famille, je suppose. Nous sommes montés ici la semaine dernière pour arrêter Gorman, et nous avons découvert qu'il était mort. Nous avons aussi découvert ça. (Il désigna du doigt le trou dans le mur). Hosteen Begay a enterré Gorman là-bas, puis il a chargé ses chevaux, condamné son hogan et il est parti.

La jeune fille avait l'air pensive.

— Où a-t-il pu aller ? interrogea Chee.

Elle devait être Margaret Sosi. La question ne se posait même pas. D'une pierre deux coups. Une jument pie volée et le voleur, plus une jeune fille disparue de l'école Sainte Catherine.

— Hosteen Begay est le père de votre mère. Est-ce qu'il… ?

Il se souvint alors que la mère de Margaret Sosi était morte.

— Non, répondit-elle.

— Chez quelqu'un d'autre alors ?

— Presque tout le monde est parti en Californie. Il y a longtemps. Mon arrière grand-mère. Il y en a qui habitent dans la réserve de Canoncito, mais… (Sa voix s'éteignit dans un murmure, devint soudain méfiante). Pourquoi est-ce que vous le cherchez ?

— Je veux lui poser deux questions. C'est un bon hogan qu'il avait ici, solide et chaud, dans un endroit plein de beauté. Du bon bois à brûler. De la bonne eau pour les bêtes. Assez d'herbe. Hosteen Begay a dû voir que son neveu était en train de mourir. Pourquoi n'a-t-il pas fait ce que le Peuple a toujours fait en le sortant à l'air libre pour que le *chindi* puisse partir librement ?

— Oui, acquiesça Margaret Sosi. Je suis surprise qu'il ne l'ait pas fait. Il adorait cet endroit.

59

— On m'a dit que Hosteen Begay se conformait aux coutumes navajos.

— Oh, oui. Mon grand-père a toujours marché dans la beauté.

— Donc il savait comment s'occuper de quelqu'un qui vient de mourir ? Comment le préparer pour son voyage ?

Elle hocha la tête.

— C'est lui qui me l'a appris. Qu'il faut mettre un peu de nourriture et un peu d'eau à côté du corps. Et les choses dont il aura besoin pendant quatre jours.

— Et ce qu'il faut faire pour que le *chindi* ne le suive pas.

— Oh oui, dit-elle. Après avoir préparé la mousse de yucca et lui avoir lavé les cheveux, on intervertit ses chaussures. (Elle mima un échange). Comme ça le *chindi* n'arrivera pas à lire ses traces.

Lorsqu'elle prononça la fin de la phrase, sa voix n'était plus qu'un murmure et ses yeux se portèrent vers le trou pratiqué dans le mur, cette porte irrégulière qui donnait sur les ténèbres à l'intérieur du hogan. Son regard s'y arrêta et Chee la sentit frissonner sous sa main. Dix-sept ans officiellement, pensa-t-il, mais elle en fait à peu près quinze.

— Je n'y serais pas entrée si j'avais su que ce n'était pas Grand-Père, dit-elle avant de lever les yeux vers Chee. Qu'est-ce qu'il faut que je fasse ? Qu'est-ce qu'il faut faire quand on est allé dans un endroit où on attrape la maladie du fantôme ? Comment je me débarrasse du *chindi* ?

— Tu dois prendre un bain de sueur. Et dès que possible faire exécuter un chant. Parles-en à ta famille. Ils feront venir Celui-qui-Ecoute ou Celui-dont-la-Main-Tremble pour être sûrs que c'est le bon rite guérisseur qui va être appliqué. D'habitude ça doit être une partie de la Voie de la Nuit, ou de la Voie du Sommet de la Montagne. Ensuite ta famille paiera un chanteur et... (Chee était en train de se dire que Margaret Sosi n'avait guère de proches qui puissent prendre en charge ce genre de devoirs familiaux). Y a-t-il quelqu'un qui peut faire ça pour toi ?

— Mon grand-père le ferait, dit-elle.

— Quelqu'un d'autre ? En attendant qu'on le trouve ?

— Je crois qu'ils sont pratiquement tous partis à Los Angeles, dit-elle. Il y a longtemps.

— Ecoute, Margaret, ne t'inquiète pas pour ça. Laisse-moi t'expliquer pour les *chindi*. Tu connais beaucoup de choses sur les religions ?

— Je suis dans une école catholique. On étudie la religion.

— Beaucoup de religions ont des règles qui disent ce qu'il ne faut pas faire, ce qu'il ne faut pas manger, des choses comme ça. Le Coran ordonne aux musulmans de ne pas manger de porc. A l'époque où les sages ont écrit cela, beaucoup de maladies se répandaient lorsqu'on mangeait du porc. C'était une très bonne idée de s'en passer. C'est la même chose pour certaines des règles juives concernant la nourriture. La plupart des religions ont, comme nous, les Navajos, des règles qui interdisent l'inceste. On n'a pas de relations sexuelles entre membres d'une même famille. Si on le fait, les enfants nés de parents consanguins sont anormaux. Et en ce qui nous concerne, Femme-qui-Change et Dieu Noir nous ont enseigné à éviter les endroits où quelqu'un est mort. Là aussi c'est une bonne chose. Ça évite les épidémies de variole, de peste bubonique, ce genre de choses.

Même dans la faible lumière du crépuscule, Chee voyait sur le visage de Margaret qu'elle demeurait sceptique.

— Alors le fantôme c'est juste des microbes infectieux.

— Pas tout à fait. Il n'y a pas que ça. On connait bien les microbes, maintenant, si bien que quand on viole le tabou entourant un hogan où la mort a frappé, on sait comment s'y prendre pour les microbes qu'on pourrait attraper. Mais on sait également qu'on a violé notre religion, enfreint l'une des règles reconnues par le Peuple. Donc on se sent coupable et mal à l'aise. On a perdu

61

hozro. On ne vit plus dans la beauté. On ne vit plus dans l'harmonie. Par conséquent on a besoin de faire ce que Femme-qui-Change nous a enseigné à faire afin de retrouver l'harmonie navajo.

L'expression du visage de Margaret était légèrement moins sceptique.

— Vous êtes entré, vous ?

— Non, dit Chee, pas moi.

— Et vous allez le faire ?

— Seulement si j'y suis obligé. J'espère que ce ne sera pas le cas.

Sa propre réponse le surprit. Tout l'après-midi il avait évité le hogan, et évité de prendre cette décision. Tout à coup il comprenait pourquoi. Cela avait un rapport, un rapport très étroit, avec Mary Landon : allait-il continuer à appartenir au Dinee ou allait-il franchir le pas et entrer dans le monde des hommes blancs ?

— Je serais prêt à briser ce tabou parce que mon travail l'exige, dit-il. Mais peut-être que ce ne sera pas nécessaire. Tu ne bouges pas d'ici. Il y a tout un tas de questions qu'il faut que je te pose.

Le trou avait été fait à coups de hache en séparant les troncs qui formaient la partie inférieure du mur, du pourtour sur lequel ils s'appuyaient. Chee dirigea le faisceau de sa lampe vers l'intérieur du hogan. Au milieu, juste en-dessous du trou à fumée, cinq bûches à demi consumées reposaient sur le foyer, leurs extrémités calcinées soigneusement orientées vers l'intérieur. Juste à côté du foyer se trouvait le fourneau de Begay : c'était un fourneau de cuisine massif, en fonte, qu'il avait dû démonter pour l'amener jusque-là. Rien d'autre n'avait été laissé. Il y avait un tas de boîtes en carton à côté de la porte condamnée du mur est et, tout près, une boîte de café Folger. Cela mis à part, le sol de terre durcie était vide. Chee dirigea la lumière tout autour de la pièce, examinant les murs. Des caisses en bois avaient été transformées en étagères des deux côtés de l'entrée située à l'est, et un fil de fer était tendu parallèlement au mur sud, à hauteur de poitrine environ. Chee supposa que Begay s'en était servi pour accrocher des couvertures afin d'isoler le tiers de la surface au sol du hogan et avoir un coin tranquille. Il laissa le faisceau lumineux courir sur les troncs constituant les murs, cherchant ce qui aurait pu être oublié dans les interstices. Il ne vit rien.

Il ramena la lampe sur les boîtes en carton. Visiblement, Sharkey et Bales les avait regardées de près. C'était forcé. Il n'avait aucune raison d'entrer dans le hogan. Qu'est-ce qu'il ferait s'il y entrait ? Il glisserait les doigts entre les troncs. Explorerait les fentes. Dans l'espoir de trouver quoi ? Il n'avait aucune raison d'entrer. Aucune raison de passer la jambe par le trou et de pénétrer dans les ténèbres. Qu'est-ce qu'il allait dire à Margaret Sosi pour qu'elle le croie ?

Dès qu'il s'éloigna du trou en se retournant vers les ténèbres plus rouges du crépuscule agonisant, il comprit qu'il ne serait pas nécessaire qu'il trouve une réponse à cette question. Margaret Sosi était partie.

— Margaret ! cria-t-il.

Il chassa l'air entre ses dents, émettant un grognement qui exprimait colère et dégoût. Bien sûr qu'elle était partie. Pourquoi aurait-elle fait autrement ? Elle était partie en laissant les questions importantes sans réponse. Sans rien du tout, en fait, parce que lui, tellement il était malin, les avait gardées pour la fin, laissant à la jeune fille le temps d'apprendre à lui faire confiance. Ces questions qui venaient tout de suite à l'esprit :

Pourquoi t'enfuir de l'école, te précipiter jusqu'au hogan de ton grand-père, voler un cheval tant tu étais pressée d'arriver ? Pourquoi avoir dit à ton amie à Sainte Catherine que tu étais inquiète pour ton grand-père ? Qu'est-ce que tu t'attendais à trouver ici ? Qu'est-ce que tu avais entendu dire ? Où et comment ?

Chee plongea son regard dans les ténèbres, ne vit rien d'autre que la silhouette des arbres qui se détachaient sur le ciel nocturne. Elle ne pouvait pas être loin mais jamais il ne la trouverait. Elle resterait assise à attendre silencieusement pendant qu'il s'agiterait dans l'obscurité. Il pourrait passer à moins de deux mètres d'elle sans la voir à moins qu'elle ne se trahisse sous l'effet de la panique. Avec Margaret Sosi, se dit-il, il n'y avait aucune chance que se produise ce gémissement de frayeur, ce geste de panique qui trahirait sa cachette. Elle était frêle et jeune, mais Chee en avait vu assez pour ne pas douter de son sang-froid. Il se remémora avec quelle rapidité elle avait contrôlé sa peur au moment où il l'avait saisie par le bras. Son geste rapide pour voir s'il la tenait bien. Margaret Sosi ne perdrait pas son courage.

Et cette nuit, elle allait en avoir besoin. L'air était déjà glacé contre les joues de Chee. Avec l'atmosphère raréfiée et sèche qui régnait ici, à deux mille huit cents mètres au-dessus du niveau de la mer, la température allait encore descendre de trente degrés d'ici le lever du soleil.

Chee mit ses mains en porte-voix et se tourna vers le versant de la montagne pour crier :

— Margaret, reviens, je ne vais pas t'arrêter.

Il écouta, attendant que l'écho s'éteigne, mais n'entendit rien.

— Margaret, je te dépose où tu veux.

Il écouta à nouveau. Rien.

— Je laisse le cheval. Ramène-le où tu l'as pris. Trouve-toi un endroit où il fait chaud.

A nouveau le silence.

En retournant vers son pick-up truck, Chee fit un détour par l'arroyo et coinça le sac contenant son déjeuner entre deux branches du saule auquel était attachée la longe de la jument. Il restait dedans l'un de ses deux sandwiches aux saucisses de Bologne et une orange. La jument s'ébroua et se frotta contre son épaule, autant par besoin de compagnie que par faim.

9.

Jim Chee en était arrivé à peu près aux deux tiers de son compte-rendu sur ce qu'il avait vu et entendu aux hogans de Hosteen Joe et de Hosteen Begay quand le capitaine Largo leva une grande main hâlée, paume en avant, pour lui faire signe de s'arrêter. Puis il décrocha le téléphone et attendit d'avoir le standard.

— Appelez-moi Santa Fe. L'Ecole Indienne Sainte Catherine. Faites appeler la sœur que j'ai déjà eue au téléphone. La directrice. Dites-lui qu'il faut que je parle à cette amie de la petite Sosi. J'ai besoin d'autres renseignements qu'elle peut me donner. Essayez de me faire avoir la gamine au téléphone. Rappelez-moi quand elle est en ligne. OK ?

Puis il se retourna vers Chee et écouta le reste de ce qu'il avait à raconter sans faire de commentaires ni poser de questions. Ses yeux noirs le regardaient sans rien laisser paraître, l'abandonnaient de temps en temps pour venir observer l'ongle de son pouce avant de retourner se poser sur lui.

— Le premier conseil que j'ai à vous demander, commença-t-il lorsque Chee en eut terminé, c'est ce qu'il faut que je dise à Sharkey quand il va apprendre que la Police Tribale Navajo a interrogé un témoin qui est en relation directe avec une affaire de meurtre relevant des agents fédéraux.

— Joseph, vous voulez dire ?

— Bien sûr, Joseph, dit Largo en abandonnant l'ongle de son pouce pour reporter son regard sur Chee. Je n'ai aucun problème pour expliquer pourquoi vous êtes allé au hogan de Begay. Vous y êtes allé pour essayer de retrouver une fugueuse et Sharkey est bien obligé de digérer ça parce que vous êtes veinard, comme d'habitude. Elle y était.

— Dites-lui que j'ai parlé à Joseph pour la même raison, suggéra Chee.

— Ça marche pas.

— Vous avez sûrement raison, admit Chee. Alors détournez la conversation. Demandez-lui pour quelle raison le FBI a oublié de mettre tout ça dans le rapport qu'ils vous ont envoyé. Demandez-lui pourquoi on a oublié de mentionner que Gorman est venu à Shiprock pour retrouver quelqu'un qui s'appelle Gorman lui aussi. Demandez-lui pourquoi la photo de la caravane...

Chee ne termina pas sa phrase. L'expression de Largo disait clairement qu'il n'appréciait pas cette suggestion.

— Qu'est-ce que je vais raconter à Sharkey ? répéta-t-il. Est-ce que vous allez me fournir une explication ou bien est-ce qu'il faut que je lui dise que l'un de nos hommes a transgressé les règles du service en même temps que les ordres spécifiques transmis de vive voix par son supérieur hiérarchique et qu'en conséquence il est suspendu de ses fonctions sans traitement pour lui apprendre à se comporter autrement ?

— Dites-lui que la *jeune fille* a disparu tout de suite après ces événements, qu'elle est la petite-fille de Hosteen Begay et que nous pensons...

Le téléphone l'interrompit. Largo décrocha.

— Parfait, dit-il. Redonnez-moi son nom ?

Il écouta puis enfonça la touche de sélection.

— Mademoiselle Pino ? Ici le capitaine Largo de la Police Tribale Navajo de Shiprock. Pourriez-vous nous donner quelques informations supplémentaires pour nous aider à retrouver Margaret Sosi ? ... Quoi ? ... Non, non, nous pensons que tout va bien. Ce qu'il nous faut c'est nous faire une idée plus claire de la raison pour laquelle elle est partie à ce moment-là plutôt qu'à un autre.

Largo écouta.

— Une lettre ? dit-il. Quand ça ?... Vous a-t-elle dit quoi que ce soit sur ce que son grand-père disait dedans ?... Hum. Je vois. Est-ce qu'elle a prononcé ce nom devant vous ?... Bien sûr. Ça se comprend très bien. Est-ce que ça vous reviendrait si vous l'entendiez ? Est-ce que c'était Gorman ?... Vous en êtes sûre. Et pour le prénom... Son oncle ?... Bon. Reprenez tout ça, vous voulez bien ? Tout ce qu'elle a dit dont vous vous souvenez.

Largo écouta, notant de temps en temps quelque chose sur son carnet.

— Bien, merci infiniment, Mademoiselle Pino. Cela va beaucoup nous aider... Non, nous pensons qu'elle ne court aucun danger. Nous tenons seulement à la trouver.

Largo fixa sur Chee un regard dépourvu de toute expression et corrigea :

— A la *re*trouver.

Puis il ajouta :

— Encore une chose. Est-ce qu'elle vous a dit quand elle comptait revenir ?... D'accord. Bien, encore merci.

Lentement, Largo reposa le combiné.

— Pour un Navajo veinard, vous êtes un Navajo veinard, dit-il, ce qui revient presque à être intelligent.

Chee ne répondit pas.

— Voilà que je peux dire à Sharkey que Margaret Sosi a reçu une lettre de son grand-père envoyée le lendemain de la fusillade, et dans cette lettre il lui disait qu'il y avait du danger. Il la prévenait de rester loin de Shiprock et de ne pas approcher de Gorman.

— Du danger ?

— C'est tout ce qu'elle a dit à la petite Pino. Ou tout ce que celle-ci a réussi à se rappeler de ce qu'elle lui avait dit. Elle m'a dit que Margaret lui avait raconté que son grand-père devait être dans tous ses états parce qu'écrire une lettre représentait quelque chose de très difficile pour lui. Elle lui a dit qu'elle était inquiète pour lui et qu'elle allait voir ce qui se passait.

— C'était la lettre qu'il a postée à Two Gray Hills, conclut Chee.

— Probablement. Ça aurait été bien si vous lui aviez demandé des choses comme ça. Quelque chose de concret. Vous savez, Sharkey va se montrer curieux là-dessus. Il va dire, «Bon, votre policier avait mis cette jeune fille en état d'arrestation. Mais il ne lui a pas demandé pourquoi elle était venue au hogan. Et il n'a pas appris l'existence de la lettre. Ni appris que son grand-père l'avait mise en garde contre quelque chose de dangereux. Ni quoi que ce soit qui puisse nous être utile.» Et Sharkey va dire, «De quoi ils parlent, vos hommes, quand ils sont dans ce genre de situation ? Je veux dire, comment font-ils pour entretenir la conversation avant de laisser le suspect partir tranquillement ?» Et pour ça, qu'est-ce que je réponds à Sharkey ?

— Dites-lui que nous avons parlé de fantômes, répondit Chee.

— De fantômes. Ça, ça va lui plaire à Sharkey.

— Je vous ai entendu demander à la jeune Pino si Margaret Sosi avait mentionné un prénom pour Gorman, dit Chee en changeant de sujet. Vous pensez la même chose que moi ?

— Je pense que nous n'avons aucune certitude sur celui des Gorman qu'elle était censée ne pas approcher. Celui qui s'était déjà fait descendre ou celui que celui-là essayait de trouver.

— L'occupant de la caravane en aluminium, dit Chee.

— Peut-être, répondit Largo en se grattant le nez. Ou peut-être qu'il ne faisait que se faire prendre en photo.

Il se leva, s'étira, se dirigea vers la fenêtre et scruta le parking.

— Mettez tout bout à bout, reprit-il enfin, et qu'est-ce que vous obtenez ? Albert Gorman, un voleur de voitures, se rend de L.A. à Shiprock à la recherche de Leroy Gorman. Un petit gangster minable s'offre le voyage en avion et vient s'en prendre à Albert. Ils se canardent mutuellement. Gorman part vers le hogan de son oncle, y arrive la nuit tombée, raconte au vieil homme ce qui s'est passé. Le lendemain, l'Oncle Begay descend au comptoir d'échanges et expédie une lettre à Margaret Sosi. Il lui dit qu'il y a ceci ou cela qu'est dangereux, qu'elle doit pas s'approcher de Shiprock et qu'elle doit pas s'approcher de Gorman. Lequel des Gorman ? Je dirais que ça ne risque pas d'être le Gorman qu'a une balle dans la peau. A l'âge qu'il a, Begay a vu suffisamment de gens blessés pour savoir quand y en a un qu'est sérieusement touché. Il savait forcément qu'Albert n'était dangereux pour personne. L'avertissement concernait donc Leroy. N'approche pas de Leroy.

— Oui, dit Chee. Probablement, en tout cas.

Largo se détourna du parking et revint s'asseoir derrière sa table de travail. Il eut un regain d'intérêt pour l'ongle de son pouce : sa main était posée sur le dessus de son bureau, doigts repliés, et son pouce était dressé en l'air à l'exception de la dernière phalange qu'il tenait à angle droit et fléchissait légèrement en l'inspectant.

— J'appelle Sharkey, dit-il. Je crois qu'il vaut mieux trouver la petite Sosi.

Son regard quitta son pouce pour se porter sur Chee.

— La *re*trouver, corrigea-t-il.

— Oui, acquiesça Chee. Je le crois aussi.

— Et Leroy Gorman. Vous croyez que c'est Sharkey qui l'a, la photo ? Avec la caravane ?

— Non.

Chee décrivit la façon dont Sharkey avait retourné le portefeuille d'Albert Gorman.

— Par conséquent, soit Gorman s'est débarrassé de la photo, soit quelqu'un d'autre l'a retirée de son portefeuille. Grand-Père Begay, peut-être. Ou alors, Joseph Joe nous a raconté des conneries.

Tout en disant cela, Largo portait le combiné du téléphone à son oreille. Il demanda au standardiste de contacter le FBI à Farmington et de lui faire appeler Sharkey.

— Vous êtes certain que Joe a parlé de la photo à Sharkey, qu'il lui a dit qu'Albert Gorman cherchait Leroy Gorman ?

— Absolument.

— Le salopard ! dit Largo.

Il ne parlait pas de Joseph Joe.

Sharkey était là.

— Largo ici. Nous avons une adolescente qui a disparu et ça a tout l'air d'avoir un rapport avec votre Gorman et la fusillade. Son nom c'est Margaret Billy Sosi. Vous avez appris des choses que nous devrions savoir ?

Largo écouta.

— C'est une élève de l'Ecole Indienne de Santa Fe. Elle est la petite fille d'Ashie Begay. Elle a reçu une lettre qu'il a postée le lendemain de la fusillade. Son grand-père lui a dit quelque chose comme «n'approche pas de Shiprock et évite Gorman parce que c'est dangereux.»

Largo écouta.

— Je ne sais pas pourquoi, dit-il.

Il écouta à nouveau.

— Bien, ça valait le coup d'appeler de toute façon. Elle s'est enfuie de l'école après avoir reçu la lettre et elle est montée jusqu'au hogan de Begay. Nous nous sommes demandés pourquoi le vieil Ashie Begay pensait que Gorman était dangereux alors qu'il avait une balle dans la peau, qu'il était en train de mourir sous ses yeux dans le hogan, vous savez. Est-ce que ça se pourrait que ce soit d'un autre Gorman que le vieil homme parlait ?

Largo écouta un très court instant.

— Nous ne pouvons pas lui demander (il jeta un coup d'œil en direction de Chee) parce qu'elle s'est échappée et qu'elle a à nouveau disparu. Quoi ? Sa petite-fille. Margaret Sosi est la petite-fille d'Ashie Begay. Est-ce que chez vous là-bas vous auriez quelque chose qui indiquerait que nous devons essayer de trouver un autre Gorman de notre côté ? Qui serait dangereux, lui ?

Largo écouta à nouveau. Il couvrit le micro de la paume de sa main et dit en regardant Chee :

— Quel putain de menteur.

Puis il écouta encore un petit moment.

— Eh bien, fit-il, nous sommes allés là-bas pour discuter avec Joseph Joe et voir si Albert Gorman lui avait dit quelque chose, et il nous a répondu qu'Albert cherchait un type qui s'appelle Leroy Gorman. (Largo adressa un clin d'œil à Chee). Je suppose que Joe a oublié de vous en parler. Et Joe dit que Gorman lui a montré une photo représentant une caravane en aluminium qui était l'endroit où ce Leroy Gorman était censé habiter. Cela vous dit...

Largo eut l'air légèrement surpris.

— D'accord, dit-il. Nous restons en contact.

Il raccrocha en regardant le téléphone d'abord, puis Chee, d'un œil soupçonneux.

— Sharkey me raconte que Joe ne leur a pas parlé du tout du fait que Gorman essayait de trouver quelqu'un, ni d'une photo, et il me raconte qu'il n'y avait pas de photo sur le corps de Gorman.

— Intéressant, commenta Chee.

— Je me demande ce qui se passe. Je ne pense pas que Sharkey nous mente juste histoire de ne pas perdre l'habitude.

— Non, dit Chee.

Il était en train de penser qu'il allait se mettre à la recherche de la caravane en aluminium.

— Je pense que nous ferions bien de voir si nous pouvons trouver cette fameuse caravane, lui dit Largo.

10.

Trouver une caravane en aluminium à Shiprock, Nouveau Mexique, n'exigeait que de la détermination. Cette ville a la population la plus importante parmi les centaines de points qui marquent les endroits habités dans l'immensité de la Grande Réserve Navajo. Ce qui ne l'empêche pas de compter moins de trois mille résidents permanents. Le fait de savoir que la caravane était garée sous un tremble simplifiait la recherche. Sur l'aride Plateau du Colorado, les trembles ne poussent que le long des cours d'eau, à côté des sources, ou encore dans des endroits où le ruissellement dû à la fonte des neiges augmente leur alimentation en eau. Dans et autour de Shiprock, l'habitat naturel du tremble se limite au creux de la vallée de la San Juan et à quelques endroits situés le long de Salt Creek Wash* et de Little Parajito Arroyo. Chee commença par la San Juan qu'il vérifia à partir du vieux pont de la route 666, d'abord vers l'amont, ensuite vers l'aval. Il trouva des centaines de trembles, des douzaines d'endroits où l'on pouvait installer une caravane et des dizaines de caravanes répondant à toutes les descriptions, y compris en aluminium. Juste avant midi, il trouva une caravane en aluminium garée sous un tremble. Ça lui avait pris un peu moins de deux heures.

Elle était garée peut-être un kilomètre et demi en aval du pont, près de la fin d'une piste de terre qui partait derrière la clinique de la région nord de la réserve navajo, passait devant une station de pompage du service des eaux de la ville de Shiprock pour finalement disparaître totalement sur une petite falaise qui dominait la rivière San Juan. Chee se gara juste à côté de la piste et inspecta sa découverte.

Le métal poli reflétait des bandes d'ombre et de lumière qui étaient dues au soleil et aux branches nues de l'arbre. Rien, sur le sol, n'indiquait que les lieux étaient occupés : ni les vieux papiers, ni les boîtes, barils, meubles cassés, lits de campement ou autres scories de la vie que ceux qui vivent dans des caravanes, des hogans ou autres espaces encombrés ont tendance à laisser à l'extérieur pour faire de la place à l'intérieur. Il n'y avait rien par terre à part un tapis de feuilles jaunes tombées du tremble.

Chee fut immédiatement conscient de cet écart par rapport à la norme, comme il l'était toujours de toute distanciation par rapport à l'harmonie de ce qu'il s'attendait à trouver. Il remarqua aussi d'autres détails inhabituels. La caravane paraissait neuve, ou presque neuve. Sa carrosserie polie était propre et brillante. Les caravanes qui abritaient les Navajos de Shiprock et ceux qui vivaient à leurs côtés avaient plutôt tendance à avoir l'aspect de véhicules de seconde, troisième ou quatrième main, et exhibaient les bosses, les rayures et les marques de rouille témoignant d'un usage intense et du manque d'entretien. Ensuite, Chee remarqua que la caravane était reliée à deux fils noirs, ceux du téléphone et du réseau électrique. L'approvisionnement électrique n'avait rien de surprenant, mais les téléphones étaient relativement rares sur la réserve. L'annuaire des téléphones navajo, qui recouvrait un territoire plus étendu que tous les états de la Nouvelle Angleterre et qui comprenait les terres hopi* en même temps que celles des Navajos, était assez petit pour pouvoir se glisser facilement dans une poche revolver une fois plié, et presque tous les numéros qui y figuraient correspondaient à des bureaux ou des services des administrations gouvernementales ou tribales. Le téléphone était suffisamment inhabituel chez un particulier pour que cela attire son attention.

Il ôta son chapeau et sa veste d'uniforme puis enfila son blouson coupe-vent en nylon. En se dirigeant vers la caravane, il s'aperçut que le téléphone était en train de sonner. Au début le son lui parvint faiblement, assourdi par la distance et le peu d'isolation qu'offrait la carrosserie de ce genre de caravanes, puis de plus en plus fort au fur et à mesure qu'il se rapprochait. Il sonnait comme s'il avait toujours sonné, comme s'il allait sonner pendant toute l'heure du déjeuner, pendant tout l'après-midi, comme s'il n'allait jamais s'arrêter. Chee fit halte au pied de l'escalier de métal escamotable qui se trouvait devant la porte de la caravane, hésita puis frappa. La sonnerie du téléphone coïncida avec le coup donné contre le métal. Il attendit, frappa à nouveau lorsque le silence revint, prêta l'oreille. Pas de réponse. Il fit tourner la poignée de la porte. Fermée à clef.

Il s'éloigna de la caravane et s'arrêta à côté du tronc du tremble pour réfléchir. En contrebas, sur le chemin qui descendait jusqu'à la rive de la rivière et qui la suivait, il y avait un homme qui marchait. Il sifflait tout en suivant le chemin qui venait vers Chee. Il portait un pantalon et une veste en jean bien ajustés, une chemise de flanelle bleue à manches longues, un gilet en jean et un chapeau de feutre noir avec une plume enfoncée dans le ruban. Lorsque le chemin se mit à monter de telle sorte que Chee put distinguer son visage, il eut la vision d'un homme qui était du bon côté de la quarantaine, bien rasé, élancé, clairement navajo d'ossature, possédant un visage étroit et intelligent. Il marchait avec une grâce naturelle, balançant telle une canne au bout de son bras une grosse tige d'érigéron. Toujours sans voir Chee, il pénétra alors dans un tunnel d'un jaune éclatant sous le soleil, à un endroit où les saules et les aulnes qui n'avaient pas encore perdu la totalité de leur feuillage dessinaient une voûte au-dessus du chemin. Mais soudain, il perçut l'appel persistant de la sonnerie du téléphone.

Il laissa tomber le bâton et se mit à courir à toutes jambes en direction de la caravane, marquant un instant d'hésitation quand il remarqua Chee, puis reprenant de la vitesse.

— Faut que j'aille répondre, dit-il en le dépassant.

Sa clef était déjà dans sa main quand il atteignit la porte qu'il ouvrit d'un geste vif et adroit, et il se précipita à l'intérieur. Chee avança au pied des marches devant la porte et attendit.

— Allô, dit l'homme.

Puis il attendit.

— Allô. Allô.

Il attendit à nouveau puis siffla dans le micro.

— Y a quelqu'un ?

Il attendit, siffla encore, attendit encore en regardant Chee. La personne qui l'avait appelé avait selon toute apparence posé le combiné quelque part pour laisser le téléphone sonner.

— Allô, répéta l'homme. Y a quelqu'un ?

Cette fois, il sembla obtenir une réponse.

— Oui, ici Grayson... Ben, j'étais pas loin. Je suis juste allé me balader le long de la rivière.

Ensuite il écouta. Approuva de la tête. Jeta un coup d'œil empreint de curiosité en direction de Chee.

— Oui, dit-il. D'accord.

Il s'appuya contre la cuisinière de la caravane et plongea la main dans un tiroir pour en ressortir un stylo et un bloc de papier.

— Je suis prêt à noter.

Il écrivit quelque chose puis dit :

— OK. D'accord.

Il raccrocha et se tourna vers Chee.

Chee lui parla en navajo, se présentant comme étant né dans le Clan à la Parole Lente et pour le Peuple de l'Eau Amère, précisant les noms de sa mère et de son père qui étaient morts.

— Je suis à la recherche d'un homme que l'on appelle Leroy Gorman, conclut-il.

— Je ne comprends pas le navajo, lui répondit l'homme.

Chee répéta la même chose, appartenance clanique et tout, en anglais.

— Gorman ? Je ne le connais pas.

— On m'a dit qu'il habitait ici. Dans cette caravane.

L'homme fronça les sourcils.

— Y a que moi ici, dit-il.

Chee avait bien remarqué que l'homme n'avait pas dit qui il était. Il sourit.

— Vous n'êtes pas Leroy Gorman alors. Je ne risque pas de me tromper en le disant, n'est-ce pas ?

— Je m'appelle Grayson.

Il tendit la main et Chee la serra. Une poignée de main énergique et chaleureuse.

— Je me demande comment on a pu me donner une fausse information, dit Chee. C'est bien le bon endroit. (Du bras il montra la piste, l'arbre, la rivière et la caravane). C'est censé être une caravane en aluminium profilé comme celle-là. Bizarre.

Grayson scrutait Chee attentivement. Derrière le sourire, les traits de son visage étaient tendus, ses yeux méfiants.

— Qui est-ce, ce Gorman ? Qui vous a dit qu'il habitait ici ?

— Je ne le connais pas vraiment, répondit Chee. J'étais juste censé lui transmettre un message.

— Un message ? répéta l'homme.

Les yeux fixés sur Chee, il attendait.

— Ouais. Pour Leroy Gorman.

L'homme attendait, penché vers l'extérieur. Derrière lui, Chee voyait des assiettes à côté de l'évier, mais ceci excepté, l'intérieur de la caravane était d'une netteté absolue. Cet homme était un Navajo, Chee en avait la certitude d'après son apparence physique. Puisqu'il ne parlait pas la langue, ou prétendait ne pas la parler, et puisqu'il n'observait pas les règles de la courtoisie des Navajos, il se pouvait qu'il soit un Navajo de Los Angeles. Mais il disait ne pas être Leroy Gorman.

— Vous êtes la deuxième personne qui cherche ce Gorman à être venue aujourd'hui. (Il eut un rire nerveux). Peut-être que la prochaine fois c'est Gorman lui-même qui va venir. Vous voulez me laisser votre message pour que je puisse lui passer si jamais ça se produit ?

— Qui c'était, l'autre ?

— Une fille. Petite et un peu maigre mais mignonne. Dix-sept, dix-huit ans.

— Elle vous a dit son nom ?

— Oui. Je m'en souviens pas.

— Ce ne serait pas Margaret ? Margaret Sosi ?

— Ouais, dit Grayson. Je crois que c'est ça.

— Petite comment ? Et qu'est-ce qu'elle avait sur le dos ?

— A peu près comme ça, répondit Grayson avec un geste de la main au niveau de son épaule. Mince. Elle avait un manteau bleu comme dans la marine.

— Qu'est-ce qu'elle voulait ?

— Elle avait l'air de croire que j'étais ce fameux Gorman. Et quand elle a compris que non, elle s'est mise à vouloir que je lui parle de son grand-père. Est-ce qu'il

76

était venu ici ? Des trucs comme ça. Je me souviens plus de son nom à lui. Elle voulait trouver ce Gorman parce qu'il était censé savoir quelque chose sur l'endroit où était son grand-père. (Il haussa les épaules). Quelque chose comme ça. Ça voulait pas dire grand-chose.

Chee posa le pied sur la marche et fit passer son poids d'une jambe sur l'autre. Il voulait que l'autre l'invite à entrer, afin de prolonger la conversation. Qui était Grayson ? Qu'est-ce qu'il faisait là ?

— Je pourrais peut-être le laisser, le message en question, dit-il. Vous avez un endroit où je pourrais l'écrire ?

Grayson hésita une fraction de seconde.

— Entrez, dit-il.

Il lui tendit un stylo à bille et une feuille de son bloc de papier. Chee s'assit sur la couchette encastrée à côté de la table et inscrivit en grosses lettres majuscules :

LEROY GORMAN
ALBERT S'EST FAIT DESCENDRE. CONTACTEZ
CHEE EN FAISANT LE

Il hésita. Le standard de la police tribale répondait aux appels en disant «Police Tribale Navajo». Chee se représenta Grayson écoutant cette entrée en matière et raccrochant, sa curiosité satisfaite. Il inscrivit le numéro de la laverie automatique de Shiprock et ajouta :

LAISSEZ MESSAGE

Il ne leva pas le regard en écrivant. Il voulait que Grayson lise son message... et il était sûr qu'il l'avait fait. Il plia la feuille de papier, la plia encore et marqua dessus :

Pour Leroy Gorman, personnel.

Il la tendit à Grayson en disant :

— Avec tous mes remerciements. Si jamais il vient.
Grayson ne regarda pas le papier. Son visage était

tendu.

— Soyez tranquille, dit-il. Mais y a peu de chances. J'avais jamais entendu parler de lui avant l'arrivée de la fille.

— Est-ce qu'elle vous a dit où elle allait en partant ?

Grayson secoua la tête.

— Elle a juste dit qu'elle avait une vieille femme à aller voir quelque part. Ça voulait pas dire grand-chose pour moi.

Ça ne voulait pas dire grand-chose pour Chee non plus, sinon qu'il ne serait probablement pas facile de retrouver Margaret Sosi.

11.

Trouver Margaret Sosi, pensa Chee, allait demander beaucoup plus de temps et de rude labeur que de trouver une caravane en aluminium sous un tremble. Peut-être était-elle partie pour Los Angeles. Peut-être pas. Chee se remémora comment lui-même était à dix-sept ans. Ce n'était pas particulièrement difficile de parler de Los Angeles et d'en rêver, mais pour un enfant de la réserve cela représentait un long voyage vers un inconnu qui faisait peur, une visite sur une planète étrangère. Il n'aurait jamais pu y parvenir tout seul. Il doutait que Margaret Sosi eût entrepris ce long bond solitaire vers Dieu-sait-quoi. Plus vraisemblablement, elle était sur le territoire de la Grande Réserve où elle essayait de retrouver Grand-Père Begay. Peut-être était-elle sur la piste de certains membres de leur clan qui avaient pris le chemin de la Réserve de Canoncito. C'était exactement ce que Chee allait entreprendre. Malheureusement, les membres du

Clan du Dindon ne paraissaient guère nombreux.

Mais la route qui ramenait Chee vers son bureau passait par l'intersection de l'US 666 et de la Route Navajo 1. Le magasin 7-Eleven qui s'y trouvait servait de gare routière pour les cars Greyhound et Continental Trailways. Vérifier ne lui prendrait qu'une minute, et Chee la prit. Un Navajo d'une quarantaine d'années qui s'appelait Ozzie Pete avait la double tâche de s'occuper du magasin et de la vente des billets de car. Non. Aucun billet à destination de Los Angeles n'avait été vendu depuis des semaines. Des mois peut-être. En ce qui concernait ces derniers jours, il était absolument sûr de n'avoir vendu aucun billet à une adolescente maigre portant un caban bleu marine.

De son bureau, Chee appela les comptoirs d'échanges situés plus au sud, à Newcomb et Sheep Springs. Mêmes questions. Mêmes réponses. Il appela Two Gray Hills. La jument était de retour dans son corral ; elle n'avait pas davantage souffert que profité de son enlèvement, mais personne n'avait vu quelqu'un qui ressemblât à Margaret Sosi. Point final.

Chee fit basculer sa chaise en arrière jusqu'à ce qu'elle rencontre le mur et croisa les chevilles sur la corbeille à papiers. Et maintenant ? Il n'avait aucune idée de la façon dont il pouvait commencer à rechercher des gens qui appartenaient au Clan du Dindon. Sinon en s'en remettant au pur hasard. En parcourant les routes, en s'arrêtant aux comptoirs d'échanges, aux maisons chapitrales, aux points d'eau, dans tous les endroits où les gens se retrouvent, pour y poser des questions et y laisser un message. Tôt ou tard il y aurait quelqu'un qui, soit appartiendrait lui-même au clan du Dindon, soit connaîtrait quelqu'un qui y appartenait. Et puisque le Clan du Dindon était virtuellement éteint, les contacts qu'il parviendrait à établir avaient beaucoup plus de chances de survenir tard que tôt. Chee ne se sentait pas en chance. Cette tâche le rebutait. Mais la seule solution pouvant lui éviter de commencer consistait à voir s'il pouvait trouver une autre solution.

Il réfléchit.

Qu'est-ce que Margaret avait fait quand elle s'était enfuie, au hogan ? Elle avait ramené la jument à Two Gray Hills, c'était évident. Et avant, peut-être avait-elle pris le temps de prendre un bain* de sueur. Le bain de sueur de Hosteen Begay était disponible et tout à fait visible de l'endroit où elle avait attaché la jument. Peut-être s'était-elle assurée que Chee était parti puis avait-elle fait un feu, chauffé les pierres, versé de l'eau de source dessus avant de se frotter dans la vapeur purifiante pour repousser le fantôme de Gorman. Chee lui-même avait pris un bain de vapeur dans sa maison mobile : il avait placé sa poêle à frire, après l'avoir fait chauffer très fort sur le gaz, par terre dans sa douche, et avec sa bouilloire il avait versé de l'eau sur le métal chaud afin de créer une explosion de vapeur. Il s'était senti mou, très propre, et de manière générale beaucoup mieux une fois qu'il eut fini de se frictionner. La même chose avait dû se passer aussi pour Margaret. Admettons qu'elle ait pris son bain, rejoint la 666 sur la jument puis lâché celle-ci de manière à ce qu'elle retrouve son chemin jusqu'à Two Gray Hills, et qu'au petit matin elle ait fait du stop et trouvé une voiture pour la ramener à Shiprock. Elle s'était ensuite rendue à la caravane de Grayson afin d'y trouver Leroy Gorman. Mais bon sang, comment avait-elle fait pour la trouver ? Peut-être Hosteen Begay lui avait-il dit où elle était quand il lui avait écrit pour la prévenir de ne pas s'approcher de Gorman ? Une preuve supplémentaire que Margaret Sosi n'était pas quelqu'un qui prenait peur facilement. Pas quand son grand-père était concerné. Chee poursuivit sa réflexion. Peut-être cela expliquait-il ce qui s'était passé pour le cliché Polaroïd. Peut-être Hosteen Begay l'avait-il pris à Albert Gorman qui agonisait et l'avait-il envoyé à Margaret. Ce qui se trouvait sur cette photographie avait entraîné l'arrivée précipitée d'Albert Gorman en quête de Leroy Gorman. Hosteen Begay avait-il voulu s'en servir pour garder Margaret à distance ? La Margaret Sosi qui ne prenait pas peur ?

Chee poussa un soupir, posa les pieds par terre et tendit le bras vers le téléphone. Elle était peut-être effectivement partie à L.A., aussi effrayant que cela ait pu lui paraître à lui. En tout cas, tant qu'il n'en était pas sûr, il avait une raison de ne pas se mettre à chercher ailleurs.

Au milieu de l'après-midi, il avait tout appris des horaires de cars qui partaient de Shiprock pour se rendre à Gallup au sud ou traverser Teec Nos Pos à l'ouest, y compris le nom du conducteur de chacun d'eux et l'endroit où il habitait. Il savait que l'un des conducteurs de Greyhound ne se rappelait pas avoir eu la veille comme passagère une jeune fille navajo maigre vêtue d'un caban, qu'un autre conducteur de Greyhound était encore sur la route et qu'on ne pouvait le joindre. Le tout premier des conducteurs de cars Continental Trailways qu'il eut en ligne rendit tout cela superflu.

— Ouais, fit-il, elle m'a fait signe de m'arrêter au nord du Comptoir d'Echanges de Newcomb. Elle voulait un billet pour Los Angeles mais elle n'avait pas assez d'argent.

— Combien avait-elle ?

— Elle avait assez pour aller jusqu'à Kingman, là-bas, juste sur la frontière californienne, et il lui restait quarante cents.

— Décrivez-la moi, demanda Chee.

Le conducteur décrivit Margaret Sosi.

— Mignonne comme gamine, conclut-il, mais ça lui ferait pas de mal de faire un peu de graisse et de se passer un petit coup sur la figure. Elle avait l'air crevé. Pourquoi que vous la recherchez ?

— Pour essayer d'éviter qu'il lui arrive quelque chose.

Chee appela la gare routière de Kingman. Le bus en provenance de l'est et à destination de L.A. était arrivé à l'heure et reparti, à l'heure également, environ quinze minutes auparavant. Est-ce que quelqu'un avait remarqué une jeune fille navajo maigre et de petite taille avec des yeux noirs et des cheveux noirs, qui en était descendue ? Elle portait un caban marine et son visage avait besoin d'être lavé. Personne ne l'avait remarquée.

Chee appela le poste de police de Kingman, dit qui il était et demanda à parler au responsable. Il eut un certain lieutenant Monroney au bout du fil et lui décrivit Margaret Sosi pour ce qui lui parut être la onzième fois.

— Je suppose qu'elle doit être en train de faire de l'auto-stop, dit-il. Elle essaye de se rendre à Los Angeles.

— Et le car est arrivé quand, il y a un quart d'heure ? Et elle a dix-sept ans ?

— Dix-sept ans mais elle en fait quinze. Petite.

— Jolie ?

— Sans doute. Ouais. Un peu maigre mais elle est mignonne. Elle aurait quand même grand besoin de se laver la figure.

— On va la chercher, assura Monroney. Et je vais appeler la police des routes de Californie de l'autre côté de la frontière pour leur donner le mot. Mais n'y comptez pas trop. Un garçon, il serait toujours là à agiter le pouce. Mais une fille, une jolie fille, de cet âge-là : elle a sûrement trouvé. Partie depuis longtemps. Mais on va regarder. Donnez-moi votre numéro. Si on la trouve, on vous appelle. Vous voulez juste qu'on l'arrête pour fugue, c'est ça ? Pas de délit majeur ?

— Pas de délit, confirma Chee. Mais il y a un homicide volontaire en arrière-plan. Mettez-la juste en sécurité.

Mais il était peut-être déjà trop tard pour ça.

12.

L'adresse du «11713, La Monica Street» que Sharkey avait lue sur le permis de conduire d'Albert Gorman s'avéra correspondre à un bâtiment sans étage en forme de U aux murs en crépi vert pâle. Chee gara son pick-up truck derrière une Chevrolet Nova déjà ancienne qui avait une aile de couleur différente et examina les lieux. Le bâtiment semblait abriter dix ou douze petits appartements dont l'un, à l'extrémité gauche du U, arborait un petit panneau sur lequel le mot LOGE était inscrit. Suspendu juste en-dessous, un carton rectangulaire proclamait APPARTEMENT LIBRE.

Chee s'engagea sur l'étroite allée qui menait au porche abritant la porte d'entrée de la loge. A côté de celle-ci, en face du carton indiquant qu'il y avait des appartements libres, un autre panneau donnait la liste des occupants de l'immeuble. Chee ne trouva pas d'Albert Gorman, mais l'emplacement réservé au nom correspondant au numéro 6 était vide. Il traversa le gazon d'herbe des Bermudes envahi de mauvaises herbes, atteignit le porche d'entrée du numéro 6 puis sonna et attendit. Rien. Une boîte aux lettres était fixée au mur à côté de la porte. Le dessus était rabattu. Chee sonna à nouveau, prêta l'oreille au bourdonnement déclenché à l'intérieur de l'appartement et, tout en écoutant, souleva le rabat de la boîte aux lettres.

Il y avait deux enveloppes à l'intérieur. Il disposa son corps en écran de façon à ce que, de la loge, on ne puisse pas voir ce qu'il faisait, et extirpa les enveloppes. L'une était adressée au LOCATAIRE et l'autre à Albert Gorman. Ça semblait être une note de téléphone, expédiée deux jours auparavant d'après le tampon de la poste. Chee laissa retomber les deux enveloppes dans la boîte, ré-appuya sur la sonnette et essaya d'ouvrir la porte. Fermée à clef. A nouveau il se servit de son corps pour cacher ce qu'il faisait parce qu'il sentait qu'il y avait quelqu'un qui le regardait. Une femme, supposa-t-il, mais il n'avait aperçu que fugitivement la silhouette qui se tenait derrière le rideau de la fenêtre de la loge partiellement tiré.

Il s'écarta de la porte et retraversa la pelouse envahie de mauvaises herbes. Il appuya sur la sonnette de la porte de la loge, attendit, appuya encore, attendit encore. Il jeta un coup d'œil à sa montre. Qu'est-ce qu'elle pouvait bien fabriquer ? Il appuya une fois de plus sur la sonnette, regarda sur sa montre l'aiguille des secondes égrener une minute entière en balayant le tour du cadran, puis une autre minute. Elle n'avait pas l'intention de venir ouvrir. Pour quelle raison ? Elle avait un appartement à louer. Il appuya encore une fois sur la sonnette, attendit encore une minute puis fit demi-tour et se dirigea vers son pick-up truck.

Il entendit la porte s'ouvrir derrière lui.

— Oui ?

Il se retourna. Elle tenait la porte à moitié ouverte. Elle était aussi grande que lui, toute grise et émaciée : un visage étranger et osseux qui témoignait d'ancêtres noirs et peut-être chinois.

— Je m'appelle Jim Chee, se présenta-t-il. Je cherche quelqu'un qui s'appelle Albert Gorman. Appartement numéro six, je crois bien.

— C'est ça. Le six c'est Gorman.

— Il n'est pas là, reprit Chee. Est-ce que vous avez une idée de l'endroit où je pourrais le trouver ?

— Je pense qu'il va revenir dans un petit moment, dit-elle. Allez l'attendre. Il y a une chaise là-bas sous son porche. (Du bras, elle désigna l'autre côté de la pelouse). Allez vous installer.

Elle avait un accent marqué. Espagnol ? Probablement, mais pas le genre d'espagnol mexicain que Chee avait l'habitude d'entendre sur la réserve. Des Philippines, peut-être. Chee avait entendu dire qu'il y avait beaucoup de Philippins à Los Angeles.

— Est-ce que vous savez quand il va revenir ? En réalité, j'essaye de retrouver quelqu'un de sa famille. Est-ce que vous...

— Je ne sais rien du tout, dit-elle. Mais il va revenir tout de suite. Il a dit que s'il y avait quelqu'un qui venait le voir, je n'avais qu'à lui dire de l'attendre. Qu'il n'en avait pas pour longtemps.

— Je fais partie de la police, dit Chee en sortant son justificatif et en le lui présentant. J'essaye de savoir où se trouve une jeune fille. Dix-sept ans environ. Petite. Mince. A la peau sombre. Une Indienne. Vêtue d'un caban marine. Est-ce qu'elle est venue ici ?

La femme secoua la tête ; ses traits exprimaient le scepticisme et la désapprobation.

— Ça aurait été tôt ce matin, précisa Chee. Ou peut-être tard hier soir.

— Je ne l'ai pas vue.

— Est-ce qu'à votre connaissance il y a une autre adresse où on peut joindre Albert Gorman ? L'endroit où il travaille ? Des parents que je pourrais aller voir ?

— Je ne sais pas. Allez l'attendre. Vous lui demanderez à lui.

— J'ai un ami qui cherche un appartement, dit Chee. Est-ce que je pourrais voir celui que vous avez qui est libre ?

— Pas encore prêt. Pas nettoyé. Le locataire a toujours ses affaires à l'intérieur. Allez l'attendre.

Et là-dessus, elle ferma la porte.

— C'est bon, dit Chee. J'y vais.

Il s'assit sur une chaise sous le porche du numéro 6 et attendit que les choses que sa présence en ce lieu avait engendrées commencent à se manifester. Il ne fit aucun effort pour envisager ce dont il pouvait s'agir. La femme, visiblement, avait contacté quelqu'un quand elle l'avait vu sous le porche. Apparemment on lui avait dit de l'empêcher de partir et elle avait donc gagné du temps. Il allait rester en partie parce qu'il était curieux et en partie parce qu'il n'avait pas d'autre choix. S'il faisait chou blanc ici, il ne voyait pas de solution de rechange prometteuse. Cette adresse était tout ce dont il disposait pour entrer en contact avec le Clan du Dindon et Margaret Sosi. Malheureusement, la chaise était en métal, et inconfortable.

Il se leva, s'étira et alla marcher au hasard sur la pelouse, émettant à destination de la femme qui était sûrement en train de l'observer derrière son rideau tous les signaux correspondant à un homme qui essaye de tuer le temps. Il alla jusqu'à la rue et la parcourut des yeux des deux côtés. En face, une enseigne au néon placée au-dessus de l'entrée d'un immeuble de briques en mauvais état signalait EGLISE EVANGELIQUE DE COREE. Ses fenêtres étaient condamnées par des plaques de contre-plaqué gondolées. Juste à côté, il y avait une petite maison sans étage entourée d'une véranda avec, devant la porte du garage demeurée ouverte, un camion semi-remorque plateau privé de ses roues, qui reposait sur des cales. Des maisons de bois se succédaient jusqu'au carrefour suivant, autrefois identiques mais ayant maintenant acquis une certaine diversité héritée des années écoulées, des transformations, des efforts différents pour les rendre plus agréables à vivre. La série se terminait par un petit immeuble en béton, au coin de la rue, qui, à en juger d'après la réclame peinte sur ses murs, était un endroit où l'on pouvait vendre et acheter des vêtements en seconde main. Dans l'ensemble, la rue était légèrement plus moche que celle dans laquelle Chee avait vécu lorsqu'il était étudiant à Albuquerque, et légèrement mieux que ne l'étaient en moyenne les zones d'habitation de Shiprock.

Le côté de La Monica Street où habitait Gorman était d'une opulence comparable mais essentiellement composé d'habitations d'un étage plutôt que de plain-pied. Après son bâtiment d'habitation en U il y en avait deux autres, tous deux plus grands et tous deux ayant grand besoin d'un ravalement. De l'autre côté, le reste du pâté de maisons était occupé par un bâtiment aux murs recouverts d'un crépi marron clair qui était entouré d'une pelouse et d'une clôture grillagée. Chee déambula le long de la clôture en détaillant l'établissement.

Sur le porche latéral, il y avait cinq personnes assises côte à côte qui le regardaient. Elles étaient assises dans des fauteuils roulants, et attachées. Des personnes âgées, trois femmes et deux hommes. Chee leva la main en signe de salutation. Aucune réaction. Ils portaient tous un peignoir de couleur bleue : quatre têtes blanches et une chauve. Une autre femme était assise dans un fauteuil roulant, sur une allée en béton qui était juste de l'autre côté de la clôture. Elle aussi était vieille, avec des cheveux blancs très fins, un sourire heureux et des yeux vides d'un bleu pâle.

— Bonjour, dit Chee.

— Il va venir aujourd'hui, dit la femme. Il vient.

— C'est bien, dit Chee.

— Il va venir aujourd'hui, répéta-t-elle.

Puis elle se mit à rire.

— Je le sais, assura Chee. Il va être content de vous voir.

Elle rit à nouveau en regardant Chee d'un air heureux à travers le grillage.

— Ils sont au port et il a une permission. Il vient.

— C'est magnifique, dit Chee. Dites-lui bonjour de ma part.

La femme cessa de s'intéresser à lui. Elle repartit vers le devant du bâtiment en fredonnant dans son fauteuil roulant.

Chee flâna le long de la clôture, observant du regard les cinq qui étaient alignés sur le porche. C'était un aspect de la culture des hommes blancs dont il n'avait encore jamais été témoin. Il savait que cela existait par le biais de ses lectures, mais ça lui avait paru trop détaché de la réalité pour le marquer : cette manière qu'ils avaient de parquer les vieillards. La clôture faisait à peu près un mètre quatre-vingts de haut, et les trente derniers centimètres étaient recourbés vers l'intérieur. Difficile pour une vieille femme d'escalader ça, pensa-t-il. Impossible si elle était sanglée dans un fauteuil roulant. Los Angeles paraissait bien protégée contre ces vieillards-là.

Il tourna le coin et passa devant la façade de l'établissement. MAISON DE RETRAITE LES CHEVEUX D'ARGENT, proclamait un panneau placé sur la pelouse de l'entrée. De ce côté il y avait des fleurs : des parterres de soucis, de pétunias, de zinnias et des espèces propres au climat doux de la côte que Chee ne put identifier. Des tertres couverts de fleurs florissantes, bien protégées contre les vieillards.

«Les Cheveux d'Argent» occupait toute cette extrémité du bloc d'immeubles. Pour tuer le temps, Chee en fit le tour en jetant des coups d'œil à sa montre. Il emprunta l'allée qui séparait la maison de retraite du complexe d'appartements où habitait Gorman et la suivit pour revenir vers la porte de celui-ci. Il avait réussi à faire passer presque dix minutes.

Un vieux monsieur, maigre et voûté, se tenait de l'autre côté du grillage et le regardait approcher avec des yeux d'un bleu vif brillants d'intérêt. Il était enfermé dans un déambulateur en aluminium qui lui arrivait à la taille et dont les quatre pieds étaient plantés dans l'herbe.

— Bonjour, dit Chee.

— Indien ? demanda le vieil homme.

Le mot lui posa problème : il s'arrêta au milieu, ferma les yeux, souffla, recommença jusqu'à ce qu'il parvienne à le prononcer.

— Oui, acquiesça Chee. Je suis Navajo.

— Un Indien qu'habite là, dit le vieil homme en retirant sa main du cadre d'aluminium pour désigner l'appartement de Gorman.

— Vous le connaissez ?

Le vieil homme lutta avec les mots, secoua la tête et poussa un soupir.

— Gentil, dit-il finalement. Parle.

Chee sourit.

— Il s'appelle Albert Gorman. C'est bien lui ?

Le vieil homme fronçait les sourcils d'un air furieux.

— Souriez pas, dit-il. Personne me parle à part cet...

Ses traits se tordirent dans un terrible effort mais il ne parvint pas à prononcer le reste.

— Lui, finit-il par dire.

Puis il baissa les yeux sur ses mains, vaincu.

— C'est bien de se montrer amical, dit Chee. Il y a trop de gens qui n'ont jamais le temps de parler.

— Pas là.

Chee vit qu'il avait encore quelque chose à dire et patienta pendant que sa volonté farouche luttait contre un cerveau engourdi par une crise cardiaque, l'obligeant à fonctionner.

— Parti, dit-il.

— Oui. Il a un oncle qui vit sur la Réserve Navajo. Au Nouveau Mexique. Il est allé lui rendre visite.

Chee ressentit un léger remords en disant cela, comme cela lui arrivait toujours lorsqu'il ne disait pas la vérité. Mais pourquoi dire à ce vieil homme que son ami était mort ?

Le visage du vieil homme changea d'expression. Il sourit.

— Même famille ?

— Non. Mais nous sommes tous les deux Navajos, donc parents d'une certaine manière.

— Il a de gros ennuis, dit l'homme clairement et distinctement.

Le genre de court-circuit qui se produisait dans ses tissus nerveux et l'empêchait de s'exprimer semblait intermittent.

Chee hésita en réfléchissant à la manière d'un policier. Mais ce qu'il fallait ici n'était pas une formule toute faite contenue dans le manuel des instructions officielles.

— C'est vrai. Je ne comprends pas pourquoi, mais quand il est parti d'ici, il y a quelqu'un qui s'est lancé à sa poursuite. De très gros ennuis.

Le vieil homme hocha la tête d'un air entendu. Il essaya de parler mais n'y parvint pas.

— Il vous en a parlé ?

Il secoua la tête négativement. Réfléchit. Annula cette dénégation d'un haussement d'épaules.

— Un peu, dit-il.

Une petite femme ronde qui portait un uniforme blanc trop serré traversa la pelouse dans leur direction.

— Monsieur Berger, dit-elle, il est temps de nous mettre en route ou nous allons rater notre déjeuner.

— Merde, dit monsieur Berger.

Il fit une grimace, souleva précautionneusement son déambulateur et pivota sur lui-même.

— Ne dites pas de gros mots, gronda la femme ronde. Si nous étions dans un fauteuil roulant comme nous devrions l'être, je pourrais vous pousser. (Elle leva les yeux vers Chee, le trouva inintéressant). Ça nous ferait gagner du temps.

— Merde, répéta monsieur Berger.

Il faisait avancer son déambulateur sur la pelouse, trébuchant ensuite dans ses limites. Elle marchait derrière lui, silencieuse et implacable.

Seule l'inclinaison des rayons du soleil matinal avait changé sur le porche de l'appartement de Gorman. Chee s'assit sur la chaise métallique à côté de la porte et pensa à monsieur Berger. Puis il pensa à Grayson : à qui il pouvait bien être, à ce qu'il pouvait bien faire à Shiprock et à la manière dont il pouvait être lié à cette affaire bizarre. Il essaya de deviner ce qui avait pu amener Albert Gorman à se tromper sur la personne qui vivait dans la caravane en aluminium… à condition qu'il se soit effectivement trompé. Et il avait beau faire pour l'éviter, il pensa à Mary Landon. Il voulait lui parler. Là, maintenant. Se lever, trouver un téléphone, aller la faire appeler dans sa classe de Crownpoint et entendre sa voix dire : «Jim ? Il y a quelque chose qui ne va pas ?» Et il répondrait… il répondrait, «Mary, tu as gagné.» Non, il ne le dirait pas comme ça. Il dirait, «Mary, tu as raison. Je vais envoyer ma candidature pour ce poste au FBI. Et dès que j'aurai reposé ce téléphone, je vais retourner droit à mon pick-up truck et prendre tout de suite le volant jusqu'à Crownpoint sans m'arrêter, ce qui me prendra à peu près douze heures si je ne me fais pas arrêter pour excès de vitesse par la police de l'autoroute, et quand j'arrive tu as déjà préparé tes bagages, tu vas dire au directeur de trouver quelqu'un pour te remplacer et…»

Une Ford de couleur blanche s'arrêta derrière son pickup truck. Deux hommes à l'intérieur. Celui qui se trouvait du côté du passager descendit et s'engagea sans perdre un instant sur l'allée qui menait à la loge. Petit, trapu, la quarantaine, avec un corps bien entretenu et un visage rond et rose. Il portait un pantalon gris et une veste en seersucker. La porte de la loge s'ouvrit avant qu'il n'ait eu le temps de l'atteindre. La conversation qui s'ensuivit fut brève. Le petit homme trapu regarda dans la direction de Chee, le vit, et se dirigea droit vers lui en traversant la pelouse. Du côté de la Ford, la porte du conducteur s'ouvrit et un personnage beaucoup plus imposant apparut. Il resta un moment sur place à les regarder. Puis, à son tour, il prit la direction de l'appartement de Gorman d'un pas tranquille.

L'autre avait commencé à parler avant d'atteindre le porche.

— La dame me dit que vous cherchez Albert Gorman. C'est exact ?

— Plus ou moins, dit Chee.

— C'est votre véhicule ?

— Oui.

— Vous venez d'Arizona ?

— Non, dit Chee.

Il avait acheté les plaques d'immatriculation alors qu'il était affecté à Tuba City, avant sa mutation à Shiprock.

— D'où venez-vous ?

— Du Nouveau Mexique.

Le plus imposant des deux s'approcha. Il l'était même bien davantage encore. Près d'un mètre quatre-vingt-quinze et solidement bâti. Bien plus jeune aussi. Trente-cinq ans peut-être. Il n'avait pas l'air facile. Chee s'était dit, pendant qu'il attendait sur le porche, qu'il avait des chances de voir arriver des agents du FBI. Ces gaillards-là n'étaient pas des agents du FBI.

— Vous êtes bien loin de chez vous, remarqua Petit-Homme.

— Quinze cents kilomètres, reconnut Chee. Vous sauriez, vous, où je pourrais trouver cet Albert Gorman ? Ou quelqu'un de sa famille ? Des amis à lui ?

— Qu'est-ce que vous avez à voir avec Gorman ? demanda Petit-Homme.

— Je ne le connais pas, dit Chee. En quoi ça vous intéresse ?

Sous la veste de Petit-Homme, Chee voyait juste le bord d'une lanière de cuir marron qui pouvait très bien faire partie d'un harnais destiné à maintenir en place un étui d'épaule. Chee ne voyait pas du tout ce que cela aurait pu être d'autre. Petit-Homme n'avait pas l'intention de répondre à sa question. Il glissa la main sous sa veste et sortit une petite pochette en cuir de sa poche intérieure.

— Forces de Polices de Los Angeles, dit-il en laissant la pochette s'ouvrir pour révéler un insigne et une photographie. Voyons vos papiers.

Chee extirpa son portefeuille de sa poche, l'ouvrit pour montrer son propre insigne et le tendit à Petit-Homme.

— Police Tribale Navajo, lut ce dernier.

Il examina Chee d'un œil curieux :

— Bien loin de chez vous, dit-il à nouveau.

— Quinze cents kilomètres, répéta Chee. Et maintenant, pouvez-vous me dire quelque chose sur ce Gorman ? Il y a une jeune fille...

Il s'interrompit. Le plus grand des deux était pris de fou rire. Chee et Petit-Homme attendirent.

— Monsieur, commença le grand costaud, Shaw que voici peut tout vous raconter sur Albert Gorman. Shaw est le meilleur expert au monde pour tout ce qui touche à Gorman. Gorman, c'est un peu son hobby.

Chee tendit la main au petit homme.

— Je m'appelle Chee, dit-il.

— Willie Shaw, se présenta le petit homme en lui serrant la main. Et lui c'est Wells. Vous avez le temps de venir discuter un peu ? Devant une tasse de café ?

Wells serra la main de Chee avec la douceur et la mesure dont celui-ci avait appris à s'attendre de la part des gens qui étaient vraiment dotés d'une grande force.

— Une bonne chose que Shaw prenne sa retraite, dit-il.

Il y a son travail de policier qui commence à faire concurrence à son hobby.

— Monsieur Chee ici présent va m'emmener, je pense, proposa Shaw. Nous allons à ce Café des VIP sur Sunset Boulevard.

Il disait cela en s'adressant à Wells, mais Wells avait déjà repris la direction de la Ford.

— Bon, dit Shaw, je veux que vous commenciez par me dire ce qui a poussé la police navajo à s'intéresser à Gorman.

Chee s'arrangea pour que son explication demeure simple : il signala juste qu'il était bizarre que les préparatifs pour l'enterrement de Gorman n'aient pas été achevés, souleva la question de savoir où Begay était parti, et le problème qui consistait à retrouver Margaret Sosi et à apprendre d'elle ce que Begay avait écrit dans sa lettre. Il en avait terminé lorsqu'ils se glissèrent dans l'un des boxes du salon de thé. Shaw mélangea un alcool léger avec son café. Le temps des questions était venu.

— D'après ce qu'on m'a dit à moi, commença Shaw, Lerner s'est tranquillement approché de Gorman sur le parking et il lui a tiré dessus. Gorman a tiré à son tour avant de disparaître en voiture. Lerner est mort sur place. Plus tard, les Fédéraux retrouvent Gorman mort des suites de sa blessure, et ce à la maison de son oncle. C'est bien ça ?

— Pas tout à fait, objecta Chee qui fournit les détails complémentaires.

— Et Albert s'était arrêté sur le parking pour y parler à un vieil homme ?

— Oui, acquiesça Chee. Pour demander son chemin.

Apparemment, Shaw avait vu le rapport du FBI. Mais comment cela pouvait-il s'expliquer ?

Wells était allé se garer sur le parking du Café des VIP ; il venait d'entrer et de les repérer.

— Pousse-toi de cinq, dit-il en s'installant à côté de Shaw.

— De quoi est-ce qu'ils ont parlé, Gorman et le vieux ?

demanda Shaw.

C'était exactement la question qu'il fallait poser, pensa Chee. Shaw l'impressionnait.

— Pourquoi vous vous intéressez à Gorman ? demanda-t-il en gardant un ton de voix amical. C'est-à-dire, en tant que membre des Forces de Police de Los Angeles ?

— Pour être précis, en tant que membre du service de lutte contre les incendies volontaires, précisa Wells. C'est une bonne question. Un de ces jours, le capitaine va la poser. Il va dire, sergent Shaw, comment ça se fait que tout le monde s'amuse à fiche le feu à Los Angeles et que vous, vous courriez après des voleurs de voitures ?

Shaw ne lui prêta aucune attention.

— J'aimerais découvrir la raison exacte pour laquelle Gorman a filé au Nouveau Mexique, dit-il. Voilà qui ne devrait pas manquer d'intérêt.

— Vous allez me dire ce que j'ai besoin de savoir ici, chez vous ? M'aider à trouver la petite Sosi ?

— Bien sûr, dit Shaw. Mais j'ai besoin de savoir ce qui se cache derrière le fait que les Navajos ont envoyé un policier à plus de quinze cents kilomètres de l'endroit où il travaille. Ça ne peut pas se limiter à la fugue d'une adolescente.

— Ils ne m'ont pas envoyé, dit Chee. J'ai pris un congé. Je fais ça un peu de mon côté. Ça facilite les choses.

Wells émit un grognement.

— Seigneur, s'exclama-t-il. Epargnez-moi ça. Deux comme ça autour de la même table. Les vigilants sont de retour.

— Mon ami que voici, dit Shaw en inclinant son visage rond et rouge pour désigner Wells, pense que les policiers devraient s'en tenir à leurs attributions.

— Les incendies par exemple, renchérit Wells. En ce moment précis nous sommes censés être dans Culver pour enquêter sur un incendie dans un entrepôt, ce qui est en tous points aussi amusant qu'un homicide commis au

Nouveau Mexique, et la raison pour laquelle les contribuables nous paient.

— Alors vous travaillez seul ? reprit Shaw. Rien d'officiel. Ça vous intéresse personnellement.

— Pas tout à fait, précisa Chee. Le service auquel j'appartiens veut retrouver la jeune fille ainsi que Grand-Père Begay. Ils sont plus ou moins considérés comme ayant disparu. Et le fait que je le fasse sur mon propre temps rend les choses moins compliquées.

Chee vit que Shaw comprenait quelles étaient les implications de ce qu'il venait de dire.

— Ouais, fit ce dernier. C'est pour le FBI.

Son visage avait perdu un peu de sa prudence et une trace d'amitié s'y lisait. Et encore autre chose ? De l'excitation ?

— Vous deviez me dire de quoi Gorman a discuté sur le parking, reprit-il.

Chee le lui dit.

— Albert cherchait Leroy ? répéta Shaw en fronçant les sourcils. Il avait une photo représentant une caravane ?

Il sortit de sa veste un carnet recouvert de cuir, mit ses lunettes à double foyer et commença à lire.

— Joseph Joe, marmonna-t-il. Je me demande pourquoi il n'a pas parlé de ça aux agents fédéraux.

— Il l'a fait, dit Chee.

Shaw le regarda avec des yeux ronds.

— Il a dit au FBI tout ce que moi je vous ai dit.

Shaw digéra l'information.

— Ah, fit-il. Je vois.

— Si cela vous intéresse, reprit Chee, vous serez peut-être content d'apprendre que quand le FBI a vidé les poches d'Albert Gorman, la photographie qu'il avait montrée à Joe ne s'y trouvait plus.

— De plus en plus étrange. Où était-elle passée ?

— Deux possibilités évidentes. Gorman l'a jetée après avoir été blessé. Ou alors c'est Grand-Père Begay qui l'a prise.

Shaw lisait dans son carnet.

— Je soupçonne que vous avez pensé à une troisième possibilité, dit-il sans lever les yeux.

— Que l'agent du FBI pourrait l'avoir empochée ?

Shaw leva les yeux de son carnet pour poser sur lui un regard où se mêlaient appréciation et approbation.

— Je suis quasiment certain que ça ne s'est pas passé de la sorte. C'est moi qui ai trouvé le corps. Je regardais. Il n'en a pas eu la possibilité.

— Est-ce que vous pourriez retrouver la caravane ? Albert pensait qu'elle était à Shiprock. Ça ne doit pas être bien grand ?

— Nous l'avons trouvée. L'homme qui y habite nous a dit que son nom est Grayson. Il nous a dit qu'il ne connaissait pas de Leroy Gorman.

— Est-ce que vous savez qui est Leroy Gorman ? lui demanda Shaw.

— C'est l'une des choses que vous deviez me dire.

— Je voudrais jeter un nouveau coup d'œil à vos papiers.

Chee ressortit la pochette contenant son identification et la tendit à Shaw. Celui-ci l'étudia, inscrivant les renseignements dans sa mémoire, pensa Chee.

— Je vais donner un coup de téléphone. Je reviens tout de suite.

Chee but son café. Par la fenêtre lui parvenaient le bruit de la circulation, le hurlement d'une ambulance qui fonçait quelque part. Wells faisait glisser sa tasse d'un côté à l'autre de sa soucoupe en la poussant avec un doigt.

— C'est un type très fort, Shaw, dit-il. Des états de service fantastiques. Mais il va tout fiche en l'air en faisant ça. En jouant au con jusqu'à ce qu'il ait des ennuis.

— Pourquoi ? Qu'est-ce qui le pousse à faire ça ?

— Son ami s'est fait tuer. En fait, il est juste mort. (Il vida sa tasse et fit signe à la serveuse qu'il en voulait encore). Que ce soit l'un ou l'autre, Shaw pense qu'ils l'ont tué et qu'ils sont en train de s'en tirer comme ça. Ça le rend dingue.

— Il n'est pas satisfait de la façon dont l'enquête est menée ?

— Il n'y a pas d'enquête, dit Wells qui attendit que la serveuse ait fini de remplir sa tasse. Le type est mort d'une thrombose. Cause naturelle. Aucun indice permettant d'envisager le contraire.

— Oh !

Le visage de Wells était morose.

— Ça fait quatre ans que je suis son équipier et je peux vous dire qu'il est super. Cité à trois reprises à l'ordre du mérite. D'une intelligence rare. Mais il paraît incapable de se détacher de cette affaire Upchurch.

— Upchurch. C'était le nom de l'agent du FBI ?

Wells le dévisagea.

— J'ai entendu dire que le FBI avait perdu un homme sur cette affaire, expliqua Chee. Et ils ont l'air d'agir de manière bizarre.

— Ils agiront de manière encore plus bizarre quand ils découvriront que Shaw...

Il se tut. Shaw revenait se glisser dans le box.

— Albert Gorman était un voleur de voitures, commença-t-il sans préambule. Lui, et Leroy aussi. Ils sont frères et ils vivaient du vol des voitures. Ils travaillaient pour une société qui s'appelle McNair Factoring. Une vieille société des docks de Santa Monica. Ils importent du café, des haricots, du cacao, du caoutchouc brut, des choses comme ça... surtout en provenance d'Amérique du Sud, je crois, mais aussi un peu d'Asie et d'Afrique. Ils exportent tout ce qu'ils peuvent trouver... y compris des voitures volées. Essentiellement des modèles chers. Ferrari, Mercedes, Cadillac, et compagnie. Essentiellement vers l'Argentine et la Colombie, mais de temps en temps vers Manille ou là où il y a de la demande. C'est comme ça qu'ils fonctionnaient. Gorman et les autres travaillaient sur commande. On leur demandait des modèles spécifiques. Par exemple, une Mercedes 450 SL. Et une date de livraison pour quand le bon bateau serait à quai. Ils repéraient la voiture, attendaient la date prévue, la fauchaient puis la conduisaient tout droit au dock. Elle était sur le bateau avant que le propriétaire ne se soit aperçu de sa disparition. Drôlement bien organisé.

Shaw observa une pause pour voir si Chee était d'accord. Chee hocha la tête.

— Et puis il y a un agent du FBI qui a mis le nez là-dedans. Il s'appelait... Kenneth...

Sa voix s'étrangla. Le muscle de sa mâchoire supérieure se crispa. Wells, qui l'avait regardé jusque-là, détourna aussitôt les yeux pour observer la circulation qu'il y avait au dehors, sur Sunset Boulevard qui était minable à cet endroit. Chee pensa à la coutume navajo qui consistait à ne pas nommer les morts. Pour Shaw, le nom avait assurément rappelé le fantôme.

Il déglutit.

— Il s'appelait Kenneth Upchurch.

Il s'arrêta de nouveau.

— Excusez-moi, dit-il en s'adressant à Chee. C'était un bon ami. En tout cas, Upchurch a réuni tous les éléments qu'il fallait pour incriminer McNair. Du beau travail.

Shaw avait retrouvé le contrôle de lui-même. En homme qui avait fait des centaines de rapports, il en faisait un de plus et le faisait avec clarté et concision. Quand Upchurch s'était présenté devant la commission d'enquête, il s'était aperçu que ses témoins lui filaient entre les doigts. Un capitaine en second était passé par-dessus bord. Un capitaine avait laissé son bateau revenir d'Argentine sans lui. Un voleur avait perdu la mémoire. Un autre s'était rétracté. Upchurch était parvenu à obtenir des inculpations, mais les vrais chefs étaient repartis tranquillement.

— Libres comme l'air, poursuivit Shaw d'un ton amer. Un joli jeu de mot : le clan McNair est libre comme l'air. Ha ha.

Chee ne sourit pas et Shaw non plus. Ça n'avait rien de drôle.

— C'était il y a neuf ans, continua Shaw. Après un

certain temps, McNair Factoring a recommencé à s'occuper de voitures ; Upchurch l'a appris et ce qui se disait alors c'était que maintenant ils le faisaient parallèlement avec le trafic de la cocaïne en provenance de Colombie. Il m'a dit que ce qui n'avait pas marché la première fois c'était que tout le monde était au courant. Cette fois-ci, il allait réunir ses preuves tout seul. Garder le secret absolu. Il allait seulement y travailler tout seul ; vous savez, prendre le temps qu'il fallait. Mettre la main sur un témoin à droite et à gauche et se les garder bien au chaud en attendant d'être prêt. N'en parler à personne à part les gens avec lesquels il était obligé de travailler au bureau du district attorney, et peut-être à quelqu'un des douanes s'il était vraiment obligé. C'est donc comme ça qu'il a fait. Il a travaillé des années. En tout cas, cette fois, tout était réglé comme du papier à musique. Il en piaffait d'impatience, ça on peut le dire. (Son visage rougeaud était joyeux à cette évocation). Il tenait les témoins qui allaient lui permettre de coincer les vrais chefs, le vieux George McNair en personne ainsi qu'un dénommé Robert Beno qui s'occupait plus ou moins de ce qui concernait les vols, et l'un des fils de McNair : tous les types importants.

Shaw eut un geste des deux mains comme pour caresser quelque chose.

— Comme sur du velours. Sept inculpations. Le grand jeu. (Ce souvenir fit naître un large sourire sur son visage). Ça s'est passé un mardi. Effet de surprise total. A part Beno, il les a tous chopés, fait passer aux empreintes, à la photo, embarqués et écroués le mercredi. Kenneth, il a procédé à plusieurs arrestations lui-même (pour McNair, et son fils), et puis il a pris les mesures qu'il fallait pour être sûr que ses témoins étaient bien en sécurité. Il les avait fait mettre sur la liste des témoins bénéficiant d'une protection officielle spéciale, et dès qu'ils en auraient fini devant la commission d'enquête, il allait les rembarquer lui-même pour les ramener au même endroit. Il n'allait prendre aucun risque cette fois. D'ici la fin du week-end, il en aurait terminé.

Shaw se tut, les yeux fixés droit devant lui. Il prit une profonde inspiration et acheva son récit.

— Ce week-end-là, le samedi soir, nous avions décidé de fêter ça. Ma femme, Kenneth et Molly. Nous avions réservé. Samedi, il roulait sur l'autoroute de Santa Monica. Je ne sais pas où il allait mais il était presque arrivé à Culver City quand il a perdu le contrôle de sa voiture, est rentré dans un camion, puis une autre voiture avant de sortir de la route sur une bretelle de raccordement.

Il y eut un autre moment de silence qui s'éternisa.

— Ils l'ont tué, affirma Shaw.

Wells fit un mouvement, s'apprêta à dire quelque chose puis se ravisa et haussa les épaules.

— Comment ? demanda Chee. Dans l'accident ?

— L'autopsie a décelé une thrombose, commenta Shaw en jetant un coup d'œil à Wells. Décès dû à une cause naturelle.

— Ça tombait à pic, dit Chee.

— C'est sûr, intervint Wells, il y a de quoi se poser des questions. Le FBI aussi s'en est posé. Un de leurs agents venait de boucler une affaire importante. Ils s'en sont occupés tout de suite et ils y ont mis le paquet. Je sais de source sûre qu'ils ont fait refaire l'autopsie. Par leur docteur à eux. Ils n'ont rien trouvé à part qu'ils avaient un gars qui roulait sur l'autoroute et qu'avait eu une crise cardiaque.

— Le FBI, dit Shaw. Des juristes et des agents du fisc assermentés.

— Les spécialistes des homicides de la police de Los Angeles les ont aidés, dit Wells. Tu le sais bien. Et ces gars-là tu les connais aussi bien que moi. Mieux même. Il n'y a pas grand chose qui leur échappe quand ils veulent s'en donner la peine, et ils n'ont absolument rien trouvé eux non plus.

— Enfin, dit Shaw, tu sais aussi bien que moi que c'est McNair qui l'a tué. Il l'a tranquillement tué pour en être quitte avec lui. Il avait suffisamment de fric pour arranger ça de façon à ce qu'il n'y ait pas de preuves. Il l'a provoquée, la crise cardiaque.

Wells avait l'air furieux. Visiblement, c'était une discussion qu'ils avaient déjà eue. Souvent.

— Rien d'anormal au niveau des freins. Pas de trace de drogue dans le corps. Pas de marques de piqûre sur sa peau. Pas de fléchette empoisonnée décochée depuis un avion. Pas de récipient ayant contenu un gaz empoisonné. Rien dans le sang.

— Sa voiture était complètement pulvérisée. Son corps aussi.

— Ils sont habitués à ce genre de choses. Les médecins pathologistes...

— On ne va pas en rediscuter, dit Shaw. Kenneth est mort. Il n'y avait pas meilleur ami que lui. Je ne veux pas que celui qui l'a tué s'en tire impunément, aussi tranquillement que s'il avait écrasé une mouche.

— Quel est le mobile ? demanda Chee.

Shaw et Wells se retournèrent tous les deux vers lui, l'air surpris.

— Comme je l'ai dit tout à l'heure, pour être quitte, dit Shaw. C'était un début. Et ça les débarrassait de lui avant le procès.

— Mais c'était le bureau du district attorney qui s'en occupait, de ça. Il n'était pas un témoin important, si ?

— Je ne pense pas, reconnut Shaw. Mais c'était son affaire à lui. Il allait être tout le temps là à s'assurer que tout se passait comme prévu, que les témoins ne risquaient rien, que l'accusation savait ce qu'elle devait foutre, bon Dieu. Ce genre de choses.

— Les témoins sont tous en sécurité ?

— Absolument. Pour autant que je le sache, et je crois que je serais au courant. Mais c'est le programme de protection spéciale des témoins. Tout ça c'est secret, secret, top secret.

— Albert Gorman n'était pas en sécurité, dit Chee.

— Albert n'était pas un témoin, répondit Shaw. Kenneth n'a pas réussi à le faire changer de camp. Il n'a pas réussi à trouver quelque chose contre lui. Leroy, alors lui, c'en est un. Ken l'a pris sur le fait dans une Mercedes volée avec tout son attirail, les fils et les clefs à la main. Et il s'était lui-même écrit un petit pense-bête concernant le modèle, l'heure et le numéro du quai où il fallait effectuer la livraison. Deux condamnations antérieures.

— Ce qui fait que maintenant Leroy est un témoin protégé ? demanda Chee.

— C'est ce que je pense. Pas vous ? Je sais qu'il n'a pas été vu en ville depuis avant que la commission d'enquête ne se réunisse. Si je me risquais à faire une supposition, je dirais que peut-être bien qu'ils lui ont assigné le nom de Grayson et qu'ils l'ont caché dans une caravane sur la Réserve Navajo.

— Alors pourquoi abattre Albert ? demanda Chee.

Mais il devinait déjà la réponse.

— Je ne pense pas qu'ils avaient l'intention de le faire. Je pense qu'ils le surveillaient pour voir s'il allait les conduire jusqu'à Leroy et qu'ils l'ont suivi à Shiprock. Ils ont envoyé Lerner. Lerner était supposé suivre Al et lui faire dire où Leroy se cachait. Il y a quelque chose qui a cloché. Boum.

— Ça semble logique, remarqua Chee. Le rapport du FBI ne dit pas grand-chose sur Lerner. Qui était-ce ?

— Nous avons tout un dossier sur lui, dit Shaw. Un homme de main et ça ne datait pas d'hier. A une époque il était dans un des rackets des docks, l'extorsion : il ramassait le fric pour le compte des requins. Après, il a été le garde du corps de quelqu'un à Las Vegas et pendant longtemps il a travaillé pour McNair.

— Une sorte de tueur à gages ? demanda Chee.

L'expression ne lui était pas naturelle. Ce n'était pas un terme qui figurait dans le vocabulaire couramment employé dans la Police Tribale.

— Pas vraiment. Leur exécuteur habituel, d'après ce que Upchurch m'a dit, c'était un gars qui travaillait de son côté. Un type appelé Vaggan.

— Je me demande pourquoi ce n'est pas lui qui y est allé, s'interrogea Chee. On dirait que c'était très important pour eux.

Shaw haussa les épaules.

— Comment savoir ? Peut-être à cause du coût. Il paraît que Vaggan est très cher.

— Mais efficace, renchérit Wells. Mais efficace.

13.

Vaggan perdait rarement son temps. Pour l'instant, tandis qu'il attendait qu'il soit trois heures du matin, c'est-à-dire le moment de commencer l'Opération Leonard, il écoutait Wagner sur son lecteur de cassettes et relisait *Le Navajo*. Il était assis dans son fauteuil pivotant à l'arrière de sa camionnette et absorbait le chapitre concernant les rites guérisseurs des Navajos. La page qu'il était en train de lire était éclairée par une petite lampe fonctionnant avec piles et montée sur pince qu'il avait commandée au magazine *Survivre* pour la somme de $16,95 plus les frais d'envoi contre remboursement. Il conservait la lampe dans la boîte à gants pour ce type même d'occasion, les longues attentes en des endroits sombres où il avait des choses à faire mais ne voulait pas être remarqué. La publicité pour la lampe avait prétendu qu'elle permettait de lire dans les motels mal éclairés, les avions, etc., mais elle n'était pas pratique quand il fallait tourner les pages. Toutefois, sa lumière se concentrait directement et exclusivement sur la page. Si quelqu'un venait rôder autour de la camionnette, il ne verrait rien se refléter dans le pare-brise.

Il n'y avait pas beaucoup de chances que quelqu'un fût dehors. Le Santa Ana s'était mis à souffler en début d'après-midi. Il soufflait plus fort encore maintenant et Vaggan avait choisi cet endroit avec soin. C'était l'aire de stationnement, invisible depuis la rue, qui se trouvait devant le garage de quatre voitures dépendant d'une demeure de style colonial de Vanderhoff Drive. Les propriétaires étaient des gens âgés et l'unique domestique une femme d'une quarantaine d'années qui habitait sur place. Les lumières s'éteignaient tôt et l'aire de stationnement fournissait à Vaggan un endroit discret où attendre, dissimulé à la vue de la patrouille de police de Beverly Hills. La patrouille parcourait les rues la nuit à la recherche de ceux qui, comme Vaggan, n'avaient aucune raison légitime de se trouver, passé une certaine heure, dans le domaine des riches parmi les riches.

De plus, c'était suffisamment proche de la maison de Jay Leonard pour que cela lui soit facile d'aller reconnaître les lieux. Et c'était suffisamment loin de chez lui pour réduire le risque d'être repéré au cas où quelqu'un d'autre surveillerait l'endroit. Vaggan avait envisagé cette possibilité (de même qu'il envisageait toutes les possibilités lorsqu'il entreprenait un travail), mais cela ne semblait pas être le cas. Leonard semblait se satisfaire d'asseoir sa sécurité sur une triple ligne de défense. Il s'était assuré les services d'un garde privé qui restait dans la maison avec lui, il avait installé une nouvelle arme sophistiquée, et il avait loué deux chiens de garde.

Vaggan s'aperçut que l'image des chiens nuisait à sa concentration. Le paragraphe qu'il venait de lire concernait les violations de tabous qui pouvaient être contrebalancées par le rite de la Voie de l'Ennemi, un sujet qui l'intéressait modérément. Mais l'image des chiens l'emplissait d'une excitation intérieure. Il les avait évalués des yeux (et eux l'avaient évalué, lui) à chacun de ses voyages de reconnaissance. Des dobermans. Un mâle et une femelle. Le dresseur de chez Security Systems, Inc., l'avait assuré que les chiens étaient dressés à ne pas aboyer, mais Vaggan avait voulu le vérifier également. Même avec le Santa Ana qui soufflait, même avec les sifflements et les hululements du vent qui recouvraient pratiquement tous les bruits, il ne voulait pas que les chiens se mettent à faire un vacarme de tous les diables. Leonard était un alcoolique, il sniffait de la cocaïne, et il était peut-être hors-circuit. Mais il serait sur le qui-vive. Et il en allait peut-être de même pour le garde du corps.

— Vous pouvez demander à Jay Leonard, lui avait dit le dresseur. Ça fait plus d'une semaine maintenant qu'il les a et ils n'ont pas aboyé pour lui. S'ils avaient embêté ses voisins, je pense pas qu'il nous aurait recommandés à vous.

— Peut-être qu'ils n'ont pas eu l'occasion de se mettre à aboyer, avait répondu Vaggan. Mais qu'est-ce qui se passerait s'il y avait quelqu'un qui venait marcher le long de la clôture avec son chien en laisse, ou son chat, ou si quelqu'un voulait entrer par la porte ? S'il y a un chat qui rentre dans la cour ?

— Ils aboient pas. Y a des races de chiens de garde qu'on leur apprend à aboyer quand y a quelqu'un qu'arrive. On les encourage à ça quand ils sont encore rien que des chiots. Y a d'autres races, les chiens d'attaque, qu'on veut pas qu'ils aboient. Faut leur apprendre tout de suite que si ils aboient y se font punir. Faut pas longtemps pour qu'y z'aient plus rien qui les fasse aboyer. On peut vous en louer deux qui sont comme ça.

Vaggan avait retenu deux chiens pour le mois de décembre, bien après qu'il en aurait fini avec Leonard. Il s'était servi d'un nom et d'une adresse qu'il avait trouvés dans l'annuaire téléphonique de Beverly Hills, et avait laissé une caution de cinquante dollars pour être sûr que l'homme saurait que l'affaire était conclue et qu'il n'irait pas appeler Leonard pour cette histoire d'aboiement. Leonard devait cent vingt mille dollars à l'homme, sans compter les intérêts plus la somme que Vaggan demandait pour récupérer des fonds. Et cette somme, qui était de quinze pour cent d'ordinaire, allait être beaucoup plus importante cette fois-ci.

— De la pub, avait dit l'Homme. C'est ça que nous voulons. Vous savez ce que ce sale petit connard y m'a dit ! Ce que Leonard y m'a dit ? Y m'a dit que c'était pas la peine de le menacer de lui bousiller les rotules. C'est de l'histoire ancienne, qu'y m'a dit. Y m'a dit que j'avais qu'à porter plainte. Y m'a demandé si je le savais qu'on peut pas récupérer une dette de jeu en portant plainte ?

Vaggan s'était contenté de l'écouter. L'Homme était très, très en colère.

— Je lui ai dit que j'allais charger un gars d'aller me récupérer mon fric et y m'a dit que mon gars y pouvait aller se faire foutre. Et y m'a dit que si j'essayais de jouer au dur avec lui j'allais me retrouver en tôle.

— Alors vous voulez que je lui bousille une rotule ?

— Ça ou autre chose. Ce qui conviendra à la situation. Mais je veux que les gens le sachent. Y a trop de mauvais payeurs qui disent qu'y vont m'attaquer en justice. On va se servir de Leonard pour se faire de la pub. Pour réduire le nombre des dettes en souffrance.

— Qu'on récupère l'argent ou pas ?

— Je veux pas que vous le tuiez, avait précisé l'Homme. Si vous le tuez j'y suis de cent vingt mille dollars plus les intérêts. Y va pas mettre mon nom dans son testament.

Vaggan n'avait fait aucun commentaire. Assis tranquillement à l'intérieur de la cabine téléphonique, le combiné contre l'oreille, il observait une femme qui essayait de faire faire un créneau à sa Cadillac devant le centre commercial, de l'autre côté de la rue. Il avait laissé le temps couler en silence. Il était préférable de laisser l'Homme entamer la phase suivante des négociations.

— Vaggan, avait enfin repris celui-ci. Il y aura un bonus pour la pub.

— Ça me paraît clair. Ce que vous me demandez c'est un peu de défier les flics de faire quoi que ce soit. Bousculer un peu Leonard c'est une chose. Le bousculer de telle sorte que tout le monde soit au courant c'est comme de leur dire qu'ils arriveront pas à m'attraper. Et si je fais ça bien, vous n'aurez plus jamais à me payer pour aller récupérer votre fric. Tout ce que vous aurez à faire ce sera de mentionner le nom de Jay Leonard et ils vous tendront un chèque certifié conforme.

— Qu'est-ce qui vous paraît honnête ?

— Moi je dirais tout. Vous perdez l'argent de Leonard mais vous vous faites comprendre de tous les autres. Tout, si je fais ça bien. C'est-à-dire si je fais les informations à la télé et le *Times*. Si ça fait des remous.

Ils avaient discuté un moment, marchandant, chacun avançant des objections. Mais ils s'étaient mis d'accord sur un prix. Sur plusieurs, en fait, suivant la nature de la publicité et la rapidité avec laquelle Leonard paierait. Même le plus bas de ces prix était suffisant pour payer l'installation de l'abri en béton renforcé que Vaggan allait se faire construire dans le versant de la colline à côté de chez lui. Cela rendait raisonnable l'à-valoir de cinquante dollars qu'il avait versé à perte pour les chiens.

Vaggan regarda sa montre. Douze minutes. Il posa son livre. Les rafales de vent fouettaient la camionnette, la faisant osciller sur ses ressorts et la criblant d'une grêle de brindilles et de tout ce que le Santa Ana déchaîné pouvait arracher aux pelouses verdoyantes de Beverly Hills. Les haut-parleurs diffusaient en sourdine la musique du *Götterdämmerung* : suffisamment basse pour cause de sécurité mais, à cet endroit de l'opéra particulièrement tonitruant, suffisamment fort pour qu'il puisse l'entendre en dépit de la tempête. Ce passage parvenait toujours à l'émouvoir. Le Crépuscule des Dieux, la fin de l'ancien ordre moribond, le grand nettoyage. Le sang, la mort, le feu, le chaos, l'horreur, et des perspectives nouvelles. «Nietzsche pour la pensée, Wagner pour la musique», lui avait toujours dit son père. «La majeure partie de ce qui reste est pour les nègres.» Son père...

Il écarta aussitôt ce sujet de ses pensées, consulta une nouvelle fois sa montre. Il allait partir un peu en avance. Il ôta ses chaussures, sortit de leur boîte les cuissardes qui lui montaient jusqu'à la poitrine et y enfila ses jambes. L'attelle qu'il portait à l'index de sa main gauche rendait ses gestes maladroits. Il détestait cette attelle car elle lui rappelait son instant d'inattention. Mais le doigt avait guéri rapidement et il serait bientôt débarrassé du pansement. En attendant, il refusait d'y penser. «Pensez à votre force», lui avait dit le Commandant. «Oubliez vos faiblesses.» Les cuissardes étaient rendues lourdes par tout l'équipement qu'il avait glissé dans la poche. Il remonta le caoutchouc jusqu'à sa taille et ajusta les bretelles. Même avec les cuissardes aux jambes il avait fière allure. Vaggan s'entraînait. Il courait. Il faisait des haltères. Il pesait plus de cent kilos et chaque gramme de son poids était conditionné pour effectuer sa part du travail.

Il ramassa le sac de voyage en toile dont il se servait pour porter la partie encombrante de son équipement, ferma la camionnette à clef derrière lui et suivit lentement le trottoir en s'accoutumant aux cuissardes qui rendaient ses mouvements plus malaisés. Parvenu au coin, la vue s'ouvrit devant lui : les lumières de Los Angeles, brillantes même à trois heures du matin, s'étendaient en contrebas. Vaggan pensa à une mer du sud luminescente puis à la phosphorescence de la corruption. Une pensée tout à fait adaptée. Il continua à avancer sur les semelles de crêpe des cuissardes, sans faire de bruit, sans sortir de l'ombre, tout en regardant la lueur rougeoyante d'une civilisation en décomposition. Un jour proche elle serait stérilisée, nettoyée par le feu. Un jour très proche. L'article qu'il avait découpé dans *Survivre* estimait que quatorze charges soviétiques à tête nucléaire avaient pour cible la région de Los Angeles, y comprix LAX (1), le port de Long Beach, le centre de la ville, ainsi que les installations militaires de défense et les zones industrielles. Des bombes à hydrogène. Elles nettoieraient la vallée. Quand c'en serait fini et qu'il pourrait sortir sans

(1) La zone occupée par l'aéroport de Los Angeles.

risque, il pourrait escalader ces collines la nuit et contempler en contrebas l'obscurité propre et silencieuse.

Les chiens l'entendirent arriver ou bien, en dépit du vent, peut-être sentirent-ils son odeur. Ils l'attendaient à la clôture. Il les surveilla tandis qu'il sortait la cisaille et la pince multiprise de la poche des cuissardes. Les chiens le regardaient aussi, les oreilles couchées en avant, décidés et prêts à l'action. Le plus petit des deux, la femelle, poussa une légère plainte, puis une autre, et s'avança brusquement vers la clôture en découvrant ses babines dans un grondement. Le Santa Ana avait entraîné le brouillard et les fumées industrielles de la ville vers le large, comme il le faisait toujours, et la lune tardive donnait encore suffisamment de lumière pour se réfléchir sur les dents blanches qui attendaient. Vaggan enfila ses épais gants de cuir et coupa le premier fil. Les chiens n'aboieraient pas. Il en était tout à fait sûr.

Il en avait acquis la certitude lors de la seconde visite à la clôture, ayant apporté avec lui une boîte en carton contenant un chat. Le chat était un gros matou siamois qu'il avait adopté après s'être rendu au Refuge des Animaux de Culver City (et avoir versé vingt-huit dollars pour les frais recouvrant la taxe, les vaccinations et la castration). Les chiens s'étaient jetés sur la clôture, dressés sur leurs pattes de derrière, prêts à l'attaque, et le chat les avait sentis. Il s'était débattu et avait lancé des coups de griffes si frénétiques à l'intérieur de la boîte que Vaggan l'avait posée par terre et avait maintenu le dessus avec une main tandis qu'il coupait la corde qui la maintenait fermée. Puis il avait lancé la boîte de l'autre côté de la clôture.

Le chat avait jailli alors qu'elle était encore en l'air. Il courait déjà en touchant le sol et avait résisté à peu près une minute. Vaggan avait voulu savoir si le silence auquel on avait dressé les chiens demeurerait valable pendant l'excitation de l'attaque. C'était oui. Ils avaient tué le chat sans émettre d'autre bruit que celui de leur respiration. Il avait également appris quelque chose d'utile sur la façon dont ils travaillaient. C'était la femelle qui dirigeait. Elle frappait d'abord, et ensuite le gros mâle arrivait pour la mise à mort. L'instinct, probablement. Il semblait fort peu vraisemblable à Vaggan que ce fût là quelque chose que l'on pût apprendre aux animaux.

Sa sympathie, de façon étonnante pour lui, était allée au chat. Le chat était perdant d'avance dans l'affaire, et Vaggan n'était en aucune manière touché par l'échec, ni par les perdants. Toutefois il admirait les chats, respectait leur indépendance et leur autonomie. Il se reconnaissait en eux. Souvent, en fait, il se représentait sous l'aspect d'un chat. Dans le monde qui viendrait après les missiles et les radiations, il vivrait comme un prédateur, de même que tous ceux qui survivraient plus d'une semaine ou deux. Les chats étaient des prédateurs de première force qui n'avaient pas besoin du nombre pour chasser et Vaggan trouvait qu'ils méritaient l'intérêt qu'il leur portait.

Il avait commencé à sectionner le grillage dans le bas de la clôture parce qu'il voulait pouvoir se tenir debout quand il en aurait sectionné suffisamment pour que les chiens aient la possibilité de l'attaquer. Mais les chiens ne bougeaient pas. Ils attendaient, agités et excités, conscients du fait qu'il était l'ennemi, et ils voulaient que le grillage ne soit plus un obstacle à ce qui était inévitable.

Il coupa le dernier fil du grillage, tenant la partie sectionnée de la clôture entre lui et les dobermans. Il lâcha ses cisailles, sortit son couteau de chasse de la poche des cuissardes et l'ouvrit. Il le prit dans sa main gauche, brandissant la lame vers le haut comme un sabre, lâcha le grillage et se saisit de la pince avec la main droite. Les chiens gardèrent leur position. Ils attendaient. Il les observa un instant puis franchit le trou de la clôture et posa le pied sur la pelouse.

Le mâle s'écarta sur la gauche de Vaggan avec un léger glapissement d'anticipation et la femelle fit deux ou trois pas directement en arrière. Puis elle s'élança, les crocs en avant : une forme noire catapultée contre sa poitrine.

S'il n'y avait eu qu'un seul chien, Vaggan aurait fait face à la charge afin de donner au coup qu'il voulait porter avec la pince toute l'ampleur de sa force mortelle. Mais le mâle allait aussi se jeter sur lui. Vaggan pivota vers la droite en frappant, ce qui enleva un peu de sa force au coup qu'il portait mais plaçait le corps de la femelle entre lui et le mâle qui attaquait. La pince s'abattit sur le crâne du doberman juste devant l'oreille, brisant mâchoire, crâne et vertèbres. Mais la force de l'attaque projeta Vaggan contre la clôture au moment précis où le mâle l'atteignait. Ses dents se refermèrent sur la jambe en caoutchouc des cuissardes ; il se servait de son poids pour tirer Vaggan vers l'arrière et sur les côtés, l'empêchant de reprendre son équilibre. Vaggan lui abattit la pince sur le bas de l'échine, entendit un craquement, et frappa à nouveau droit sur les côtes. Le chien le lâcha et s'affaissa, demeura étendu dans l'herbe sur le flanc, parvint péniblement à se soulever sur ses pattes de devant et essaya de s'éloigner de l'homme en rampant. Vaggan marcha sur lui et le tua avec la pince. La femelle, constata-t-il, était déjà morte.

Il s'agenouilla à côté du corps du mâle, les yeux fixés sur la maison de Leonard, l'oreille aux aguets. Aucune lumière ne s'alluma. Le Santa Ana s'était un court instant légèrement apaisé, comme s'il écoutait avec lui. Puis il se remit à hurler, courbant les eucalyptus qui ombrageaient la piscine et malmenant les buissons qui se trouvaient derrière Vaggan. Celui-ci retourna au trou de la clôture et y passa la tête pour regarder dans la rue d'un côté et de l'autre. Le vent faisait tout bouger mais il ne vit aucun signe de vie humaine.

Il traîna le corps du chien jusqu'aux buissons et le suspendit, la tête en bas, aux branches épaisses. Il sortit une poche à glace en caoutchouc de son sac de voyage, dévissa le capuchon démesuré et trancha la gorge du doberman avec son couteau de chasse. Il avait acheté la poche à glace dans un magasin de matériel médical, la choisissant à cause de son orifice assez grand pour laisser passer des

111

morceaux de glace ou recueillir un flot de sang dans l'obscurité. Il récupéra un litre de sang environ qui jaillissait de l'artère sectionnée du chien, puis remit le capuchon en place. Après cela, il prit deux sacs poubelles en plastique qu'il déplia dans l'herbe. Il décapita les deux chiens et trancha la patte avant gauche du mâle. Il fourra les corps dans l'un des sacs, les têtes et la patte dans l'autre. Ceci fait, il enleva ses gants épais qui étaient maintenant trempés de sang, les remplaça par une paire de gants de chirurgien en caoutchouc fin.

Il extirpa ses jambes des cuissardes. Les dents du mâle avaient traversé l'épaisseur du caoutchouc au niveau du genou en laissant de multiples entailles. Il vérifia la jambe de sa combinaison de travail. Elle aussi avait été déchirée mais la peau n'avait pas été touchée. Il remit les gros gants, la pince et le couteau de chasse dans le sac de voyage. Il en sortit ses chaussures qu'il enfila, puis un rouleau de ruban adhésif, un pistolet calibre 32, quatre paires de menottes de contrainte en nylon, une bombe de mousse isolante et, pour finir, une pince et deux agrafes métalliques à ficher dans les oreilles des bovins qu'il s'était procurées dans un magasin d'articles vétérinaires d'Encino. Il répartit cet attirail dans ses poches, puis poussa les cuissardes et le sac contenant les cadavres sous les buissons. Si la situation le permettait, il viendrait les récupérer. Sinon, cela n'avait pas d'importance parce qu'il n'avait pas laissé d'empreintes digitales ni rien qui pût permettre d'en retrouver l'origine. Mais de ne pas retrouver les cadavres des chiens ajouterait une touche macabre supplémentaire, et Vaggan allait s'arranger pour que ce soit macabre un maximum : suffisamment macabre pour faire la une du *Times* de Los Angeles et arriver en tête des informations radiotélévisées du lendemain.

Il traversa tranquillement la pelouse avec tout son attirail. Maintenant qu'il s'était débarrassé des chiens, la prochaine étape était le signal d'alarme.

Il savait beaucoup de choses sur ce système d'alarme. La seconde fois qu'il était venu reconnaître la maison, il avait remarqué l'autocollant VOLEURS ATTENTION que la société de matériel de sécurité avait apposé sur la vitre de la porte latérale. Il l'avait examiné à l'aide de ses jumelles, avait vérifié le nom de la société dans l'annuaire et avait passé un après-midi à apprendre, en qualité de client potentiel, comment le système fonctionnait. Jay Leonard était quelqu'un d'important à Los Angeles, il animait le plateau d'un magazine de télévision et les gens étaient fiers de le compter parmi leurs clients. Comme avec le dresseur de chiens, Vaggan avait laissé entendre que Leonard était un ami. Il avait mentionné que Leonard était très satisfait de son système d'alarme et qu'il lui avait suggéré de s'en procurer un identique. Le vendeur lui avait montré le modèle dont il s'agissait, lui avait expliqué comment cela fonctionnait et Vaggan en avait acheté un en disant qu'il allait l'installer lui-même.

Il trouva la boîte de contrôle à peu près à l'endroit où le vendeur lui avait dit qu'elle devait être installée, fixée sur l'un des murs intérieurs de l'abri voiture qui s'appuyait contre la maison, à côté à la fois d'une source de courant et d'une ligne téléphonique. Elle était équipée d'un dispositif de protection qui déclenchait l'alarme dans la maison et envoyait un signal à la police de Beverly Hills si quelqu'un coupait le courant. Vaggan sortit l'aérosol de la poche de sa veste, l'agita vigoureusement et inséra l'embout dans l'encoche chaleur/humidité qui se trouvait sur le côté de la boîte métallique. Il appuya sur le pressoir et écouta le sifflement de la mousse isolante qui se répandait à l'intérieur. L'étiquette conseillait un temps de séchage de trente minutes mais, quand Vaggan avait vérifié, elle était devenue solide en dix-huit minutes : solide et dilatée de manière à congeler tous les circuits et relais électriques et à les rendre inutiles en les paralysant. Mais, par mesure de sécurité, il laissa intégralement passer les trente minutes, appuyé contre le mur de l'abri, quittant l'état d'euphorie qu'il avait connu pendant la lutte contre les chiens.

Il n'y avait aucune raison de réfléchir à ce qu'il allait faire après. Tout était soigneusement préparé. Il réfléchit plutôt au Projet Navajo. Le message transmis par son répondeur automatique avait été simplement : Appelez Mac. Cela voulait dire appelez McNair, ce qui à son tour voulait dire qu'il y avait une nouvelle fuite quelque part. Rien de surprenant. Dans l'expérience de Vaggan, quand un travail avait été commencé à la va-comme-je-te-pousse, il avait tendance à continuer à merder. Mais il n'en avait rien à foutre. Il ne savait même pas de quoi il retournait. Il supposait qu'il devait plus ou moins s'agir de supprimer des témoins. McNair avait été inculpé de même qu'un certain nombre de ses amis. D'après ce que Vaggan avait entendu dire, McNair était quelqu'un de très solide, et certainement de très ancien, sur le trafic des vols de voitures de la côte ouest, et quelqu'un de très solide aussi pour la cocaïne. Et il avait des Coréens, des Indiens, des Philippins, des Mexicains et ce genre de gens qui volaient pour son compte. En ce qui le concernait, Vaggan estimait que c'était chercher les ennuis puisque ce genre de gens étaient de race inférieure. Il y en aurait forcément qui foireraient leur coup, qui se feraient arrêter et qui parleraient. Qui avaient déjà parlé devant la commission d'enquête, d'après ce qu'il avait entendu dire, et qui seraient prêts à témoigner contre McNair devant le tribunal. Ce qui est ce à quoi on peut s'attendre quand on travaille avec ce genre de gens. Des ratés. Tous autant qu'ils sont, à l'exception peut-être des Navajos.

Il y avait quelque chose chez les Navajos qui attirait Vaggan. Depuis qu'il avait mis le nez dans cette affaire, il lisait des choses sur eux. Eux aussi étaient capables de survie. Il était certain que c'était à cause de leur philosophie qui consistait à rester en harmonie avec les conditions extérieures, à entrer en accord avec tout ce qui pouvait survenir. Ça avait un sens, ça. Il faisait la même chose. Les gens qui refusaient de croire que les missiles arrivaient et qui essayaient de les arrêter en les niant, ils mourraient, eux. Lui était entré en harmonie avec cette vérité inévitable, l'avait acceptée, s'y était préparé. Il survivrait. Et il était entré en harmonie avec le Santa Ana. Le vent ne le gênait pas. En fait, il en avait fait un élément de protection, comme les piquants d'un porc-épic. Il écouta le vent qui agitait et fouettait toute chose et eut un petit sourire. Il jeta un coup d'œil à sa montre et appuya le bout de son auriculaire contre la mousse isolante à l'intérieur de l'encoche. Elle était solidifiée. Le moment de passer à la phase finale. Le moment de passer au garde.

Il découpa la vitre avec son diamant, enleva un carreau et glissa le bras à l'intérieur pour débloquer la fenêtre qu'il referma rapidement derrière lui, dès qu'il fut dans la maison avec son attirail, afin d'étouffer le bruit du vent. Il demeura immobile un instant, l'oreille aux aguets, laissant à ses yeux le temps de s'habituer à l'obscurité plus dense. Il n'avait lui-même fait aucun bruit. Il était capable de se montrer aussi silencieux que les chats qu'il admirait. Mais le fait d'ouvrir la fenêtre avait certainement modifié le niveau sonore de la tempête pour les oreilles de quiconque, à l'intérieur, ne dormait pas. Si cela avait alerté quelqu'un, autant l'apprendre tout de suite. Il attendit donc, totalement immobile, laissant s'écouler cinq minutes entières.

Sur sa droite, un déclic, un ronronnement discret. Le thermostat qui faisait démarrer le moteur du réfrigérateur. Vaggan sentit une odeur de détergent (un produit d'entretien, peut-être), de café et de poussière. Derrière le ronronnement du réfrigérateur, il y avait un lointain bruit de musique. Peut-être une radio qui marchait, ou une bande magnétique. Dans une chambre, quelque part. Puis le bruit du Santa Ana s'amplifia de nouveau, des bourrasques s'attaquèrent aux fenêtres, des branches râclèrent contre la toiture, des hurlements s'élevèrent à chaque angle de la maison. Le vent se calma. La musique fut remplacée par une voix masculine, si bas qu'elle était inaudible, puis la musique reprit. Vaggan s'efforçait d'entendre. C'était *Daniel,* la mélodie d'Elton John. Vaggan enroula son mouchoir autour de sa lampe stylo qu'il dirigea vers le sol et alluma. Ses yeux s'étaient habitués et la lueur convenait parfaitement : elle éclairait une cuisine moderne et se diffusait au-delà dans un espace salon richement décoré.

Il se glissa sous la voûte et ses semelles de crêpe passèrent du frôlement sibilant sur le carrelage de la cuisine au silence absolu d'une épaisse moquette or. Il s'immobilisa et écouta à nouveau après avoir éteint sa lampe. La musique était maintenant légèrement plus forte et provenait du couloir qui conduisait de l'espace salon à ce qui devait être l'aile où se trouvaient les chambres. Il ôta le mouchoir, le remit dans sa poche, et ralluma la lampe. Sur la gauche, un second couloir menait vers ce qui semblait être une sorte de serre faisant atrium, et, au-delà, vers les ténèbres. Vaggan s'avança dans le couloir moquetté de l'aile des chambres. Il s'arrêta à la première porte, écouta en mettant l'oreille contre le panneau en bois. N'entendant rien, il éteignit sa lumière, essaya le bouton de la porte, le fit tourner lentement, poussa doucement le battant. Il reconnut des odeurs de déodorant corporel, de produit désodorisant, de savon, d'effluves de salle de bains. Un éclair de lumière le lui confirma. La salle de bains des invités. Vaggan referma la porte et s'approcha de la suivante. Silence à nouveau, bouton de porte tournant en douceur, battant poussé doucement. Il dirigea sa lampe vers le sol, l'alluma. La lumière réfléchie lui montra un lit vide, une chambre bien rangée, inutilisée. Il recula, s'interrompant pour étudier le mécanisme de fermeture sous la lumière de sa lampe. Une fermeture typique de porte de chambre. De nouveau dans le couloir il remarqua que la musique était maintenant suffisamment forte pour qu'il puisse comprendre un mot de temps en temps.

— *Daniel, my brother...,* chantaient les voix.

Vaggan posa son oreille contre la porte suivante. N'entendit rien. Le bouton refusa de tourner. Il essaya

116

à nouveau pour avoir confirmation que c'était fermé puis sortit une carte de crédit de son portefeuille et s'agenouilla. La serrure était neuve et le pêne recula doucement sans le moindre bruit. Vaggan se redressa et tira la porte d'un centimètre et demi. Il remit la carte de crédit, extirpa de sa poche un bout de bas en nylon et passa un moment à ajuster devant ses yeux les trous qu'il y avait faits. Il emplit d'air ses poumons, ressentant une excitation semblable à celle qu'il avait ressentie quand il s'était trouvé face aux chiens à la clôture. Adrénaline. Force. Puissance. Il prit le calibre 32 dans sa poche, le garda un court instant dans sa main puis le remit dans sa poche. Il ouvrit doucement la porte et plongea les yeux dans une pièce éclairée par la lumière de la lune qui pénétrait à travers des rideaux translucides.

Le garde avait posé ses vêtements sur une chaise à côté du lit, et sa ceinture avec son étui à revolver était accrochée au dossier de la chaise. A portée de la main, pensa Vaggan, s'il entendait les chiens ou l'alarme. Un homme prudent. Il sortit le revolver de l'étui, le glissa dans la poche de sa veste. Le policier dormait en slip et maillot de corps, sur le côté, tourné vers le mur, et l'on entendait le léger bruit de sa respiration.

Vaggan alluma sa lampe et dirigea le faisceau lumineux sur l'homme. Il était jeune, peut-être la trentaine, et avait des cheveux noirs bouclés et une moustache. Il continuait à dormir, ronflant légèrement. Vaggan sortit son calibre 32, se pencha et toucha le garde.

Il sursauta, se raidit.

— Pas un bruit, dit Vaggan en orientant la lumière de façon à éclairer son pistolet. Il n'y a absolument aucune raison que vous vous fassiez amocher. Ils ne vous payent pas assez pour ça.

Le garde se mit sur le dos, fixant de ses yeux écarquillés le canon de l'arme. La lumière se reflétait dans ses pupilles dilatées.

— Hein ? fit-il.

Il avait parlé dans un souffle, le dos enfoncé dans le

matelas.

— Qui... ?

— Vous et moi on n'a rien à voir ensemble, dit Vaggan.
Mais il faut que je parle à Leonard, alors je suis obligé
de vous attacher.

— Hein ? fit-il à nouveau.

— Si vous faites l'idiot, je vous tue. Un bruit, une idio-
tie et vous êtes mort. Autrement, il ne vous arrive rien.
Vous restez seulement attaché un moment. O.K. ? Je
viendrai jeter un coup d'œil de temps en temps et si vous
avez essayé de vous libérer, alors je serai obligé de vous
tuer. Vous comprenez ça ? Oui ?

— Oui, répondit le garde.

Ses yeux étaient fixés sur le pistolet, puis il regarda la
lumière qui l'éclairait, regarda au-dessus de la lumière,
essayant de distinguer l'endroit d'où provenait la voix
de Vaggan.

— Sur le ventre maintenant, chuchota Vaggan. Les
poignets derrière le dos.

Il sortit de sa veste deux jeux de menottes en nylon.
Il immobilisa les poignets du garde derrière son dos puis
le saisit par les chevilles et le tira vers le pied du lit, lui
lia les chevilles l'une à l'autre avec un pied de chaque côté
de la colonne du lit en métal.

L'homme tremblait et, sous la main de Vaggan, sa peau
était trempée de sueur. Vaggan grimaça et essuya sa main
sur le drap. Celui-là ne survivrait jamais, et c'était bien
comme ça. Quand les missiles arriveraient, il serait l'un
de ces avortons qui composeraient la multitude rampante
et grouillante dont le monde des vivants serait purgé.

— Levez la tête, chuchota Vaggan.

Il bâillonna le garde, enroulant à plusieurs reprises la
bande adhésive autour de sa tête avec des gestes vifs.

— Cela va me prendre une heure. Je ne peux tolérer
aucun bruit venant de cette pièce pendant une heure. Si
je vous entends bouger là-dedans, je me contenterai
d'entrer et de vous tuer. Comme ça.

Il appuya la gueule du pistolet contre la peau du garde,

juste au-dessus de l'oreille.

— Une balle, conclut-il.

Le garde se mit à respirer bruyamment par le nez en frissonnant. Il ferma les yeux et tourna la tête pour échapper au pistolet. Vaggan se sentit gagné d'un irrésistible sentiment de répugnance. Il essuya la paume de sa main sur son pantalon.

Quand il fut à nouveau dans le couloir, il consacra une minute entière à écouter. Il entendait le garde respirer, presque suffoquer, de l'autre côté de la porte qui était au bout du couloir, la musique. Elton John avait cédé la place à une voix de femme qui chantait la trahison et la solitude. Il s'approcha de la porte et y colla son oreille. Il n'entendait que la chanson. Il essaya le bouton de porte. Fermée à clef. Il sortit sa carte de crédit, la glissa dans la fente, repoussa le pêne et ouvrit doucement d'un centimètre et demi. Son cœur battait maintenant fort dans sa poitrine, sa respiration s'était accélérée, son sang faisait du bruit dans ses oreilles. Il s'assura que le pistolet était armé. Alors il ouvrit la porte.

La pièce était belle aussi éclairée par la lune. La lumière tombait directement sur des voilages translucides tirés devant un mur de verre : elle rendait les voilages luminescents et éclairait une moquette de couleur pâle et un lit immense. Sur le lit, deux personnes dormaient. Jay Leonard était allongé sur le dos, la main droite pendant en dehors du lit, le bras gauche sur le visage, les jambes allongées. L'autre personne était une femme, beaucoup plus jeune : une brune couchée en chien de fusil, le dos tourné à Leonard ; la lumière filtrée conférait l'aspect de l'ivoire à la peau nue et lisse de ses fesses. Vaggan respira une odeur de parfum, de sueur humaine, d'inévitable poussière apportée par le Santa Ana, et l'odeur doucereuse de la marijuana. La musique se tut et fut remplacée par la voix assourdie du disc jockey qui parlait d'aliments pour chiens. Le radio-tuner était encastré dans la tête de lit et son cadran dessinait une bande d'un jaune brillant dans la semi-obscurité. Vaggan se demanda com-

119

ment on pouvait arriver à dormir avec la radio allumée.

Dans sa poche, ses doigts rencontrèrent les arêtes vives et entrelacées qui formaient les dents des agrafes métalliques et trouvèrent la pince qui allait les assujettir ensemble. Au dehors, le Santa Ana s'enfla à nouveau, hurla dans le clair de lune. Vaggan consulta sa montre. Trois heures dix-huit. Il avait prévu de le faire à trois heures vingt et il attendit trois heures vingt.

— Leonard, dit-il. Réveille-toi. Je suis venu récupérer l'argent.

Lorsque Vaggan arriva à sa camionnette, il était un peu plus de quatre heures du matin. Il mit le sac à ordures en plastique qui contenait le cadavre des chiens à l'arrière, rangea le reste de son équipement, puis laissa le véhicule descendre silencieusement jusqu'à la rue avant de faire démarrer le moteur. Il récapitula tout ce qu'il avait fait afin de s'assurer qu'il n'avait rien laissé au hasard. Après en avoir terminé avec Leonard, il avait pris la patte du chien et s'en était servi, avec l'aide de la poche remplie de sang, pour laisser une série de traces de pattes délirante sur la moquette du salon et dans le couloir qui menait à la chambre de Leonard. Il avait disposé les têtes des chiens côte à côte sur le linteau de la cheminée et avait déversé sur elles le sang qui restait. Il avait appelé le service des urgences de l'hôpital pour leur signaler que Jay Leonard, le présentateur d'émissions télévisées, allait arriver et qu'il aurait besoin de soins. Il avait enfin appelé le service de *Times* qui s'occupait des nouvelles locales ainsi que les équipes de nuit des journaux télévisés des trois stations de diffusion. A chacun de ces endroits il y avait quelqu'un qui était prêt à recevoir un appel «aux alentours de quatre heures moins le quart», exactement comme il leur avait dit de le faire.

— Je suis l'homme qui vous a déjà appelé, leur dit-il. Je vous ai annoncé qu'une célébrité allait passer un mauvais quart d'heure ce soir : c'était Jay Leonard. Il est actuellement en route pour les urgences, exactement comme je vous l'avais dit. C'est sa petite amie qui le conduit. Il a des agrafes métalliques dont on se sert pour marquer les vaches fichées dans les deux oreilles et il aura besoin d'une petite intervention chirurgicale pour en être débarrassé. Si vous avez envoyé une équipe sur place comme je vous l'ai suggéré, vous devriez pouvoir faire du bon travail.

Ensuite il leur expliqua les raisons de toute l'histoire : une question de dettes de jeu qu'il avait refusé de payer. Leonard était quelqu'un qui ne croyait pas que l'on pouvait encore, aujourd'hui, se faire bousiller les rotules comme autrefois, mais Leonard avait maintenant changé d'avis, et Leonard payait la totalité de ce qu'il devait, intérêts compris.

Enfin, ajouta Vaggan, Leonard avait laissé sa maison grande ouverte avec toute les lumières allumées, et s'ils se dépêchaient d'y arriver avant que la police de Beverly Hills ne soit au courant, ils y trouveraient quelque chose d'intéressant.

14.

Chee émergea brusquement de son sommeil, ainsi qu'il en avait coutume, aussitôt conscient du contact inhabituel d'un drap contre son menton, des odeurs inhabituelles, de l'obscurité inhabituelle. Puis il se souvint de l'endroit où il se trouvait. Los Angeles. Une chambre du motel 6, dans Hollywood Ouest. Il consulta sa montre. Pas tout à fait cinq heures trente. Le bruit du vent, qui toute la nuit l'avait gêné dans son sommeil, s'était apaisé. Il bâilla et s'étira. Aucune raison de se lever. Il était venu avec une seule et unique piste pour retrouver Begay et Margaret Billy Sosi : l'adresse de Gorman. Cela ne l'avait mené nulle part. Désormais, il ne lui restait plus que la chance éventuelle de tomber sur une trace de la famille Gorman ou du Clan du Dindon. Shaw et lui avaient essayé le Centre des Indiens d'Amérique du Comté de Los Angeles, sans le moindre résultat. La femme qui semblait en être la responsable était une Indienne de l'Est du pays, une Seminole, une Cherokee, une Choctaw ou quelque chose d'approchant, supposa Chee. Certainement pas une Navajo, ni quelqu'un appartenant à l'une des tribus du sud-ouest dont les traits caractéristiques du visage lui étaient familiers.

Et l'on ne pouvait pas dire non plus qu'elle s'était montrée très utile. La notion de clan semblait lui être étrangère, et les adresses des trois Navajos qu'elle avait finalement réussi à leur donner s'étaient révélées être des fausses pistes. A la première des trois ils avaient trouvé une femme d'une quarantaine d'années membre du Peuple du Rocher Debout née pour le Tamaris, à la seconde une femme plus jeune, une Navajo Chèvres Nombreuses et Rivières qui Courent Ensemble, et à la troisième, aussi incroyable que cela puisse paraître à Chee, un homme jeune qui paraissait n'avoir aucune idée de son appartenance à des clans. Cette recherche leur avait pris des heures et des heures durant lesquelles ils avaient dû lutter contre la circulation qui encombrait les autoroutes traversant l'interminable zone urbaine de Los Angeles, poursuivre leur chasse dans les ténèbres du soir puis dans la nuit et ne rien en retirer de plus qu'une liste constituée de noms d'autres Navajos qui connaissaient peut-être quelqu'un appartenant au cercle restreint du clan restreint d'Ashie Begay. Ce qui, et Chee le savait bien, ne serait probablement pas le cas.

Il se leva et prit une douche en maintenant le débit de l'eau assez bas pour éviter de déranger ses voisins du motel. Le slip et les chaussettes qu'il avait rincés la veille au soir étaient encore mouillés, ce qui lui rappelait que même avec le Santa Ana qui avait soufflé toute la nuit, il y avait beaucoup plus d'humidité sur la côte que sur les plateaux. Il s'assit dans son slip humide et enfila ses chaussettes qui collaient tout en remarquant que le vent léger encore présent lors de son réveil s'était apaisé pour laisser la place au calme. Cela signifiait que la zone de basses pressions contre laquelle le vent s'était jeté au-dessus de l'Océan Pacifique s'était déplacée vers l'intérieur des terres. Ça allait être une journée de beau temps, pensa-t-il, et cette pensée lui remit en mémoire combien Mary Landon avait été impressionnée (ou avait prétendu l'être, cela n'avait pas vraiment d'importance) par la façon dont il comprenait les schémas auxquels obéissaient les variations du temps.

— Exactement comme le stéréotype, le Bon Sauvage Connait les Eléments, avait-elle remarqué.

— Exactement comme le bon sens, lui avait-il répondu. Les fermiers, les éleveurs et les gens qui travaillent à l'extérieur, comme les équipes de surveillance ou les policiers navajos, s'intéressent de près aux bulletins météo. Nous regardons Bill Eisenhood sur Channel Four qui nous renseigne sur ce que fait le jet stream et nous montre la carte des cent cinquante millibars.

Mais il ne voulait pas penser à Mary Landon. Il ouvrit les stores et regarda au dehors dans la lumière grise de l'aube. Pas un souffle. Une rue vide à l'exception d'un Noir en bleu de travail debout à un arrêt d'autobus. Le monde de Mary Landon. Une rangée d'enseignes, qui proclamaient ce que l'on pouvait acquérir contre de l'argent, se succédaient à l'infini le long de la perspective menaçant ruine de West Hollywood Street. Chee se souvint de ce qu'il avait vu la veille au soir dans Sunset Boulevard alors qu'il menait sa chasse au Navajo en compagnie de Shaw. Les prostituées qui attendaient aux coins des rues, se protégeant contre le vent. Chee en avait déjà vu. Elles étaient présentes à Gallup et l'Avenue Centrale d'Albuquerque en était pleine à l'époque de la Fête Foraine de l'Etat. Mais un grand nombre de celles-ci n'étaient que des enfants. Surpris, il en avait fait la remarque à Shaw. «Ça a commencé il y a quelques années,» lui avait-il répondu. «Peut-être dès la fin des années soixante. On n'essaye plus de l'empêcher.» Cela aussi faisait partie du monde de Mary Landon. Non que le Dinee ne connaisse pas la prostitution. Elle remontait très loin à l'histoire de ses origines dans le monde inférieur. La sexualité de la femme était reconnue comme ayant une valeur monétaire dans les traditions du mariage. Un homme qui avait des relations sexuelles avec une femme en dehors des liens du mariage était censé payer la famille de la femme, et omettre de le faire était apparenté à un vol. Mais pas des enfants. Et jamais quelque chose d'aussi déprimant que ce qu'il avait vu la veille dans Sunset.

Le Noir qui se tenait à l'arrêt d'autobus glissa la main dans sa poche arrière et se gratta les fesses. En le regardant faire, Chee se rendit compte que lui aussi avait les fesses qui le démangeaient. Il se gratta et cela le rendit conscient de son hypocrisie.

Tous semblables sous la surface de la peau, pensa-t-il, et ce, pour tout ce qui a de l'importance, n'en déplaise à ma supériorité de Navajo. Nous voulons manger, dormir, copuler et reproduire nos gènes, avoir chaud, être au sec et prémuni contre le lendemain. C'est ça qui a de l'importance, alors qu'est-ce que je m'imagine ?

— Qu'est-ce que tu t'imagines, Jim Chee ? lui avait demandé Mary Landon. (Elle était assise contre la portière, du côté du passager, aussi loin de lui que l'horizon). Qu'est-ce qui te donne le droit de te croire si supérieur ?

Tout son corps était dans l'obscurité à l'exception d'un petit rayon de lune qui tombait sur ses genoux à travers le pare-brise.

Et il avait répondu qu'il ne se croyait pas si supérieur ou quelque chose d'approchant, mais simplement en utilisant une comparaison. Avoir le téléphone c'était bien. Ça l'était autant d'avoir de la place pour bouger et d'avoir des proches autour de soi. «Mais les écoles», avait-elle objecté. «Nous voulons que nos enfants bénéficient d'une bonne éducation». Et il avait répondu : «Qu'est-ce que

tu as à reprocher à celle de l'endroit où tu enseignes ?»,
et elle avait dit : «Tu le sais très bien», et il avait dit...

Chee alla prendre son petit déjeuner dans un Denny's
qui se trouvait dans la rue, chassant Mary Landon de son
esprit en se plongeant dans le problème que posait Margaret Sosi. Cette énigme, si elle défiait toute solution,
aiguisa son appétit. Il commanda un ragoût de bœuf.

La serveuse avait l'air fatiguée.

— Vous sortez du boulot ? lui demanda-t-elle en
notant rapidement sa commande sur son carnet.

— Je vais au boulot, corrigea-t-il.

Elle le regarda.

— Du ragoût de bœuf au petit déjeuner ?

Mexicaine, pensa Chee, mais d'après ce que Shaw lui
avait dit, elle ne l'était sans doute pas. Pas dans ce quartier de Los Angeles. Elle devait être d'origine philippine.

— Ça dépend de ce à quoi on a été habitué. Je n'ai
pas été élevé à coups d'œufs au bacon le matin. Ni avec
des crêpes.

L'indifférence de la serveuse s'effaça.

— Des burritos, dit-elle. Des refritos enroulés dans une
tortilla de maïs bleu.

Un grand sourire.

— Du pain frit et du mouton, dit Chee en lui retournant son sourire. A bas les Americanos et leurs œufs
McMuffin.

Et autant pour les généralisations de Shaw concernant
le territoire qui était le sien. Les seuls gens que Chee avait
rencontrés qui fussent prêts à manger de leur plein gré
de la purée de haricots rouges enroulée dans une tortilla
étaient les Mexicains. Chee doutait que les Philippins fussent disposés à partager une telle aberration culinaire.

Il mangea son ragoût dans lequel il y avait très peu de
viande. Peut-être cette femme était-elle la seule personne
de langue espagnole dans Hollywood Ouest à n'être pas
d'origine philippine, mais Chee en doutait. Même si elle
l'était, elle représentait l'erreur de toute généralisation
appliquée aux gens. Sur la Grande Réserve où ils étaient

peu nombreux et dispersés, on avait tendance à les connaître en tant qu'individus et il n'y avait aucune raison de les regrouper en catégories. Shaw avait un problème différent avec les masses de gens qui pullulaient dans son secteur. Ceux que l'on trouvait à Hollywood Ouest étaient des Coréens ou des Philippins, ou alors ils appartenaient à une autre catégorie à laquelle on pouvait donner un nom.

Exactement comme les vieillards des maisons de retraite qui étaient séniles. La police ne perdait pas son temps à interroger des gens séniles. Chee mangea rapidement.

L'inscription figurant sur la porte de la Maison de Repos Les Cheveux d'Argent spécifiait que les heures de visite allaient de quatorze à seize heures. Chee regarda sa montre. Il n'était pas encore huit heures du matin. Il ne se donna pas la peine d'appuyer sur la sonnette. Il reprit le trottoir en sens inverse et se mit à déambuler le long de la clôture en grillage. A son troisième passage, quatre vieillards avaient fait leur apparition sur la véranda orientée vers l'est, respectant le même alignement muet et sans aucun geste dans leurs fauteuils roulants immobiles. Pendant que Chee poursuivait sa marche, un adolescent au visage rougeaud qui portait une blouse blanche apparut sur le seuil : il reculait en tirant un cinquième fauteuil roulant. Une femme d'allure frêle qui portait des lunettes à verres épais y était assise. Monsieur Berger et son déambulateur en aluminium n'étaient pas visibles. Chee poursuivit son circuit, remontant l'allée tout en obtenant confirmation que les pensionnaires de la maison de retraite possédaient une bonne vue sur les appartements où le regretté Albert Gorman avait habité, que ce soit de la véranda ou de la pelouse. Au passage suivant, Berger apparut.

Comme Chee tournait le coin qui le ramenait devant la véranda, le vieil homme progressait lentement et difficilement en direction de la clôture : il faisait avancer son appareil, prenait appui dessus et traînait ses jambes sur le sol. Chee s'arrêta à côté de la clôture à l'endroit que Berger visait. Il attendit, le dos tourné à la clôture et à la lutte menée par le vieil homme. Derrière lui, il entendait sa respiration haletante.

— Saloperies ! disait-il.

Décrivant, se dit Chee, soit l'équipe d'infirmières de l'établissement, soit ses propres jambes récalcitrantes. Il entendit Berger avancer son déambulateur à côté de la clôture puis souffler et pousser un grognement tandis qu'il tirait ses jambes en-dessous de lui. Alors seulement, Chee se tourna vers lui.

— Content de vous voir, Monsieur Berger. J'espérais que je n'aurais pas à attendre les heures de visite.

— Vous venez me...

La surprise était présente dans le ton de sa voix avant que sa langue ne se dérobe devant le reste de la phrase. Rougissant légèrement, son visage se contracta sous l'effort.

— Je voulais discuter un peu plus longuement de Gorman avec vous. Je me souviens que vous m'avez demandé s'il avait des ennuis et, en fait, il en avait de très graves, alors je me suis dit que vous aviez peut-être une idée de ce qui se passait.

Chee fut très attentif à ne pas présenter sa phrase comme davantage qu'une question implicite.

Monsieur Berger ouvrit légèrement la bouche. Fit une grimace.

— Il se pourrait que ses ennuis aient été encore pires qu'il ne croyait. Quelqu'un l'a suivi d'ici jusqu'à Shiprock. Au Nouveau Mexique. Sur la Réserve Navajo. Ils se sont tirés dessus, Gorman et l'autre type. Gorman l'a tué. Et après il est mort lui aussi.

Berger baissa les yeux sur ses mains, agrippées au cadre de métal. Il secoua la tête.

— Nous ignorons ce qui a pu pousser quelqu'un à tuer Gorman, reprit Chee. Est-ce que Gorman vous a dit quelque chose qui pourrait nous aider ?

La tête aux cheveux blancs se releva. Il regarda Chee, prit une profonde et prudente inspiration, ferma les yeux, se concentra.

— Un homme, dit-il.

Chee attendit.

Berger lutta un moment, abandonna.

— Merde, fit-il.

— Cela vous aiderait-il si je proposais les mots qui manquent ? Je vais essayer d'en deviner une partie. Et si je me trompe, vous agitez la tête et je m'arrêterai. Ou j'essaierai autre chose.

Berger acquiesça.

— Un homme est venu voir Gorman ici, à son appartement.

Berger acquiesça.

— La veille du jour où Gorman est parti au Nouveau Mexique ?

Berger retira ses mains du déambulateur, les tint à environ trente centimètres l'une de l'autre, les rapprocha.

— Plus près que ça, commenta Chee. Le soir d'avant son départ.

Berger acquiesça.

— Vous l'avez vu ?

Berger acquiesça. Il pointa le doigt dans la direction de l'appartement de Gorman. Puis il mima la taille et la carrure d'un homme.

— Quelqu'un de grand et de costaud, dit Chee. Très costaud ?

Berger hocha la tête.

— Quel âge ?

Berger essaya de répondre. Chee leva les mains, montra dix doigts qu'il replia aussitôt, en montra dix autres, s'arrêta. Berger indiqua le chiffre trente, hésita, ajouta dix.

— Peut-être quarante, dit Chee. Un Navajo aussi ?

Berger annula cette idée en pointant un doigt vers ses cheveux.

— Blancs, fit Chee. Blond ?

Berger acquiesça.

— Un grand gaillard costaud est venu juste avant que

128

Gorman ne parte au Nouveau Mexique, résuma Chee.

Il était en train de penser que Lerner n'était ni grand ni blond.

— Vous l'aviez déjà vu ?

Berger fit oui.

— Souvent ?

Il leva deux doigts.

— Ils ont parlé ?

Chee avait commencé à se demander à quoi tout cela pouvait bien le mener. Qu'est-ce que Berger pouvait bien savoir qui pût lui être utile ?

Berger avait retiré ses mains du déambulateur. Ses doigts, tordus et tremblants, devinrent deux hommes qui se tenaient légèrement écartés l'un par rapport à l'autre. Les doigts qui s'agitaient indiquaient que l'un des hommes parlait, puis que c'était au tour de l'autre. Puis les deux mains se mirent à bouger ensemble, parallèlement, vers la gauche de Berger. Il les arrêta. Ses lèvres luttèrent contre un mot impossible.

— Auto, dit-il.

— Ils sont allés ensemble jusqu'à une voiture après avoir parlé. La voiture du type blond ?

Satisfait, Berger acquiesça. Ses mains reprirent leur marche, s'arrêtèrent. Soudain la main droite se jeta sur la gauche, l'agrippa, la plia en deux. Berger regarda Chee, attendant sa question.

Chee fronça les sourcils.

— Le type blond a attaqué Gorman ?

Berger fit non de la tête.

— C'est Gorman qui l'a attaqué ?

Berger hocha la tête. Tout excité, il luttait pour trouver ses mots.

Chee retint sa question suivante.

— Intéressant, commenta-t-il.

Il sourit à Berger, lui laissant le temps de réussir à s'exprimer. Une idée lui vint. Il toucha plusieurs fois la main droite de Berger.

— Ça, c'est le type blond, fit-il, et la main gauche c'est

Gorman. D'accord ?

Berger saisit sa main droite avec sa main gauche, commença à figurer une lutte. Puis il s'arrêta et réfléchit. Il saisit une poignée de portière imaginaire, ouvrit la portière imaginaire en regardant Chee pour voir s'il le suivait toujours.

— L'un des deux a ouvert la portière de la voiture ? Le blond ?

Berger hocha la tête. Il prit sa main gauche dans la droite puis la relâcha et mima l'action de claquer la portière avec fureur. Il empoigna le doigt blessé, se tordant et grimaçant de douleur feinte.

— Gorman a claqué la porte sur le doigt du type blond, traduisit Chee.

Berger acquiesça. C'était un homme empreint de dignité et toute cette pantomime le rendait mal à l'aise.

— Ce qui voudrait dire que Gorman ne se rendait pas à la voiture de son plein gré. C'est bien ça ? Vous vous teniez à peu près ici quand vous les avez regardés ? (Chee se mit à rire). Et je suis prêt à parier que vous vous demandiez ce qu'ils pouvaient bien fabriquer.

— Exactement, répondit Berger d'une voix claire et distincte. Puis Gorman s'est mis à courir.

De la main il longea la clôture, remonta l'allée, un geste qui s'acheva sur la disparition de Gorman.

— Et le type blond ?

— Assis. Juste une min...

Il ne put terminer le mot.

— Et ensuite je suppose qu'il est reparti en voiture.

Berger acquiesça.

— Vous avez une idée de ce dont il s'agit ?

Berger opina de la tête. Ils se regardèrent l'un l'autre, pris de court.

— En écrivant, ça marcherait ? demanda Chee.

Berger montra ses mains. Elles tremblaient. Il les contrôla. Leur tremblement reprit.

— Bon, dit Chee, on va trouver un moyen.

— Venu ici, fit Berger, en indiquant le sol gravillonné

à l'endroit où Chee se tenait. Parler.

— Gorman. Parler de ses ennuis.

Berger essaya de dire quelque chose. Fit une nouvelle tentative. Abattit avec fureur un poing atteint par la paralysie sur son déambulateur.

— Merde, fit-il.

— Comment gagnait-il sa vie, Gorman ?

— Voitures volées, répondit Berger.

Cela surprit Chee. Pourquoi Gorman était-il allé raconter ça à Berger ? Mais pourquoi pas ? Albert Gorman acquit à ses yeux une dimension nouvelle. Un solitaire qui en retrouvait un autre à côté d'une clôture. L'importance potentielle de Berger dans cette affaire s'accrut. Tout frêle, pâle et osseux, il s'appuyait sur son déambulateur et essayait de former un autre mot, ses yeux bleus reflétant une intense concentration.

Chee attendit. La femme que son fils venait voir avait posté son fauteuil roulant plus loin, à côté du grillage. Elle le fit rouler dans leur direction, traversant la pelouse dont la terre était durcie et l'herbe desséchée. Elle remarqua que Chee la regardait et obliqua soudain, rentrant dans la clôture avec son fauteuil roulant.

— Il vient, dit-elle en ne s'adressant à personne en particulier.

— Gorman volait des voitures, répéta Chee. Et l'homme pour le compte de qui il les volait, celui qui le payait, a été inculpé par la commission d'enquête fédérale. Peut-être que la raison pour laquelle il est parti au Nouveau Mexique, et la raison pour laquelle quelqu'un l'y a suivi pour le descendre, c'était qu'il allait témoigner contre son patron. Peut-être que le patron...

Mais Berger rejetait cette affirmation, faisait non de la tête.

— Ce n'est pas ce que vous pensez ?

Berger indiqua que non. Catégoriquement.

— Il vous en a parlé alors ?

Berger acquiesça. Ecarta le sujet d'un geste du bras. Essaya de former un mot.

— Pas partir, finit-il par réussir à articuler.

Sa bouche se contracta pour ajouter quelque chose mais n'y parvint pas.

— Merde, dit-il.

— Pas partir ? reprit Chee.

Il ne comprenait pas ce que cela voulait dire.

Berger s'efforçait toujours de trouver ses mots. Il n'y parvint pas. Il haussa les épaules, se tassa sur lui-même, sembla avoir honte.

— Il lui a montré une photo.

Les mots venaient de la femme au fauteuil roulant. Elle regardait au dehors à travers la clôture et Chee ne comprit pas que cette affirmation avait un rapport quelconque avec Berger avant de voir que le vieil homme hochait la tête avec ferveur.

— Gorman a montré une photo à Monsieur Berger ? demanda Chee.

— L'Indien il a montré une photo à celui à qui vous êtes en train de causer, fit-elle en tendant le doigt vers Berger. Comme une carte postale.

— Ah ! fit Chee.

Encore la photographie. En quoi pouvait-elle avoir une telle importance ? Cela ne le surprenait pas de voir la sénilité de la vieille femme s'effacer d'un coup. Elle réapparaîtrait tout aussi rapidement. Chee avait grandi entouré par les anciens de sa famille ; il avait beaucoup appris à leur contact, les avait vus devenir sages, puis malades, et enfin mourir. Cette fin de l'existence humaine n'avait pas pour lui plus de mystère que son commencement.

— Photo, dit Berger. Son frère.

— Etait-ce une photo représentant une caravane en aluminium avec un homme debout juste à côté ?

C'était bien ça.

— Et Gorman a dit que c'était son frère ?

Berger acquiesça à nouveau.

— Je ne sais pas ce que vous avez voulu dire quand vous avez dit «Pas partir». Je ne sais pas quoi penser parce que nous savons que Gorman est parti. Est-ce parce que Gorman avait décidé de ne pas partir et qu'il a ensuite changé d'avis ?

Berger fit non de la tête de manière énergique. Il redonna à ses mains les rôles de Gorman et du blond. La main représentant Gorman plia son doigt affirmativement. La main représentant le blond agita le sien négativement.

— Je vois, dit Chee. Gorman voulait partir. Le type blond lui a dit de ne pas le faire. (Il jeta un coup d'œil à Berger qui hochait la tête). Gorman partait donc, le type blond a essayé de l'en empêcher, ils se sont battus et Gorman est parti. Ça pourrait être ça ?

Berger haussa les épaules, ne trouvant pas cette interprétation satisfaisante. Il désigna le cadran de sa montre.

— L'heure ? demanda Chee sans comprendre.

Berger tapa le cadran du doigt, indiquant l'endroit où se trouvait la petite aiguille. Puis il fit tourner son doigt sur le cadran dans le sens inverse.

— Avant ? demanda Chee.

Berger acquiesça.

— Vous voulez dire que ça, ça s'est passé avant ? L'épisode de Gorman qui voulait partir et du type blond qui lui disait de ne pas le faire ?

Berger hochait vigoureusement la tête.

— Avant la bagarre ? Avant le soir où Gorman a abîmé la main du blond ? Un jour avant ? Deux ?

Pendant tout ce temps-là, Berger avait hoché la tête. Deux jours avant était la bonne solution.

— Et Gorman vous en a parlé ?

— Oui, fit Berger.

— Est-ce que vous savez pourquoi Gorman voulait partir ?

— Inquiet, répondit Berger.

Il essaya d'en dire plus, échoua, abandonna avec un haussement d'épaules.

Le jeune homme au visage rougeaud que Chee avait remarqué auparavant venait dans leur direction en traversant la pelouse d'un pas traînant et en sifflant entre ses dents. La vieille femme fit pivoter son fauteuil et se dépêcha de s'éloigner le long de la clôture.

— Vieille garce, fit le jeune homme en accélérant le pas pour la rattraper.

— Est-ce que vous savez ce qu'il y avait d'écrit sur la carte postale ? Celle qui représentait une photo ?

Berger l'ignorait.

— Elle a dit que ça ressemblait à une carte postale. C'en était une ?

Berger prit l'air embêté.

— Est-ce qu'il y avait un timbre dessus ?

Berger réfléchit, ferma les yeux en fronçant les sourcils. Puis il haussa les épaules.

— Elle est très observatrice, reprit Chee. Je me demande si l'un d'entre vous n'aurait pas vu une jeune Navajo devant l'appartement de Gorman hier. Petite. Une adolescente maigre qui portait un caban marine. Vous l'avez vue ?

Berger, non. Il chercha des yeux la femme qui traversait la pelouse en faisant tourner frénétiquement les roues de son fauteuil, le jeune homme au visage rougeaud à ses trousses.

— Intelligente. Des fois.

— J'avais une tante comme elle, dit Chee. En fait, c'était la tante de ma mère. Quand elle retrouvait la mémoire, elle était très, très intelligente. Hier, notre amie était incapable de se souvenir de quoi que ce soit.

— Excitée, commença Berger.

Il essaya de s'expliquer. N'y parvint pas. S'arrêta. Regarda ses pieds. Quand il releva les yeux, il était excité. Et il avait un plan.

— Guerre, dit-il, en levant deux doigts.

Chee réfléchit à ce que cela voulait dire.

— La Deuxième Guerre mondiale, proposa-t-il.

— Fils, dit Berger.

Il essaya de continuer mais n'y parvint pas.

— Il a fait la guerre, dit Chee.

Berger acquiesça :

134

— Marine.

— Il a été tué, proposa Chee.

Berger écarta cette affirmation du geste.

— Caïd, dit-il. Riche.

Cela épuisait la réserve de mots dont il disposait. Sa bouche se tordit. Son visage vira au rose. Il martela le déambulateur de ses poings.

Le jeune homme rougeaud avait rattrapé le fauteuil roulant de la vieille dame et il la poussait en direction de la véranda. Elle était immobile, les yeux fermés, le visage sans expression. Ainsi, son fils était quelqu'un de riche et d'important, réfléchit Chee. Qu'est-ce que Berger essayait de lui apprendre en lui disant ça ? Son fils avait été dans la marine il y avait quarante ans, il était devenu riche et important, et cela avait un rapport avec quelque chose qui l'avait rendue toute excitée la veille.

— Hé ! s'écria Chee qui venait soudain de comprendre. Hier. Hier matin elle a vu un marin, c'est ça ?

Berger acquiesça, ravi de ce succès.

— Peut-être que c'est un marin qu'elle a vu. Peut-être que c'est Margaret Sosi avec son caban. Comment s'appelle cette dame ?

Berger parvint à prononcer son nom à la première tentative :

— Ellis.

— Madame Ellis, cria Chee. Est-ce que vous avez vu un marin hier ? Devant les appartements ?

— Je l'ai vu.

— Il ressemblait à votre fils. Il portait un caban bleu ?

— Je n'ai pas de fils, répondit Madame Ellis.

15.

L'homme que McNair appelait Henry apporta son eau à Vaggan dans un verre en cristal. Vaggan avait dit, «Sans glace, merci», mais l'homme qu'on appelait Henry ne l'avait pas écouté ou n'en avait pas tenu compte. L'expression de son visage avait semblé indiquer qu'il considérait comme déplaisant d'apporter un verre d'eau à Vaggan. C'était un homme grassouillet et mou avec une voix molle et des yeux vifs qu'il laissait volontiers prendre une expression de mépris hautain. Conscient de la présence des deux cubes de glace qui flottaient dans l'eau, mais sans les regarder, Vaggan posa le verre sur la table basse.

— Vous avez un jour de retard, dit McNair. Je vous ai appelé hier matin et je vous ai dit que c'était quelque chose d'urgent.

McNair ouvrit une boîte en onyx noir qui se trouvait sur le bureau, y prit une cigarette et la tassa contre son ongle en ajoutant :

— Je n'aime pas que les gens qui travaillent pour moi soient en retard.

Vaggan se sentait très bien. Après l'affaire Leonard, il était rentré chez lui avant l'aube, s'était couché, avait fait ses exercices pour se détendre et avait dormi six heures. Puis il avait refait des exercices, s'était pesé et avait pris un petit déjeuner composé de germes de blé, de pousses de luzerne et de fromage, tout en regardant les nouvelles de midi à la télévision. La chaîne NBC avait commencé en montrant Leonard que l'on faisait pénétrer en toute hâte dans la salle des urgences où il disparaissait aussitôt, mais on avait eu le temps de voir une de ses oreilles couvertes de sang. Vaggan était immédiatement passé sur ABC-TV et avait entendu sa propre voix, enregistrée lors de son coup de téléphone final, qui achevait de parler des agrafes métalliques dans les oreilles en expliquant qu'il s'agissait d'une dette impayée. L'Homme pouvait difficilement exiger plus. Parfait. Il avait éteint le poste et composé le numéro de McNair. Il avait dit à la personne qui avait répondu (probablement Henry) de dire à McNair qu'il serait là à quatorze heures.

Le trajet ne lui avait demandé qu'une heure de route sans problème. Il avait tué le temps qui lui restait en parcourant les derniers numéros de *Survivre* et de *Soldats de la Fortune*. Il avait découpé un article sur les herbes médicinales communes de la côte pacifique et entouré une réclame de la société Freedom Arsenal qui proposait un fusil d'assaut FN-LAR pour 1795 dollars. Il avait examiné un FN dans un magasin d'articles de sport de Pasadena : le modèle exact qui était fabriqué en Belgique par la Fabrique Nationale pour les parachutistes de l'OTAN. Il avait été impressionné, mais le prix dans ce magasin-là était de 2300 dollars sans compter les taxes sur les ventes appliquées en Californie. Avec l'argent de Leonard il pouvait se permettre de payer l'un des deux prix, mais l'essentiel de cet argent devrait être versé à l'entrepreneur afin qu'il achève les travaux de bétonnage de l'abri anti-nucléaire, et il voulait également faire installer un générateur solaire et augmenter son stock de munitions. Toutefois, il allait encore y avoir de l'argent qui allait venir de McNair. Vaggan se sentait bien.

Il était parti à une heure de l'après-midi, s'octroyant un peu plus de temps qu'il ne lui en fallait pour aller jusque dans le district de Flinthills où la famille McNair s'était acheté une colline, s'était fait construire une maison et avait élevé sa progéniture. Et Vaggan était maintenant assis dans le bureau, l'étude, la bibliothèque, ou tout autre nom dont on qualifiait ce type de pièce dans ce type de maison, et en face de lui, de l'autre côté de sa table de travail, se trouvait McNair en personne. McNair l'intéressait. Il y avait très peu de gens dont c'était le cas.

— Je ne suis jamais en retard, répondit Vaggan. Henry a peut-être oublié de vous prévenir.

Par-dessus son épaule il jeta un coup d'œil en direction de Henry qui se tenait avec raideur à côté de la porte.

— Henry, reprit-il, venez ici.

Henry hésita, le regard fixé au-delà de Vaggan sur McNair, mais il vint.

— Tenez, dit Vaggan en retirant les deux glaçons qui étaient dans son verre et en les lui tendant. Vous pouvez les garder. J'avais dit sans glace.

Le visage de Henry s'empourpra. Il prit les glaçons et sortit de la pièce d'un air digne.

Vaggan prit son mouchoir et s'essuya les doigts.

— Il est difficile de trouver des domestiques sur lesquels on puisse compter.

McNair avait saisi la subtilité de la démonstration faite par Vaggan, se rendant bien compte de la manière dont la menace avait été transmise sans jamais être énoncée. Il prit un air désabusé et hocha la tête.

— Henry, lança-t-il.

Henry réapparut à la porte.

— Apportez un verre d'eau à Monsieur Vaggan, je vous prie.

— Oui, Monsieur, répondit Henry.

— Alors, qu'est-ce qu'il y a à faire ? demanda Vaggan.

— Ce sont encore les Navajos.

Les traits de son visage étaient grossiers et ses os affleuraient sous la peau pâle et marquée de ces taches de vieillesse fréquentes chez les gens dont la pigmentation est légère quand ils prennent de l'âge. Ses yeux étaient d'une couleur étrange qui se rapprochait du vert, et ils étaient enfoncés sous d'épais sourcils gris en broussaille. Il avait l'air acerbe.

— De nouveaux ennuis qui viennent des conneries faites dans l'affaire Gorman, ajouta-t-il. Une jeune femme qui s'appelle... (McNair baissa les yeux pour regarder un bloc-notes sur son bureau), qui s'appelle Margaret Sosi et qui venait de Shiprock est arrivée à Los Angeles. Elle avait une photographie de Leroy Gorman et elle s'est rendue à l'appartement d'Albert, dans Hollywood Ouest, pour essayer de le voir. Je veux que vous la retrouviez.

— Seulement que je la retrouve, dit Vaggan.

McNair sourit, plus ou moins, découvrant des dents blanches et régulières. Henry n'avait pas des dents régulières. Il sembla à Vaggan que c'était là l'un des derniers signes opposant encore en Amérique la position sociale à la pauvreté familiale. Les gens riches pouvaient se permettre d'aller chez un orthodontiste.

— Ce qui peut se passer une fois que vous l'aurez trouvé ne m'intéresse pas. Arrangez-vous simplement pour être sûr qu'elle ne nous créera plus d'ennuis.

Il alluma sa cigarette avec un briquet en argent qu'il avait pris au bout de la boîte en onyx, ajouta :

— Pour en être absolument sûr. Je ne veux pas qu'elle parle à qui que ce soit.

Il rejeta un nuage de fumée.

— Et je veux cette photo. Je veux qu'on me l'amène en mains propres. Je veux un point final à tout cela.

Vaggan ne répondit rien. Une carte d'Ecosse imprimée sur quelque chose qui ressemblait à du parchemin dominait le mur derrière McNair. Ses limites étaient décorées de morceaux de plaids dont Vaggan supposa qu'il devait s'agir des tartans des clans d'Ecosse. Une cornemuse et une lourde ceinture avec une épée dans son fourreau étaient accrochées juste à côté. Une claymore, se dit Vaggan. C'était bien le nom écossais ? Plus bas, sur le mur, il y avait des photographies. Des gens en kilt. Des gens habillés pour la chasse au renard. Une photographie de la reine Elizabeth II, avec un autographe griffonné dans le bas.

— Voici sa description, dit McNair, en tendant à Vaggan une feuille dactylographiée.

— J'espère que vous avez un peu mieux que ça. Si vous tenez à la retrouver cette année.

— J'ai une adresse.

— Les adresses, ça aide.

— Si elle y est encore. C'était le cas hier matin quand je vous ai appelé.

— Peut-être que nous aurons de la chance. De toute façon, c'est un point de départ pour retrouver sa trace.

McNair tenait la feuille dactylographiée entre ses doigts, pliée, et tout en regardant Vaggan, il tapotait son bureau avec le papier à l'endroit du pli.

— Comment vous allez faire ?

— Faire quoi ? La retrouver ?

— La tuer.

Henry avait remplacé l'eau de Vaggan par un second verre en cristal puis s'était éclipsé. Sans glaçons. Vaggan but tout en gardant les yeux fixés sur McNair au-dessus du rebord de son verre. Il était en train de penser à un enregistrement magnétique, mais il ne voyait pas ce que McNair pouvait avoir à gagner à enregistrer leur conversation. Néanmoins, c'était là une question bizarre ; Vaggan y répondit par un haussement d'épaules et reposa son verre. McNair l'intéressait de plus en plus. Mais le contrat était soudain moins tentant. Ce genre de chose devrait être strictement une affaire de travail. Aucun plaisir ne devait s'y mêler.

— J'aurais imaginé que vous aviez une méthode favorite, reprit McNair.

Son expression était neutre, mais au fond de leurs orbites, ses yeux verdâtres étaient avides.

Ça devrait être purement une affaire de travail. Autrement, les choses deviennent trop compliquées. Dures à évaluer, ce qui les rend inutilement risquées. Est-ce qu'il avait besoin de ce travail ? Est-ce qu'il avait toujours envie de travailler pour McNair ?

— Si je faisais votre travail, j'aurais une méthode favorite, répéta McNair.

Vaggan haussa une nouvelle fois les épaules, reprit une gorgée d'eau du robinet qui était tiède. A l'extérieur, la pelouse de McNair descendait en pente douce vers l'océan. Le verre revêtait l'aspect du velours vert.

— Je ne vois pas comment vous allez faire pour vous en tirer, dit Vaggan. D'après ce que l'article paru dans le *L.A. Times* avait à dire, onze chefs d'accusation ont été retenus contre vous, des témoins vous impliquent directement dans l'affaire, tout est net et sans bavure d'après la façon dont c'était présenté. Pourquoi ne pas vous dérober à la justice, tirer un peu de fric de tout ça (il désigna la pièce d'un geste circulaire), et prendre vos jambes à votre cou ?

Il but une nouvelle gorgée et reprit :

— En fait, vous n'auriez pas véritablement besoin de les prendre à votre cou. Il vous suffirait de faire transférer un peu d'argent liquide à un endroit ou à un autre, de vous procurer des papiers et de monter dans l'avion. Facile. Aucune crainte. Aucun risque.

Tout en parlant, Vaggan avait surveillé le visage de McNair. Il y avait lu de l'irritation, puis du dégoût. A peu près ce qu'il s'attendait à y voir.

— Je ne suis pas coupable.

— Pas tant que le jury ne vous aura pas condamné, répondit Vaggan. Après vous le serez, et le juge fera grimper votre caution dans de drôles de proportions, et ça sera bien plus compliqué et bien plus cher.

— Je n'ai jamais été condamné pour rien. Aucun McNair n'est jamais allé en prison. Et ça ne se produira jamais.

Il se leva et alla se camper à côté de la fenêtre, la main posée sur une forme dont Vaggan estima qu'il devait s'agir d'une sculpture en acier coulé.

— D'autre part, s'en aller sans faire front équivaut à abandonner ça.

Cela donnait l'impression de s'appliquer à la sculpture et à ce qu'il voyait depuis la fenêtre. Ou peut-être cela s'appliquait-il à la cornemuse et à son appartenance au clan McNair. Vaggan était capable d'apprécier ce genre de choses à sa juste valeur. McNair était de la race de ceux qui gouvernent. Des hommes solides. Quelqu'un d'intéressant, se disait-il. Il aurait affaire aux McNair après les missiles, aux vrais durs. Il comprenait encore mieux ce vieil homme maintenant. L'avidité qu'il avait vue était aussi proche de la rapacité que de la cruauté. La cruauté le rendait méfiant parce qu'elle semblait déplacée en l'occurrence, et qu'au niveau des sentiments elle constituait un gaspillage qui lui paraissait étrange. Mais la rapacité ne lui posait aucun problème.

— J'ai l'impression que vous reculez, dit McNair sans s'arrêter de regarder par la fenêtre. Sinon à quoi bon toute cette impertinence ? Toutes ces questions ? Acceptez-vous de vous en charger pour moi ?

— D'accord, fit Vaggan.

Il se leva, prit la feuille de papier d'entre les doigts du vieil homme, la déplia et la lut. L'adresse se trouvait dans une rue dont il n'avait jamais entendu parler. Il la repèrerait sur sa carte, irait y attendre qu'il fasse nuit et règlerait le problème.

16.

Jim Chee, qui s'était toujours considéré comme un excellent conducteur, conduisait pour l'heure avec appréhension. Le mélange de précision, d'adresse et de confiance en leur propre immortalité que les conducteurs de Los Angeles mettaient en pratique sur leur système d'autoroutes faisait osciller Chee entre l'admiration craintive et la résignation stoïque. Mais sa chance avait tenu jusqu'ici, elle allait bien tenir un après-midi de plus. Son pick-up truck traversait l'interminable zone urbaine occupée par la cité et les villes satellites, laquelle faisait de Los Angeles une jungle humaine. Pendant un moment, il parvint à savoir à quel endroit il était exactement par rapport à celui d'où il était parti, observant les changements de direction et se souvenant des endroits où il était passé d'une autoroute à une autre. Mais il fut bientôt submergé. Il se concentra exclusivement sur la carte des auto-routes sur laquelle Shaw avait tracé des repères à son intention, et sur les virages à ne pas manquer. La route montait un peu maintenant pour quitter le fond de la cuvette où s'étirait la ville, et des signes indiquant la présence du désert étaient visibles dans les terrains vagues d'abord grands comme une maison, puis comme un pâté de maisons, puis qui occupèrent tout un pan de colline érodée et parsemée de cactus et de ces buissons secs et épineux qui sont communs aux régions où il pleut rarement. Le côté pauvre de la ville. Chee l'observa avec curiosité. Il avait perdu la notion de l'endroit où il se trouvait par rapport à son motel. Mais là-bas, au-dessus de l'horizon dans la direction du sud-ouest, il y avait le soleil. Et vers l'est, au-delà de ces crêtes arides, s'étendait le désert. Et derrière lui, quelque part au-delà des fumées de plus en plus épaisses qui recouvraient la ville, il y avait le Pacifique, froid et bleu. Cela lui suffisait.

Juste devant lui il aperçut alors le panneau de sortie que Shaw lui avait dit de guetter. Il se rabattit en coupant prudemment les files de l'autoroute, emprunta la bretelle de sortie et vint se garer sur l'aire de parking d'une station service Savemor. Ici, des herbes sauvages poussaient dans les fentes de l'asphalte. Un homme bedonnant d'une quarantaine d'années qui portait une salopette était appuyé contre la caisse et le contemplait placidement. Chee étala sa carte des rues de Los Angeles sur son volant pour s'assurer qu'il était au bon endroit. Le panneau indiquait Jaripa Street, ce qui semblait correct. Maintenant il lui restait à trouver Jacaranda qui traversait Jaripa quelque part pour mener à cette adresse que Shaw avait fini par arracher à la logeuse de Gorman. Cela avait été impressionnant de le voir en action.

Chee se remémora l'entretien. Les deux entretiens, pour être exact, quoique le premier eût été bref. Il avait sonné à la porte, sonné et resonné jusqu'à ce qu'elle finisse par venir le dévisager, sans prononcer un mot, par le battant à peine entrouvert. Elle avait examiné ses papiers officiels attestant qu'il appartenait à la Police Tribale Navajo sans qu'ils semblent produire sur elle la moindre impression. Non, avait-elle dit, elle n'avait vu personne qui ressemblât à Margaret Billy Sosi. C'est alors que Chee lui avait dit qu'un témoin avait vu la jeune fille devant l'appartement.

— C'est un mensonge, avait-elle répondu en lui claquant fermement la porte au nez.

Il avait fallu presque une heure au standardiste des Forces de Police de Los Angeles pour établir le contact avec Shaw, et une vingtaine de minutes plus tard environ, il était arrivé, seul, au volant d'une voiture blanche banalisée. Le second entretien s'était bien mieux passé.

Celui-ci s'était déroulé à l'intérieur, dans le bureau-réception encombré de la loge, et Chee avait appris quelque chose en observant la manière dont Shaw s'y était pris.

— Ce gars-là n'a rien à faire ici, avait-il dit en désignant Chee du pouce. C'est un policier indien. Il ne pourrait arrêter personne à Los Angeles. Je me moque de ce que vous lui avez dit. Vous auriez le droit de lui dire d'aller se faire voir. Mais je suis là, moi, maintenant.

Shaw avait sorti sa carte professionnelle et la lui avait mise sous le nez.

— Vous et moi avons déjà eu à faire ensemble, Madame Day, avait-il dit. Vous m'avez appelé quand ce type est arrivé et s'est mis à poser des questions sur Gorman, exactement comme je vous avais demandé de le faire. Ce dont je vous remercie. Maintenant il faut que je retrouve cette jeune fille, Margaret Sosi. Elle était ici hier. Qu'est-ce qu'elle vous a dit ?

Chee essayait de lire sur le visage de Madame Day. Un visage fermé. Hostile. Exprimait-il la peur ? Disons une certaine tension, s'était-il dit.

— Il y a sans arrêt des traîne-savates qui viennent ici sonner à ma porte, avait-elle déclaré avec un regard en direction de Chee. Vous pouvez pas me demander de me souvenir de tous.

— Mais si, avait répliqué Shaw. Justement je vous le demande.

Il l'avait regardée droit dans les yeux, les traits durcis :

— Nous allons la retrouver et je vais lui demander si elle vous a parlé.

Madame Day n'avait rien répondu.

— Si c'est le cas, je vais aller demander aux gars de la brigade de lutte contre les incendies de venir s'intéresser à votre immeuble. Au circuit électrique. Aux sorties. A l'enlèvement des ordures. Vous les connaissez bien, les dispositions légales contre les risques d'incendies concernant les locaux de location.

Madame Day semblait s'obstiner.

— Quand nous allons la retrouver, cette jeune fille, si elle a la gorge tranchée, ce qui risque fort d'être le cas d'après ce que nous savons actuellement, et si vous ne nous avez pas aidés, ça vous rend complice de meurtre. Je ne pense pas que nous puissions le prouver, mais on peut vous traîner en ville et vous coffrer, après quoi vous n'aurez plus qu'à vous débrouiller avec la compagnie d'assurances, à vous procurer un avocat, à vous présenter devant la commission d'enquête...

— Elle cherchait Gorman, avait dit Madame Day.

— Ça, nous le savons. Qu'est-ce qu'elle vous a dit sur lui ?

— Pas grand-chose. Je lui ai dit que Gorman n'était pas là.

— Qu'est-ce qu'elle..., avait commencé Shaw qui avait été interrompu par le téléphone.

Madame Day avait regardé le policier. Derrière elle, sur le mur, le téléphone s'était remis à sonner.

Shaw avait fait un signe de tête affirmatif.

Madame Day avait dit allô dans le combiné, avait écouté, dit non, dit je rappellerai.

— Une seconde, avait-elle dit.

Elle avait tendu la main derrière elle et écrit un numéro sur un bloc-notes qui était accroché contre le mur à côté du téléphone.

— Je ne sais pas. Un quart d'heure peut-être, avait-elle ajouté avant de raccrocher.

— Qu'est-ce qu'elle vous a dit d'autre ? avait insisté Shaw.

— Elle essayait de retrouver un vieux monsieur. Je ne me rappelle plus son nom. Son grand-père. Elle voulait savoir s'il était venu ici pour voir Gorman.

— Et alors ?

— S'il est venu je ne l'ai pas vu. Après, elle a voulu savoir si j'avais une autre adresse pour Gorman alors je lui ai donné ce que j'avais et elle est partie.

— Et vous lui avez donné quoi ?

— Le parent le plus proche. Je demande à mes locataires de me remplir une petite fiche.

Elle avait sorti une boîte en métal de son bureau, avait cherché dans ses fiches et en avait tendu une à Shaw en disant :

— Ça leur met dans l'idée que si y chapardent tout, on a un moyen de se retourner contre eux.

Shaw avait recopié l'information dans son calepin.

— Jacaranda Street ? C'est ça ?

Madame Day avait acquiescé.

— Jamais entendu parler, avait remarqué Shaw. Et le nom de la personne, c'est Femme-Voûtée Tsossie ? Ça pourrait être ça ?

— C'est ce qu'il a dit, avait répondu Madame Day. Avec les Indiens, qui sait ?

Shaw lui avait rendu la fiche. Chee regardait le calendrier à côté du téléphone. La feuille était divisée entre les trente et un jours du mois d'octobre et Madame Day avait inscrit le numéro de téléphone de la personne qui venait de l'appeler dans l'espace consacré au vingt-trois octobre : c'est à dire le jour même. Au vingt-deux octobre il n'y avait rien, de même qu'à beaucoup de jours. Dans le carré du trois octobre, le nom Gorman était inscrit avec un numéro en-dessous. Un trait reliait Gorman à un autre numéro figurant dans la marge. Chee avait reconnu ce second numéro. Il était inscrit sur une carte dans son propre portefeuille : c'était le numéro de téléphone de Shaw. Mais le téléphone de qui, le premier numéro ferait-il sonner ?

Et tandis qu'il était assis dans son pick-up truck garé au milieu des herbes à côté de la station service délabrée, la signification de tout cela commença à prendre forme dans son esprit. La date n'était pas la bonne. Elle venait trop tôt. Trop tôt de plusieurs jours.

Il y avait une cabine téléphonique publique sur le trottoir qui bordait la station. Chee ouvrit la portière, fit passer ses jambes à l'extérieur et s'immobilisa pour reconsidérer l'ensemble une nouvelle fois. Madame Day avait inscrit le nom de Gorman dans le cadre réservé à la journée du trois octobre, une semaine au moins avant que Shaw ne l'ait recrutée comme guetteur. Ensuite elle avait noté le numéro du bureau de Shaw à la brigade de prévention des incendies et l'avait relié par un trait au nom de Gorman. Mais quelqu'un l'avait contactée une semaine auparavant et avait fait en sorte qu'elle appelle un numéro en rapport avec Gorman. Est-ce qu'elle le surveillait pour quelqu'un d'autre avant de surveiller son appartement pour Shaw ? Quel était cet autre numéro ? Chee s'en souvint, exactement comme il s'y était attendu, et sans se sentir particulièrement fier de sa performance. On lui avait appris à se servir de sa mémoire lorsqu'il était sorti de la petite enfance, et c'était une pratique qu'avait aiguisée l'apprentissage qu'il suivait pour devenir *yataalii*.

Il composa le numéro de la brigade de prévention des incendies, espérant seulement obtenir le numéro de téléphone personnel de Shaw. Mais le policier répondit.

— Ça ne me dit absolument rien, dit-il. C'est un numéro du centre, d'après l'indicatif. Vous l'avez essayé ?

— Non. Je me suis dit que j'allais vous poser la question d'abord. Il est dix-sept heures passées, donc il n'y aura personne.

— Qui sait ? On va bien voir. Je vais vous mettre en

147

attente une minute et appeler.

Il y eut un déclic dans l'écouteur.

Chee attendit. Par la vitre sale de la cabine téléphonique, il voyait une succession d'habitations en mauvais état disséminées le long d'une rue qui se composait surtout de terrains vagues envahis de mauvaises herbes. Derrière les collines, une fumée montait, grise et blanche. Un feu de broussailles, se dit-il. Shaw avait appelé ce quartier «le territoire des pauvres», le lieu d'habitation des ratés, des vagabonds, des clochards et autres marginaux. Il avait prévenu Chee qu'il ne devait pas s'attendre à voir les rues correspondre à celles du plan.

— J'aimerais bien pouvoir me libérer et vous accompagner, avait-il dit. C'est un bon endroit pour disparaître, si on a envie de disparaître. Ou pour faire disparaître quelque chose si on a quelque chose qu'on ne veut pas que quelqu'un trouve. Y compris un cadavre. De temps en temps on nous signale qu'on en a retrouvé un par ici. Ils réapparaissent comme ça. Balancés derrière les broussailles. Ou alors quelqu'un remarque un pied qui dépasse de la boue après un glissement de terrain, ou encore de vieux os dans un sac de couchage pourri.

Un nouveau déclic se fit entendre dans l'écouteur.

— Ça s'est trouvé être un service de renseignements, expliqua Shaw. Et bien sûr, personne ne savait rien sur rien à part le patron qui n'était pas là. Le genre de boîte où il faut se présenter et exhiber son badge pour arriver à apprendre quelque chose. Je vais vous remettre en attente et appeler la logeuse.

La cabine téléphonique sentait la poussière. Chee poussa la porte pour laisser entrer l'air du dehors et en même temps récupéra l'odeur du goudron chaud. Il y avait aussi l'odeur de la fumée, de la fumée qui provenait du feu, franchissait la crête et venait apporter le parfum du désert en train de brûler. En plus de tout cela, de manière très diffuse et seulement de temps en temps, il parvenait à détecter d'âcres relents industriels : la mauvaise haleine de la ville. La veille, le Santa Ana avait repoussé la purée de poix de Los Angeles loin au-dessus du Pacifique. Mais c'était il y avait un certain nombre d'heures. La cité avait à nouveau rendu vicié l'air qu'elle respirait. Par la vitre du compartiment du caissier, l'employé de la station service observait Chee avec une curiosité non dissimulée. Chee pensa à Mary Landon. A peu de choses près elle devait être dans son petit appartement de fonction de Crownpoint où elle se préparait à dîner. Il la voyait comme il l'avait souvent vue quand il se tenait assis sur son siège favori dans ce minuscule salon-salle à manger : occupée devant l'évier, les cheveux relevés sur le sommet de la tête, mince, attentive, parlant tout en faisant ce qu'il fallait faire aux légumes qu'elle était en train de préparer.

Il ferma les yeux, appuya la tête contre le métal frais du support du téléphone, et fit renaître la scène en même temps que le sentiment qu'elle lui inspirait. L'anticipation. Un bon repas. Mais pas vraiment cela. L'anticipation d'un bon repas passé en bonne compagnie. Mary, en face de lui, qui observait comment il réagissait à ce qu'elle lui avait préparé, qui voulait savoir si ça lui plaisait, leurs genoux qui se touchaient. Elle...

Clic.

— Vous êtes toujours là ? demanda Shaw qui continua sans attendre de réponse. Day prétend qu'il y a un type qui l'a appelée au téléphone et qui lui a dit que si elle était d'accord pour garder un œil sur l'appartement de Gorman et pour lui signaler s'il se passait quelque chose d'intéressant, il allait lui envoyer cent dollars, et qu'il y en aurait cent de plus chaque fois qu'elle l'appellerait pour quelque chose d'intéressant.

— Par exemple ?

— Par exemple des visiteurs. Par exemple Gorman s'il faisait ses valises, s'il déménageait. Tout ce qui sortait de l'ordinaire.

— Et est-ce qu'elle l'a appelé ?

— Elle m'a dit juste une fois. Le jour où Gorman est parti pour Shiprock.

— Vous la croyez ?

— Non, répondit Shaw. Mais ça pourrait être vrai. D'après ce que nous savons, il ne s'est rien passé d'autre.

— C'est vrai, reconnut Chee.

— Appelez-moi si vous trouvez la jeune fille.

Shaw lui donna son numéro de téléphone personnel.

L'employé de la station service indiqua à Chee, avec une débauche de gestes, que s'il se dirigeait plein nord dans Jaripa, il dépasserait inévitablement son intersection avec Jacaranda.

— La carte elle déconne, dit-il. Jacaranda s'enfonce dans les collines à quinze cents mètres d'ici. Elle permet d'aller à des grands ensembles pourris, mais la ville a jamais mis l'eau et l'électricité, alors tout est parti aux égouts. Ceux qu'ont acheté là-haut, y se sont fait avoir.

— J'essaye de trouver des gens qui sont dans Jacaranda au 13271. Vous pensez que ça peut se trouver quelque part par là ?

— Dieu seul le sait, répondit l'employé. Ils ont toutes sortes de numéros et de noms de rues par là. Sauf qu'y a pas de maisons pour les mettre dessus.

— Mais il y a des gens qui y habitent quand même, insista Chee. C'est bien ça ?

— Y en a. C'est mieux que de dormir sous les ponts. Mais ceux qui dorment sous les ponts, au moins, y a personne qu'est venu leur vendre.

Il se mit à rire et lança un regard vers Chee pour voir s'il trouvait cela drôle.

Mais Chee pensait à autre chose. Il pensait que presque à coup sûr, l'homme qui avait payé Madame Day pour garder le contact avec Albert Gorman n'ignorait nullement l'existence de cette adresse.

17.

Chee trouva le 13271 Jacaranda Street alors que sur l'horizon, à l'ouest, le soleil couchant transformait l'épais brouillard gris-jaune en une succession de bandes aux couleurs étrangement belles, faisant alterner le gris-rose et le rose pâle, et laissant admirer des teintes plus douces, plus pastel que les couchers de soleil criards des hauts plateaux désertiques. Il avait pris plaisir à mener sa recherche. Mais il en allait autrement du paysage : c'était le désert, certes, mais un désert proche du niveau de la mer, et, sans les vents mordants de la Grande Réserve, il donnait naissance à une végétation d'un genre différent. Chee avait assez vite décidé qu'il ne trouverait pas l'adresse dans Jacaranda, que c'était simplement un numéro que Gorman avait inventé pour satisfaire aux exigences de Madame Day. Le lendemain, il allait se lever tôt, reprendre la route de Shiprock, aller se trouver des antennes à Ste Catherine, à Two Gray Hills, ainsi qu'à droite et à gauche, de manière à être sûr d'être tenu au courant quand, et si, Margaret Sosi revenait chez les siens. Et il irait jusqu'à Crownpoint pour parler à Mary Landon. Et, ayant eu le temps de réfléchir, Mary Landon aurait décidé que d'élever leurs enfants comme des membres du Dinee au milieu du Dinee était, tout compte fait, ce qu'elle souhaitait véritablement faire. Ou peut-être pas. Probablement pas. C'était même presque certain. Et dans ce cas, alors ? Qu'est-ce qu'il allait faire ?

En attendant, il conduisait. L'intersection avec Jacaranda était signalée par un énorme panneau d'affichage qui se dressait au-dessus d'un socle de pierre brute ; il était surmonté de l'inscription J C R ND EST TES en lettres de bois épaisses, autrefois peintes en rouge. Même en s'attendant à voir le nom écrit, il fallut un moment à Chee pour reconnaître J C R ND EST TES sans les A qui avaient été volés. Et de se demander qui pouvait avoir

151

un besoin de lettres aussi déterminées. Sous le nom mutilé, l'affiche représentait une carte. Sur une grosse tache verte en plein milieu figurait l'inscription Terrain de Golf, et une forme oblongue d'un bleu pâle proche du centre du vert était marqué Lac des Truites. D'autres points de repère comprenaient le Centre Commercial, le Bureau de Poste, l'Ecole et le Club de Sports. Rien sur la carte, ne semblait avoir le moindre rapport avec la réalité des collines désertiques tout autour de lui, mais Chee étudia le réseau de rues qui y étaient indiquées. Jacaranda serpentait en direction de l'est-sud-est : une artère importante. Il se sentit encouragé.

Cet encouragement fut de courte durée. La surface goudronnée de Jacaranda, déjà craquelée et envahie d'herbes, se transformait en une piste gravillonnée en moins de cinq cents mètres, et les gravillons qui la remplaçaient étaient bientôt remplacés successivement par de la terre nivelée, puis par une piste creusée d'ornières d'où des rues partaient, des rues qui n'étaient rien de plus que des trouées pratiquées des années auparavant grâce à quelques passages de bulldozer. Chee dépassa des panneaux indiquant les rues (Jelso, Jane, Jenkins, Jardin, Jellico), morceaux de contre-plaqué gondolé montés sur pieux dont les inscriptions peintes étaient effacées au point de presque franchir les limites du lisible. Jane Street lui avait présenté une demi-douzaine de maisons mobiles délabrées, groupées à côté d'un réservoir d'eau rouillé. Dans Jenkins il dépassa des fondations en béton, dans Jellico une maison en bois dont porte et fenêtres avaient été vandalisées. Mais la plupart du temps il y avait juste le vide : Judy, Juli, Jerri et Jennifer Streets ne présentaient rien d'autre que des buissons de créosote, des rochers de grès et des cactus. Après Jennifer, l'érosion due à un arroyo avait effacé toute trace de Jacaranda.

Chee fit un détour, puis un autre, et redécouvrit Jacaranda : pire que jamais. Et finalement, après avoir franchi une crête, il y eut d'autres maisons : une maison mobile en aluminium toute cabossée installée sur des fondations en moellons et, après, une baraque en bois partiellement recouverte d'un toit de bardeaux puis, encore après, un fatras de planches partiellement carbonisées. Devant la maison mobile, trois vieilles voitures et un bus de transport scolaire étaient garés. Un homme d'une quarantaine d'années, sans chemise, un foulard bleu à motifs géométriques blancs autour du front, avait enlevé la roue avant du bus et semblait occupé à remplacer la garniture de frein. Chee s'arrêta et descendit sa vitre.

— 13271 Jacaranda, cria-t-il. Vous savez où c'est ?

L'homme leva la tête de son travail, plissa les yeux et essuya la sueur qui coulait jusqu'à ses sourcils.

— C'est ces Indiens, là ? demanda-t-il. La vieille femme et les autres ?

Il avait une voix aiguë et geignarde.

— Ça a l'air d'être ça, dit Chee. Elle s'appelle Tsossie ou quelque chose comme ça.

— Ça, faut pas me demander. Mais ousqu'y z'habitent, c'est de l'autre côté de la crête qu'est là-bas.

Du bras, il désignait le bout de la piste.

Après la crête il y avait une maison. C'était une construction disparate, apparemment bâtie par une série de propriétaires dont les ambitions, l'argent et l'espoir avaient été en diminuant. La partie de devant était faite en briques rouges régulières. Un bâtisseur arrivé par la suite avait essayé de la compléter en montant des murs en moellons et en faisant une adjonction au toit goudronné, utilisant un revêtement bitumé qui n'avait pas tout à fait la même couleur que la partie d'origine. A cet ensemble avait été ajouté un hangar de planches avec un toit en tôle ondulée. Le hangar s'appuyait au côté de la maison et, derrière lui, il y avait l'ossature de charpente d'une pièce supplémentaire, sans toit, sans plancher, ouverte à tous les vents. A en juger par la collection d'herbes mortes qui s'étaient accumulées partout, il y avait des années que ce projet avait dû être abandonné.

Derrière la maison, les squelettes rouillés de trois véhicules étaient parfaitement alignés : un camion de livraisons, un pick-up truck trop désossé pour pouvoir être facilement identifié, et une Dodge de couleur rouge dont le capot et le moteur avaient disparu. Une vieille Chevrolet dont la vitre, du côté du conducteur, tenait avec du papier adhésif, était garée à côté de la maison.

Chee se gara sur le bas-côté de la piste devant la maison, actionna son klaxon à deux reprises et attendit.

Cinq minutes presque entières s'écoulèrent. La porte d'entrée s'ouvrit un tout petit peu et un visage regarda au dehors. Une femme. Chee descendit de voiture et se dirigea lentement vers la maison.

La femme qui se tenait à la porte était âgée ; elle avait un visage rond et potelé qu'encadraient des cheveux gris. Elle était visiblement navajo, et Chee se présenta dans leur langue, lui indiquant le clan de sa mère et celui de son père, le nom de divers tantes et oncles, aussi bien maternels que paternels, suffisamment âgés et suffisamment importants dans les domaines rituels ou politiques pour que cette vieille dame ait pu en entendre parler.

Elle l'écouta, hocha la tête quand il eut terminé et lui fit signe d'entrer.

— Je suis née au Clan du Dindon, lui dit-elle. Ma mère est Femme-Voûtée Tsossie du Clan du Dindon et mon père était Jefferson Tom du Dinee du Sel.

Elle parlait avec cette voix usée qu'ont les personnes âgées, lui indiquant le reste de son ascendance clanique, mentionnant ses proches et ses liens de clans, une litanie de noms appartenant à sa famille élargie et à ses ancêtres. Chee en reconnut quelques-uns : une femme qui avait tenu un rôle au Conseil Tribal bien avant sa naissance, un chanteur du Chant de la Voie de la Montagne dont son propre père avait parfois mentionné le nom, et un homme qui avait été, il y avait longtemps, très longtemps, juge tribal. Lorsqu'elle en eut terminé avec toute la procédure d'usage, elle lui offrit une bouteille de Pepsi-Cola glacé, Chee l'accepta, but une gorgée, laissa s'écouler un laps de temps convenable puis posa la bouteille sur le sol à côté de son siège.

— Ma Grand-Mère, lui dit-il, je viens ici de Shiprock dans l'espoir de pouvoir trouver une femme qui appartient à votre clan. Elle porte le nom de Margaret Billy Sosi. (Chee marqua une pause). J'espère que vous pouvez m'aider à la trouver.

— Elle n'est pas ici, répondit Fille de Femme-Voûtée. Pourquoi voulez-vous la voir ?

— Je travaille pour le Dinee. Je suis membre de la Police Tribale Navajo. Nous souhaitons retrouver un homme du Clan du Dindon que l'on appelle Hosteen Ashie Begay. Il est le grand-père de Margaret Billy Sosi. Elle aussi le cherche.

Chee se tut, remarquant l'expression qu'avait pris le visage de la vieille femme. Elle était sceptique. Il ne ressemblait pas à l'image qu'elle se faisait d'un membre de la Police Tribale Navajo : sans uniforme et avec sa chemise écossaise froissée par le voyage et son blue-jean. Chee avait ce penchant naturel qu'ont les Navajos pour la propreté corporelle et même un peu plus. Mais les seuls bagages qu'il avait faits pour ce voyage avaient consisté à glisser une brosse à dents dans sa poche de chemise ainsi qu'une paire de chaussettes et un slip de rechange dans la boîte à gants du pick-up truck. Il donnait maintenant l'impression d'avoir passé deux nuits en prison. Il sortit ses papiers officiels de sa poche revolver et les présenta à la vieille femme. Fille de Femme-Voûtée ne changea pas d'expression. Peut-être, pensa-t-il un peu tard, son scepticisme ne concernait-il pas Chee, l'inconnu qui présentait mal, mais Chee, le Policier Navajo. Les rapports existant entre le Dinee et ses forces de police n'étaient pas universellement plus sereins que dans n'importe quelle autre société.

— Il faudrait que vous parliez à Femme-Voûtée, lui dit la vieille femme.

Chee ne dit rien. Femme-Voûtée ? Quand il avait vu l'âge qu'avait Fille de Femme-Voûtée, il en avait conclu que Femme Voûtée était morte. Il n'était pas doué pour deviner l'âge des gens, surtout pour les femmes. Mais elle devait avoir quatre-vingts ans. Peut-être plus.

Fille de Femme-Voûtée attendait, ses mains toutes ridées jointes sans bouger dans les plis de sa jupe volumineuse.

— Si elle veut bien me parler, dit Chee. Oui. Ce serait une bonne chose.

— Je vais voir, dit-elle.

Elle se leva douloureusement de sa chaise et disparut en boitillant derrière la lourde couverture qui était suspendue devant le passage donnant sur l'arrière de la maison.

Chee examina la pièce. La couverture représentait ces motifs gris et noirs très populaires chez les artisans de la région de Coyote Canyon, et elle paraissait très ancienne. Les seuls meubles étaient le sofa trop mou et usé où la vieille femme l'avait installé, un fauteuil à bascule et une petite table au plateau en plastique. Un calendrier était accroché au mur en face de lui : une illustration en couleurs offerte par une entreprise funéraire de Flagstaff et qui représentait l'or de l'automne dans les branches des trembles de Canyon de Chelly. La page du calendrier était celle du mois d'août et remontait à sept ans. Deux caisses de boîtes de Pepsi-Cola étaient entassées contre le mur et, à côté d'elles, il y avait trois jerricans de vingt litres dont Chee supposa qu'ils devaient contenir de l'eau. Une lampe à pétrole dont le verre était taché de suie était posée sur la table. Visiblement, les commodités telles que l'eau courante, le gaz, l'électricité et le téléphone n'avaient pas encore été fournies par ceux qui avaient vendu ce lotissement.

Chee entendit Fille de Femme-Voûtée qui s'exprimait à voix haute et patiente, expliquant la présence du visiteur à quelqu'un qui était apparemment dur d'oreille, disant qu'il voulait voir «la petite-fille d'Ashie Begay». Donc elle est venue ici, se dit Chee. Elle est venue ici, c'est presque certain. Puis la couverture servant de rideau fut écartée et un fauteuil roulant apparut.

La femme qui y était assise était aveugle. Chee le vit

tout de suite. Ses yeux étaient ouverts, orientés vers la porte d'entrée derrière lui, mais ils avaient l'aspect voilé du glaucome qui affectait tant de vieilles gens appartenant à son peuple. Aveugle, sourde en partie, et immensément vieille. Ses cheveux formaient un nuage de duvet blanc, et son visage, édenté, s'était ratatiné sur lui-même jusqu'à n'être plus qu'une masse de rides. Telle était Femme-Voûtée.

Chee se leva et se présenta à nouveau, parlant lentement et très fort, et s'assurant qu'il observait toutes les règles de courtoisie traditionnelles que sa mère lui avait enseignées. Cela une fois fait, il s'arrêta un moment dans l'attente d'une réponse. Aucune ne vint.

— Est-ce que je m'exprime suffisamment clairement, ma Grand-Mère ? demanda-t-il.

La vieille femme acquiesça de la tête, un geste à peine perceptible.

— Dans ce cas je vais vous expliquer pourquoi je suis venu, reprit-il.

Il commença au tout début, à sa visite au hogan d'Ashie Begay et à ce qu'il y avait découvert, à sa rencontre avec Margaret Sosi qui avait eu lieu plus tard au même endroit, à ce que Margaret lui avait dit et à ce qu'il avait omis de lui demander. Enfin, il eut fini.

Femme-Voûtée était immobile. Elle s'est endormie, se dit Chee. Cela va prendre du temps. Fille de Femme-Voûtée se tenait derrière le fauteuil, les mains sur les poignées. Elle poussa un soupir.

— La petite doit rentrer chez elle, dit Femme-Voûtée en navajo.

Sa voix était lente et faible.

— Elle ne trouvera rien ici, à part des ennuis, poursuivit-elle. Elle doit retourner dans sa famille et vivre avec les siens. Elle doit vivre à Dinetah*.

— Je vais la ramener chez les siens, dit Chee. Pouvez-vous m'aider à la retrouver ?

— Restez ici. Elle va revenir.

Chee adressa un regard interrogateur à Fille de

Femme-Voûtée.

— Elle a pris le bus, expliqua celle-ci. Elle est partie en ville quand le soleil s'est levé. Elle a dit qu'elle serait de retour avant qu'il ne commence à faire nuit.

— Mais il commence à faire nuit, observa Chee.

Il se rendait compte à quel point Margaret Sosi s'était montrée discrète. Quelque chose le rendait mal à l'aise. Le numéro inscrit sur le calendrier de Madame Day ne quittait pas ses pensées.

— Y a-t-il quelqu'un d'autre qui est venu la demander ? s'enquit-il. Poser des questions sur elle ?

Fille de Femme-Voûtée secoua négativement la tête.

— Quand pensez-vous qu'elle va être de retour ?

— Il y a un bus par heure, dit Femme-Voûtée. Il s'arrête en bas là où il y a le plan. Un par heure jusqu'à minuit.

— A quel moment arrive-t-il à peu près ?

— A vingt, précisa Fille de Femme-Voûtée. Quand il est à l'heure.

Chee consulta sa montre. Il était dix-sept heures trentre-cinq. Trois kilomètres et demi jusqu'à l'arrêt de bus, évalua-t-il. Elle pourrait être là d'ici quinze ou vingt minutes. Si elle marchait vite. Si le bus était à l'heure… Si…

Femme-Voûtée fit un bruit de gorge.

— Elle devrait rentrer dans sa famille, dit-elle. Elle essaye de trouver Ashie Begay, mon petit-fils. Ashie Begay est mort.

C'était une phrase sans ambiguïté. Un fait énoncé sans émotion.

Fille de Femme-Voûtée poussa un nouveau soupir. Elle regarda Chee.

— C'était mon neveu, expliqua-t-elle.

— Ashie Begay est mort ? interrogea Chee.

— Il est mort, répéta Femme-Voûtée.

— C'est Margaret Sosi qui vous a dit ça ?

— La petite pense qu'il est toujours en vie, reprit Femme-Voûtée. Je lui ai dit, mais elle croit ce qu'elle a envie de croire. Les jeunes agissent parfois comme ça.

Chee ouvrit la bouche. La referma. Comment devait-il énoncer sa question ?

— Quand j'étais jeune, reprit Femme-Voûtée, moi aussi je croyais ce que j'avais envie de croire. Mais on apprend.

— Grand-Mère, commença Chee. Comment avez-vous appris qu'Ashie Begay est mort ?

— En écoutant ce que vous m'avez dit, répondit la vieille femme. Et ce que la petite m'a dit.

— Je pensais qu'il était peut-être encore en vie, dit Chee. Et elle est sûre qu'il est en vie.

Les yeux de Femme-Voûtée étaient maintenant fermés. Chee pensa qu'elle était endormie. Ou morte. Si elle respirait sous ces épaisseurs de couvertures et de châles, Chee n'en voyait aucune manifestation. Mais apparemment Femme-Voûtée rassemblait seulement ses forces en prévision de ce qu'elle avait à lui dire.

— Ashie Begay a du sang Tewa dans les veines. Son grand-père était de Jemez. Le Clan du Sel est parti un hiver dans la direction du soleil du matin, par-delà la Montagne Turquoise, pour ramener des moutons, et ils sont revenus avec des enfants de Jemez. Ils en ont revendu certains contre du maïs et des chevaux, mais la grand-mère d'Ashie Begay est devenue la femme de l'un des hommes du Clan du Sel et a porté l'homme qui était le père d'Ashie Begay. Donc Ashie Begay a du sang du Peuple-qui-Appelle-les-Nuages* dans les veines. Du sang Tewa, et du Sang du Clan du Sel, et son père s'est marié dans le Clan du Dindon, et la lignée de sa mère était le Rocher Debout du côté de son père. Et tout cela doit être pris en considération pour que vous compreniez pourquoi je sais qu'Ashie Begay est mort.

Femme-Voûtée s'arrêta un moment pour reprendre sa respiration (qui était devenue laborieuse), ou peut-être pour permettre à Chee de faire un commentaire. Chee n'avait aucun commentaire à faire. Il ne comprenait pas pourquoi il fallait qu'Ashie Begay soit mort. Rien de tout cela ne l'aidait à y parvenir.

Femme-Voûtée prit une inspiration laborieuse, faisant remuer les couvertures entassées sur elle. Elle commença à expliquer la parenté d'Ashie Begay en termes de caractère de ses ancêtres. Fille de Femme-Voûtée restait patiemment derrière le fauteuil roulant, perdue dans ses pensées. Chee jeta un coup d'œil à sa montre. Si le bus était arrivé à l'heure, si Margaret Sosi était dedans, et si elle marchait d'un bon pas, elle devait maintenant être à moins de huit cents mètres de la maison.

— Donc, poursuivait Femme-Voûtée, vous voyez qu'Ashie Begay a aussi de mon sang dans ses veines. Tous ces sangs se combinent et cela donne un certain type d'homme. Ça donne le type d'homme qui n'aurait pas laissé le jeune Gorman mourir dans son hogan. Il se serait montré prudent. Les Tewas sont prudents. Le Clan du Sel est un clan prudent. Il aurait sorti le jeune Gorman de son hogan afin qu'il meure sans risque à l'air pur. Donc le hogan ne serait pas condamné à cause du *chindi*.

Il avait fallu beaucoup de temps à Femme-Voûtée pour dire tout cela, avec de nombreuses pauses. Maintenant elle était silencieuse et respirait difficilement.

— Mais il y avait un trou dans le hogan, protesta Chee. Le trou à fumée était obstrué. Le mur nord était ouvert. Il n'y avait plus rien à l'intérieur.

— Il n'y avait plus rien ? interrogea-t-elle. Il ne restait rien ?

— Des ordures, c'est tout.

— Vous avez regardé ?

— C'était un hogan *chindi*, expliqua Chee. Je ne suis pas entré à l'intérieur.

Femme-Voûtée emplit ses poumons. Elle toussa. Elle rejeta une grande quantité d'air. Elle tourna ses yeux aveugles vers Chee comme si elle pouvait le voir.

— Il n'y a donc qu'un *belacani** qui a regardé ?

— Oui, acquiesça Chee. Un policier blanc.

Il savait ce qu'elle insinuait.

Elle resta un long moment immobile, les yeux à nouveau fermés. Chee avait conscience du changement de lumière de l'autre côté de la fenêtre. Le ciel qui virait au rouge avec le crépuscule. L'obscurité qui descendait. Margaret Sosi devait être en train de marcher au cœur de cette obscurité. Il se souvint du numéro de téléphone sur le calendrier de Madame Day. Il ressentait le besoin urgent de sortir et d'aller à la rencontre de Margaret. Il lui demanderait tout de suite ce qu'il y avait d'écrit sur cette carte postale. Il ne prendrait plus le moindre risque.

— Si Ashie Begay est en vie, dit Femme-Voûtée, je l'apprendrai un jour. Quelqu'un de la famille le saura et la nouvelle arrivera jusqu'à moi. S'il est mort, ça ne devrait pas avoir d'importance. Mais ça en a parce que cette enfant croit qu'il est en vie et qu'elle continuera toujours à le chercher.

Femme-Voûtée se tut un instant, reprenant sa respiration et tournant à nouveau son visage vers Chee :

— Elle devrait chercher d'autres choses. Pas quelqu'un qui est mort.

— Oui, dit Chee. Grand-mère, vous avez raison.

— Vous pensez qu'Ashie est en vie ?

— Je ne sais pas. Peut-être pas.

— Si quelqu'un l'a tué, est-ce que ce serait quelqu'un du Peuple ? Ou est-ce que ce serait un *belacani* ?

— Un homme blanc, répondit Chee. Je pense que ce serait un homme blanc.

— Alors c'est un homme blanc qui a enterré Albert Gorman. Et un homme blanc qui a fait le trou du hogan ?

— Oui. Si Ashie Begay est mort, c'est ce qui a dû se passer.

— Je ne crois pas qu'un *belacani* saurait le faire comme il faut.

— C'est vrai, dit Chee.

Il pensait aux cheveux d'Albert Gorman qui n'avaient pas été lavés.

— Quelqu'un devrait aller s'en assurer, reprit Femme-Voûtée. Il le faut pour que cette enfant sache que son grand-père est mort. Pour que cette enfant puisse trouver le repos.

— Oui, acquiesça Chee.

Et qui d'autre pourrait-il y avoir pour s'en charger, à part Jim Chee ? Et cela signifiait entrer dans le hogan du fantôme, s'introduire par le trou noir percé dans le mur nord. Cela voulait dire franchir le seuil des ténèbres.

Femme-Voûtée était tournée vers lui et attendait sa réponse. Chee avala sa salive.

— Grand-Mère, dit-il, je vais partir et faire ce que je peux faire.

18.

Chee roulait à travers un paysage de plus en plus sombre et sous un ciel rougeoyant aux teintes cuivrées. Il était un fin connaisseur en matière de couchers de soleil, un collectionneur d'images mentales représentant les ciels nuageux aux couleurs éclatantes et les horizons rougeoyants à l'ouest que le Plateau du Colorado présente avec une remarquable diversité au gré des saisons. Mais il n'avait jamais vu un coucher de soleil semblable à celui-là : avec la lumière du soir qui tombait à l'oblique et était filtrée à travers une atmosphère d'humidité océane et d'exhalaisons chimiques. Cela conférait une teinte dorée à des objets qui auraient dû être gris, marron clair, ou même bleus ; cela rendait la fraîcheur du soir moins présente qu'elle ne l'était en réalité et lui donnait l'impression étrange qu'il se trouvait sur une terre inconnue, que le cri de l'oiseau qui parvenait à ses oreilles de quelque part sur sa droite n'était nullement le fait d'un oiseau mais de quelque chose de mystérieux, et que lorsqu'il atteindrait la crête, il ne dominerait pas les panneaux d'affichage proclamant l'entrée de Jacaranda Estates mais Dieu seul savait quoi.

Arrivé au sommet de la crête, Chee rangea son véhicule sur le côté de la piste et coupa le moteur. Une petite silhouette grimpait la côte en avançant vers lui. Il sortit ses jumelles de la boîte à gants et les régla sur la personne qui marchait. C'était Margaret Billy Sosi, ainsi qu'il l'avait deviné, et elle avait l'air fatiguée. Au pied de la côte, loin derrière elle, une voiture roulait sur l'asphalte, phares allumés. Par la vitre ouverte, Chee entendait le grondement assourdi de la circulation sur l'autoroute, quelque part de l'autre côté de la colline suivante. Un autre véhicule, qui roulait en lanternes, ralentit en passant devant le panneau annonçant l'entrée de Jacaranda et s'arrêta, puis repartit en marche arrière et bifurqua sur la route du lotissement. Chee le regarda un moment puis reporta son attention sur la jeune fille. Elle avait laissé son caban quelque part et portait un jean et un chemisier de couleur blanche. Elle était encore plus petite que dans son souvenir. Et plus maigre. Allait-elle accepter de retourner dans la réserve avec lui ? Peut-être pas. Femme-Voûtée l'aiderait s'il avait besoin d'aide. Mais d'abord, il obtiendrait les réponses aux questions qu'il avait omis de poser au hogan de Begay. Il obtiendrait la réponse qui lui permettrait de résoudre ce vilain petit puzzle.

Le véhicule qui grimpait la piste de terre était une camionnette, marron foncé ou peut-être verte. Ses phares s'allumèrent, soulignant à contre-jour la silhouette de la jeune fille. Celle-ci s'écarta de la piste. La camionnette avança jusqu'à sa hauteur et fit halte. Le conducteur se pencha à l'extérieur tout en parlant à Margaret. Puis la portière s'ouvrit et l'homme descendit. Un homme grand aux cheveux blonds, peut-être un mètre quatre-vingt-cinq ou un mètre quatre-vingt-dix, et solide. Il dominait Margaret de sa taille, lui montrant quelque chose qu'il tenait à la main. Dans les jumelles, l'objet ressemblait à un portefeuille. Chee retint sa respiration.

L'autre main de l'homme, celle qui pendait au bout de son bras le long de son corps, était marquée d'une tâche blanche. L'un des doigts était bandé.

Chee abaissa les jumelles, se souvenant de la description mimée que monsieur Berger lui avait fournie de l'homme qui était venu chercher Albert Gorman et dont le doigt avait été coincé dans la portière de la voiture. Il pensa également à son propre pistolet, enfermé dans un tiroir à côté de son lit, à Shiprock. Il mit le contact et engagea son pick-up truck dans la descente.

19.

Pratiquement au moment même où il s'était engagé sur l'asphalte craquelé au début de Jacaranda Street, Vaggan avait remarqué le pick-up truck garé en haut de la côte. Il s'était inscrit dans sa perception des choses comme un élément gênant, rien de plus. S'il y avait quelqu'un à l'intérieur, cet occupant deviendrait un témoin. Ce qui allait modifier, nécessairement, la manière dont Vaggan allait mener son affaire. Sa tâche immédiate consistait à déterminer si la silhouette féminine qui grimpait péniblement la pente dans la direction du pick-up truck était bien, comme il le supposait, celle de Margaret Billy Sosi. Si oui, c'était un coup de chance. Ce serait bien plus facile de l'embarquer là plutôt qu'à telle ou telle habitation qu'il trouverait à cette adresse que McNair lui avait donnée. Ici, ce serait assez simple de faire monter la jeune fille dans la camionnette, et de le faire sans éveiller la méfiance. Par conséquent Vaggan avait été conscient de la présence du pick-up truck mais ne l'avait ressentie que comme un léger contretemps. Et voilà que, soudain, le moteur du pick-up truck démarrait et que le véhicule se mettait à dévaler la pente dans sa direction.

Vaggan avait arrêté sa camionnette de telle sorte qu'en se penchant à la portière du côté du conducteur, il se trouvait juste derrière la jeune fille. Il avait dit : «Mademoiselle Sosi» d'une voix claire et autoritaire. Elle avait fait halte, s'était retournée et l'avait regardé d'un air indécis.

— Je m'appelle Davis, Bureau du Shérif du Comté de Los Angeles, avait-il dit en lui montrant le porte-cartes en cuir contenant les pièces justificatives dont il se servait quand la situation exigeait qu'il appartienne à la police. Il faut que je vous parle.

— A quel sujet ? avait demandé Margaret Billy. C'est pour mon grand-père ?

— Oui.

Et, désormais assuré qu'elle allait rester où elle était et l'attendre, il avait ouvert sa portière et était descendu la rejoindre.

— C'est pour votre grand-père. Il faut que je vous emmène jusqu'à lui.

Vaggan lui avait à nouveau montré son porte-cartes et, tandis qu'elle le regardait, il avait posé sa main sur l'avant-bras de la jeune fille. C'était un bras maigre (tout en os), et la certitude qu'il avait eue que cette gamine ne lui poserait absolument aucun problème s'en était trouvée renforcée. La jeune fille n'avait fait aucune tentative pour se dégager.

— Où est-il ? avait-elle demandé en regardant Vaggan droit dans les yeux. Il va bien ?

— A l'hôpital. Venez.

C'était à ce moment-là que Vaggan avait entendu le pick-up truck qui, dans un rugissement de moteur, dévalait soudain la pente en faisant des zigzags et en bringuebalant : il quitta la piste creusée d'ornières, roula en tressautant à travers un tas de petits cactus, puis reprit la route dans un cahot, fonçant droit sur eux.

— L'espèce de connard ! s'écria Vaggan.

Il fit un bond vers la portière de la camionnette, puis

165

un autre bond en arrière. Il n'aurait pas le temps de la déplacer. Il entraîna la jeune fille à l'écart.

— Qu'est-ce qui lui prend ? demanda-t-elle.

Vaggan ne répondit pas. Il avait glissé la main sous sa veste pour sortir son pistolet qu'il avait armé et placé derrière son dos.

Le moteur du pick-up truck se tut aussi soudainement qu'il avait démarré. Le véhicule quitta à nouveau la route et s'arrêta dans une embardée, la portière s'ouvrant alors qu'il roulait encore. Un homme se pencha à la portière et, tandis qu'il se penchait, son chapeau tomba.

— *Ya-ta-hey** ! cria-t-il.

Il manqua à moitié de tomber par la portière, se rattrapa et récupéra son chapeau.

— *Ya-ta-hey* ! cria-t-il à nouveau.

— Je crois qu'il est saoul, dit-elle.

— Oui, répondit Vaggan.

Il se détendit un peu. L'homme remit son chapeau, un vieux bidule de cow-boy en cuir, et dit quelque chose à Vaggan. Il arborait un large sourire et les mots qu'il avait prononcés étaient du navajo. Il se tut, éclata de rire et répéta la même chose.

— Qu'est-ce qu'il a dit ? demanda Vaggan.

Il ne quittait pas l'ivrogne des yeux. C'était un gars assez jeune, la petite trentaine, évalua-t-il, et il se tenait légèrement voûté. Il avait un pan de chemise qui sortait de son pantalon et l'une de ses jambes de jean s'était prise dans le haut de sa botte poussiéreuse. Partant du coin de sa bouche, un filet de salive lui avait coulé sous le menton.

Pendant un instant, la jeune fille ne répondit rien. Elle avait les yeux fixés sur Vaggan et une drôle d'expression sur le visage. Puis elle dit :

— Il dit qu'il a des problèmes avec son pick-up truck : il refuse d'aller droit. Il veut que vous lui donniez un coup de main.

— Dites-lui de se barrer, ordonna Vaggan.

Il glissa le pistolet sous sa ceinture, soudain conscient

qu'il avait la migraine. Il n'avait pas eu son compte de sommeil. A cause de l'excitation de la veille au soir. Il fallait compter des heures avant que la tension nerveuse ne le quitte.

Après être parti de chez McNair, il avait étudié sa carte de Los Angeles et Villes Limitrophes. Jacaranda Street n'y figurait nulle part. En fin de compte, il lui avait fallu passer un coup de téléphone au Service d'Entretien des Routes du Comté de Los Angeles pour déterminer où elle se trouvait. La politique de Vaggan consistait à arriver sur les lieux où il s'attendait à devoir entrer en action juste à l'heure du crépuscule : quand il faisait suffisamment clair pour y voir si on savait ce que l'on cherchait, mais suffisamment sombre pour que les témoins puissent douter de ce qu'ils avaient vu. En d'autres circonstances il serait venu faire un tour sur le site, aurait reconnu le terrain et l'aurait mémorisé. Cette fois-ci il avait trouvé la rue, mais lorsqu'il s'était rendu compte de son caractère isolé, il était demeuré à l'écart et avait attendu le soir. Il voulait que personne dans Jacaranda ne se souvienne d'avoir vu sa camionnette à deux reprises, dont la première en plein jour.

Il avait réglé son poste sur la station qui passait exclusivement des informations, l'avait sorti et posé sur le mur de soutènement en béton à côté de sa seconde tasse de café. Comme tout ce que Vaggan possédait qui nécessitait une source d'énergie, sa radio fonctionnait à l'aide de piles. Dans le futur tel que Vaggan l'anticipait, sa radio à piles devrait pouvoir durer environ trois semaines seulement après LE JOUR. Les émissions seraient rétablies moins de quelques heures après que la bombe (et que la surtension de courant dévastatrice due aux explosions nucléaires) aurait anéanti le réseau de production d'électricité du monde civilisé. Les générateurs de secours prendraient la relève, et les ondes seraient envahies de voix paniquées : ordres concernant la défense civile et, surtout, appels au secours. Vaggan estimait que cette phase durerait quelques semaines puis s'éteindrait, et il n'aurait

167

plus ensuite besoin de son poste récepteur. Pour cette brève mais importante période, il gardait quatre piles au silicium à l'intérieur d'une petite boîte dans son congélateur. C'était plus qu'il n'était nécessaire.

Les nouvelles locales s'étaient ouvertes sur un récit de l'opération Vaggan. Il l'avait écouté en avalant son café.

— La police signale un crime bizarre commis à Beverly Hills, au cours duquel le présentateur de magazine de télévision Jay Leonard a été blessé par un inconnu qui s'est introduit dans son immense demeure et lui a planté dans les oreilles des agrafes métalliques qu'on utilise pour les bovins. La police a signalé que l'inconnu avait appelé des journaux de la région et des stations de télévision après l'agression pour leur dire que Leonard était en route pour la salle des urgences de l'hôpital général de Beverly Hills. L'hôpital a déclaré que l'état de Leonard était satisfaisant mais qu'il n'était pas autorisé à répondre à la presse. Voilà ce que le lieutenant Allen Bizett, des forces de Police de Los Angeles, a bien voulu nous déclarer.

Bizett n'avait dit que peu de choses, expliquant sans articuler ses mots que Leonard avait dit qu'il ne connaissait pas la raison de l'agression, qu'il avait reçu un coup de téléphone anonyme le menaçant et qu'il avait engagé un garde pour sa protection. Bizett avait ajouté que le garde avait été neutralisé par l'inconnu qui avait également tué deux chiens de garde. Il avait décrit le suspect comme étant «un homme de race blanche solidement bâti».

Le sujet étant épuisé, le présentateur était passé à la chasse à l'homme qui continuait dans le but de retrouver un voleur armé qui avait tué un client et blessé un employé dans une boutique de journaux la veille, puis à un embouteillage qui avait battu tous les records à la suite d'un accident entre deux camions sur l'autoroute de San Diego. Le chapitre avait été bref mais suffisant, et il allait prendre une place plus importante dans les journaux de l'après-midi et les informations télévisées du soir. Ils seraient alors au courant de l'histoire de la tête des chiens, avec les corps qui demeuraient introuvables, et d'autres détails singuliers qu'il avait intégrés à l'ensemble, ainsi que de ses appels téléphoniques qui leur donneraient le mobile : suffisant pour lui permettre de gagner son bonus, mais il n'avait jamais douté qu'il y réussirait.

Il avait achevé de boire son café, s'était demandé s'il allait en reprendre une tasse mais y avait renoncé. Le café était le seul écart qu'il faisait par rapport aux règles de son père. Une habitude qu'il avait contractée lors de sa première année à West Point, et il avait rationalisé cette utilisation en disant qu'il s'agissait d'un stimulant dont son système nerveux avait besoin. Même ainsi, même aujourd'hui, vingt années après que le Commandant lui eut adressé la parole pour la dernière fois, il avalait son café avec un sentiment de malaise qu'il n'avait jamais réussi à bien définir. «Pure faiblesse», lui avait dit le Commandant qui était assis en face de lui de l'autre côté de la table du petit déjeuner. «Les gens considèrent que d'être un enfant constitue une excuse. Mais ce n'est pas une excuse. A Sparte, ils commençaient à en faire des hommes dès l'âge de huit ans. Ils les séparaient des femmes. Ils leur apprenaient à supporter la douleur. A supporter le froid. A supporter la faim. Ils arrachaient la faiblesse. Nous, nous l'entretenons.» Vaggan revoyait la scène parfaitement. Son père dans son costume de flanelle blanche impeccable, avec ses cheveux blonds taillés en brosse, sa moustache soignée, sa rangée de décorations. Ses yeux bleus qui étaient fixés sur lui, qui étaient fiers de lui, qui lui apprenaient à devenir fort. Cette pensée avait entraîné Vaggan, comme elle le faisait toujours, vers un domaine où il n'avait pas envie de s'aventurer : vers West Point et le fait qu'il s'était fait prendre, et vers Roser, le Capitaine des Cadets Roser. Vaggan s'y était arrêté une nouvelle fois : juste un survol de sa mémoire à la recherche de quelque chose qui aurait pu avoir été négligé. Non. Rien de changé. Sa décision avait été la bonne : il fallait tuer Roser rapidement, avant qu'il ne puisse faire un rapport. La tactique avait été correcte.

Le coup porté avec la batte de softball aurait dû être à la fois fatal et anonyme. Mais pour une raison ou pour une autre Roser n'était pas mort. L'expulsion elle-même n'avait pas vraiment compté. West Point avait représenté une déception avec ses éternelles homélies sur les vérités mortes d'autrefois qui n'étaient plus des vérités... à considérer qu'elles en eussent jamais été. Mais le rapport était arrivé jusqu'au Commandant. Et le Commandant avait envoyé le télégramme.

JE T'AI MIS EN TERRE A COTE DE LA FEMME.

Vaggan n'avait pas connu la femme. Elle l'avait porté. Elle avait dû lui donner les gènes qui expliquaient sa taille, parce que le Commandant était petit. Mais elle ne figurait pas même dans ses tous premiers souvenirs. Le Commandant n'avait jamais parlé d'elle. Interroger le Commandant était impensable.

Le journaliste avait parlé de Berlin, un sujet qui avait toujours retenu l'attention de Vaggan. Le Commandant avait été persuadé que tout commencerait à cause de Berlin et Vaggan n'en avait jamais douté. Mais la nouvelle en question était dénuée d'importance : un vote de confiance au Bundestag. Il en allait de même pour le reste des informations. L'avalanche n'allait pas se déclencher dans la journée. Il avait donc terminé son café, inspecté rapidement son flanc de colline ainsi que la redoute qu'il y faisait bâtir, et, quand l'heure était venue, il s'était mis en route pour trouver Jacaranda Street et il se retrouvait maintenant en face de cet Indien ivre qui lui souriait d'un air idiot et ne lui obéissait pas alors qu'il lui ordonnait de partir.

— Fichez le camp, répéta Vaggan. Ou vous allez passer la nuit au poste.

L'Indien dit quelque chose en navajo et éclata de rire. Il fit le tour de la camionnette de Vaggan, ouvrit la portière du passager et grimpa à l'intérieur.

— Fils de pute ! gronda Vaggan.

Il allait apparemment être obligé d'employer la manière forte avec cet Indien, ce qui allait prendre du temps et peut-être même attirer l'attention. Mais avec un peu de chance il allait pouvoir le faire sortir en le tirant par les pieds, lui coller sa raclée et en être débarrassé, puis filer avec la gamine sans encombre. Il faisait pratiquement nuit et cela allait lui faciliter les choses. Il se précipita de l'autre côté de la camionnette, tirant son pistolet de sous sa ceinture.

Il vit ce qui allait se passer beaucoup trop tard pour pouvoir l'éviter. Pendant une fraction de seconde il eut conscience que l'Indien s'élançait par la portière de la camionnette en abattant sa lampe torche, puis il y eut l'explosion de la douleur. Il n'eut que le temps de l'action réflexe. Des réflexes qui furent bons mais qui ne servirent qu'à atténuer la force maximum du coup grâce à un mouvement de recul. La lampe torche (quatre piles dans un lourd manche de bakélite) s'écrasa contre sa mâchoire supérieure, le fit s'écarter de la portière en titubant et s'écrouler contre le flanc de la camionnette. Un instant la violence du coup le rendit aveugle, lui faisant perdre conscience. L'instant suivant il était sur le sol, l'Indien sur lui. Vaggan réagit avec une violence explosive avant que l'Indien n'ait eu la possibilité de le frapper à nouveau. Il agrippa le coude de son adversaire, tira dessus, remua son corps. Le coup le rata.

Après cela, la lutte fut trop déséquilibrée. Vaggan se pesait tous les matins juste avant d'entamer les exercices quotidiens qui préludaient à son petit déjeuner. Ce matin-là, il avait accusé cent-quinze kilos cinq-cents : un kilo cinq cents en-dessous de ce qu'il considérait comme son poids normal. Tout en os, en cartilages et en muscles, entretenus et entraînés selon un régime que le Commandant lui avait déjà imposé antérieurement au premier souvenir qu'il gardait. En fait, son premier véritable souvenir de cette période de sa vie, c'était la fois où il avait pleuré. Il était en train de faire des flexions de jambes, le Commandant au-dessus de lui avec sa voix qui psalmodiait, «Encore, encore, encore, encore...», et la douleur de ses muscles fatigués avait transpercé le voile d'épuisement et entraîné l'ouverture de ses glandes lacrymales. Il n'avait pas pu les contrôler : le Commandant s'en était rendu compte et Vaggan avait gardé de cette expérience un souvenir de honte cuisante. «Ça ne te sert à rien si ça ne te fait pas mal», disait toujours le Commandant. Cette douloureuse expérience lui avait appris à contrôler ses larmes. Plus jamais il n'avait pleuré.

Et là il était absolument silencieux. L'Indien était vif. L'Indien était fort pour sa taille. L'Indien n'était pas ivre du tout. Cette illusion avait quitté son esprit au moment où il avait ressenti la douleur à la suite du coup. Mais l'Indien était plus jeune que lui, il faisait vingt-cinq kilos de moins et il n'avait pas le savoir-faire de Vaggan dans ce genre de domaine. Cela ne fut qu'une question de secondes (une courte lutte désespérée), et l'Indien se retrouva immobilisé sous lui. Vaggan sentit la torche contre son genou. Il avait perdu son pistolet quelque part, par conséquent il allait se servir de la lampe. Il abattit le tranchant de sa main sur le côté du visage de l'Indien, à deux reprises, assommant son adversaire. Puis il s'empara de la lampe, la leva et l'abattit.

— Lâchez-la, dit la voix.

Margaret Billy Sosi se tenait juste derrière lui ; elle tenait le pistolet à deux mains, braqué sur sa tête. Vaggan laissa la torche tomber sur la poitrine de l'Indien.

— Levez-vous et écartez-vous de lui, ordonna-t-elle.

Vaggan la jaugeait. Est-ce qu'elle tirerait ? Probablement pas. Il pouvait lui arracher le pistolet, mais cela lui prendrait un peu de temps. Il se leva. Il toucha du doigt sa pommette à l'endroit où le coup porté avec la torche avait fendu la chair.

— Il m'a frappé, dit-il en tendant la main. Allez, donnez-moi mon pistolet avant d'avoir tué quelqu'un.

La jeune fille recula de deux pas, maintenant l'arme braquée sur son ventre.

— Il m'a dit qui vous êtes, dit-elle. Vous n'êtes pas

un policier.

— Si. Et si vous...

— Relevez-le, dit-elle sans détacher ses yeux du visage de Vaggan. Hissez-le dans votre camionnette. Nous devons l'emmener dans un hôpital.

— D'abord, insista Vaggan, il faut que vous me rendiez mon pistolet.

Il avança d'un pas vers elle.

— Je vais vous tuer, dit-elle.

— Oh non ! fit Vaggan.

Il rit et fit un nouveau pas dans sa direction, la main tendue en avant.

Il sentit la balle qui lui frôlait le visage ; elle alla se ficher dans le flanc de la camionnette avec un bruit mat qui était presque aussi fort que celui de la détonation.

Il s'arrêta, tenant ses mains ouvertes à la hauteur de sa poitrine.

— La prochaine est pour vous, dit-elle. Hissez-le dans votre camionnette.

Vaggan s'immobilisa, puis glissa un bras sous les épaules de l'Indien, l'autre sous ses genoux, et le souleva pour le déposer doucement sur le siège du passager. La jeune fille se glissa derrière lui, attentive à bien tenir le pistolet, et ils démarrèrent.

20.

Lorsque Chee entendit la voix de Shaw résonner dans le couloir, cela faisait peut-être quarante-cinq minutes qu'il avait retrouvé ses esprits. Il avait eu tout le temps d'attirer l'attention d'une aide-soignante : elle avait bien voulu passer un coup de téléphone au bureau du policier pour laisser un message afin d'indiquer où Chee se trouvait et pour faire dire à Shaw dans quel hôpital il était. Mais Chee n'avait pas eu le courage d'expliquer exactement comment il y était arrivé ni pourquoi. Le pourquoi était suffisamment clair. Son crâne était bandé et, sous cette protection, il sentait un gros point douloureux au-dessus de son œil gauche, un élancement de l'autre côté à la pointe de la mâchoire, et une douleur interne persistante. A part cela, il souffrait de la hanche gauche (la sensation cuisante que laisse la peau quand elle est arrachée), et il avait le nez enflé. Lorsqu'il avait essayé de se souvenir avec précision de la façon dont chacune de ces misères s'était produite, il n'avait rencontré, au début, qu'un vide absolu et effrayant. Puis il s'était souvenu que les gens qui sont victimes de blessures, surtout ceux qui souffrent de blessures à la tête, passent souvent par une courte période d'amnésie. Un docteur de Flagstaff le lui avait une fois expliqué en des termes typiquement médicaux. «Nous ne savons pas comment cela se fait, mais nous savons que ça ne dure pas longtemps.» Et petit à petit les détails consentirent à réapparaître s'il faisait l'effort nécessaire. Mais il ne faisait guère d'efforts parce que ses maux de tête étaient épouvantables. De toute évidence, le grand type blond lui avait mis une raclée. Le savoir lui suffisait pour le moment.

Plus tôt, alors qu'il venait juste de reprendre ses esprits, Chee avait essayé de se lever. Cette erreur avait déclenché une explosion de douleur derrière son front et des vagues de nausée : cela avait été suffisant pour le convaincre qu'il n'était absolument pas en forme pour faire quoi que ce soit, même s'il se souvenait parfaitement bien de ce qu'il aurait dû faire. Il avait donc fait prévenir Shaw, et Shaw se tenait maintenant à côté de son lit et le contemplait avec des yeux remplis de curiosité.

— Vous l'avez retrouvée, dit-il. Que vous a-t-elle appris ?

— Quoi ? demanda Chee pour qui tout apparaissait comme à travers une brume.

— La petite Sosi. Celle qui vous a amené ici, précisa Shaw. Qui était l'homme qui se trouvait avec elle ? Qu'est-ce qu'elle vous a dit ?

Chee commençait à concevoir des questions. Ce qui lui donnait mal au crâne.

— Dites-moi juste une chose, articula-t-il. Pour ici. Comment est-ce que j'y suis arrivé ?

Shaw tira le rideau qui dissimulait le lit voisin, obtenant confirmation qu'il était vide. Il s'assit.

— D'après ce que j'ai pu reconstituer jusqu'à maintenant, un véhicule s'est présenté devant l'entrée des urgences un peu après vingt heures hier soir.

Il s'interrompit, sortit un carnet de la poche de sa veste et vérifia ce qui y était inscrit :

— Vingt heures dix, l'heure où vous avez été amené. Amené par une jeune fille, dans les dix-sept dix-huit ans. Maigre. Teint foncé. Probablement type indien ou oriental. Un grand gaillard blond était au volant. Il est parti pendant qu'elle vous faisait admettre. Elle a signé les papiers d'admission sous le nom de Margaret Billy Sosi.

Shaw remit son carnet dans sa poche puis demanda :

— Qu'avez-vous découvert ? Et comment vous sentez-vous ?

— Merveilleusement bien, répondit Chee. Et rien du tout.

Il raconta à Shaw ce qui s'était passé, jusqu'au moment où il avait frappé le type blond avec la lampe-torche. Ensuite, tout était brumeux.

Shaw l'écouta sans mot dire, le visage impénétrable, les yeux fixés sur ceux de Chee.

— Décrivez-moi la camionnette, dit-il.

Chee la décrivit.

— Vous avez vu le pistolet. Aucun doute là-dessus ?

— Aucun. Et il avait un arsenal à l'arrière de la camionnette. J'ai juste eu le temps d'y jeter un coup d'œil, mais il avait un ratelier rempli d'armes. Des fusils automatiques, peut-être de deux genres différents, un fusil de chasse, un fusil de précision à canon long équipé d'une

175

lunette téléscopique, d'autres trucs encore.

— Eh bien, dit Shaw. Voilà qui est intéressant.

— Et une armoire métallique. Dieu sait ce qu'il y avait dedans.

— Et la jeune fille croyait qu'il était policier.

Chee hocha la tête. Et regretta de l'avoir fait. Une douleur lancinante lui vrilla le crâne.

Shaw inspira à pleins poumons, puis rejeta l'air et dit :

— Eh ben merde. Vous avez une idée ?

— J'ai surtout un sacré mal de tête.

— Je vais passer un coup de fil, fit Shaw en se levant. Histoire d'envoyer quelqu'un à Jacaranda pour voir si on peut récupérer Sosi.

Parvenu sur le seuil de la pièce, il se retourna :

— C'est bien dommage que vous ne l'ayez pas frappé plus fort.

Chee ne fit aucun commentaire sur cette remarque. A travers son univers brumeux, il commençait à se rendre compte de ce que la jeune fille avait fait. Elle avait réussi à forcer le grand type blond à l'amener à l'hôpital. Comment diable avait-elle pu s'y prendre ? Il avait abandonné l'espoir de trouver une solution quand Shaw réapparut.

— C'est bon, dit-il. Ils vont la retrouver.

— J'en doute.

— On verra bien, dit Shaw.

Il baissa les yeux pour observer Chee.

— Mais qu'est-ce qui se passe ici ? Vous avez deviné ?

— Non, dit Chee.

— Je connais le type de la camionnette. Eric Vaggan. Travaille pour McNair. Ou en tout cas ça lui arrive, de temps en temps. Et pour d'autres, je suppose. Le genre de type qu'on appelle pour faire respecter les engagements pris.

Chee ne dit rien. Il espérait que Shaw allait s'en aller.

— La fille a quelque chose à voir avec l'affaire McNair, déclara Shaw. Il n'y a rien d'autre pour expliquer tout ça. Sans ça pourquoi est-ce que Vaggan se serait lancé à ses trousses ?

176

Il attendit que Chee le lui dise.

— Pourquoi est-ce que vous ne l'arrêtez pas, ce type ? Demandez-lui.

— Nous ne le connaissons pas si bien que ça. Nous n'avons pas sur lui de dossier digne de ce nom. Pas d'adresse. Juste des trucs récupérés par écoute téléphonique placée à l'autre bout du fil. Ce genre de choses. Des témoins qui décrivent un type qui ressemble à ça, et ainsi de suite. Rien de concret. Vous m'avez dit qu'il était en train de l'embarquer ?

— Elle a dit qu'il lui avait dit qu'il faisait partie de la police.

— Il devait avoir une raison pour ça. Qu'est-ce que ça pourrait être ?

Chee ferma les yeux. Ça ne l'aida pas beaucoup.

— Ce qu'il faut que nous fassions, énonça lentement Shaw, c'est d'aller voir Farmer pour lui parler de ça.

— Farmer ?

— L'assistant du district attorney. Celui qui s'occupe de l'affaire McNair. Peut-être que ça concorde avec quelque chose qu'il sait. Quand est-ce que vous pouvez sortir d'ici ?

— Je n'en sais rien, dit Chee.

— Je vais m'en occuper, alors. Je vais m'en occuper tout de suite.

C'était la fin de l'après-midi quand Shaw appela. Une aide-soignante avait apporté à Chee son déjeuner, et un docteur était venu ; il lui avait enlevé son bandage, l'avait examiné et avait dit qu'il ne fallait pas essayer de démolir les murs à coups de tête ou quelque chose de comparable. Ce qui avait fait glousser l'infirmière qui le secondait. Chee avait demandé quand il pourrait s'en aller et le docteur lui avait répondu qu'il souffrait d'une commotion cérébrale et qu'il devait rester un jour de plus pour voir comment les choses allaient évoluer. Elles avaient l'air d'évoluer correctement, au niveau physique. Après avoir mangé, il se sentit mieux ; sa vue n'était plus brouillée et ses maux de tête étaient devenus intermittents et tolérables à la fois. Lorsque l'employée du bureau de la comptabilité monta pour discuter avec lui de qui allait payer pour tout cela, il s'aperçut que sa mémoire avait retrouvé toute l'efficacité qui la caractérisait. Il débita le nom de la Compagnie d'Assurance Médicale de la Police Tribale, le montant de la prise en charge, et même les huit chiffres de son numéro de compte. Au moment où le téléphone se mit à retentir à côté de son lit, la seule chose qui continuait à le préoccuper était l'écorchure dont il souffrait à la hanche.

Shaw n'avait pas eu beaucoup de chance.

— C'est typique, dit-il. Farmer est parti depuis longtemps. Il a quitté le Ministère de la Justice pour aller travailler dans une étude privée de San Francisco. Celui à qui l'affaire a été confiée n'a apparemment même pas lu le dossier.

Le bruit que fit Chee dut paraître incrédule.

— Qu'est-ce qui presse ? lui demanda Shaw d'une voix légèrement amère. McNair ne sera pas jugé avant deux mois et en plus il y aura sûrement un report. Alors me voilà, assis dans son bureau à poireauter pendant qu'il parcourt le dossier, et le voilà qui relève les yeux et qui me dit, «Bon, O.K., qu'est-ce que vous voulez ?» Comme si je venais lui demander une faveur, bon Dieu.

Chee émit un bruit de commisération.

— Alors je lui raconte tout ce qui se rapporte à Margaret Sosi et le reste, et il m'écoute poliment et il se débarrasse de moi.

— Est-ce que vous lui avez parlé du rôle de Gorman, de Grayson, et de la caravane ?

— J'en ai touché un mot, oui.

— Qu'est-ce qu'il a répondu ?

— Il a rouvert le dossier, il y a jeté un coup d'œil et il a détourné la conversation.

— Vous en pensez quoi ?

— Ben, fit Shaw lentement. Je pense que Grayson est mentionné dans son dossier comme l'un de ses témoins protégés. A savoir Leroy Gorman.

— Ouais, acquiesça Chee. Je ne vois pas comment il pourrait en être autrement.

— C'est une perte de temps. Une perte de temps.

Il y eut un silence sur la ligne tandis que Shaw réfléchissait. Il soupira et reprit :

— Ah, enfin, je ne pense pas qu'il soit aussi bête qu'il m'en a donné l'impression. En tout cas, il est maintenant prévenu qu'ils sont sur la piste de Gorman. Soit il va l'emmener dans un endroit plus sûr, soit il va faire surveiller le coin.

Chee ne fit aucun commentaire. Il n'avait pas assez d'expérience de la manière dont agissaient les assistants des district attorneys des Etats-Unis pour pouvoir juger.

— Je crois que ce que je vais faire maintenant, dit Shaw, c'est de mettre le grappin sur ce Vaggan. J'aimerais bien découvrir où il habite et l'embarquer pour une raison ou une autre. Je vais vous demander de me signer une plainte. L'embarquer et voir si je peux apprendre quelque chose. Qu'est-ce que vous allez faire, vous ?

— Je suppose que je vais continuer à essayer de trouver Margaret Sosi. A moins que vous ne l'ayez fait ?

— Non. Elle était déjà repassée là-bas, dans Jacaranda, et elle avait pris ses affaires et décampé. En tous cas, c'est ce que la vieille dame qui y habite nous a dit. Et elle n'était pas dans la maison.

Shaw observa une pause, demanda :

— Où est-ce que vous allez la chercher, maintenant ?

La tête de Chee lui faisait à nouveau mal.

— C'est trop long à expliquer, dit-il.

21.

Il appela Mary Landon l'après-midi même, lui raconta ce qui lui était arrivé et lui dit qu'il allait rentrer dès qu'ils le laisseraient sortir de l'hôpital, ce qui voulait probablement dire le lendemain. Et lorsque la conversation fut achevée, il se sentit mieux. Mary s'était montrée touchée, de manière très naturelle : alarmée au début, furieuse ensuite qu'il n'ait rien fait pour empêcher cela, inquiète enfin. Elle allait prendre un congé à l'école et venir tout de suite. Non, lui avait-il dit. Le temps qu'elle arrive à Los Angeles, il serait probablement en route pour Shiprock. Elle allait venir quand même. S'il te plaît, avait-il insisté. Cela faisait bien trop de complications et elle ne pourrait absolument rien faire. Ensuite ils avaient parlé d'autres choses, ne laissant jamais la conversation dévier, ne serait-ce que légèrement, vers le cœur de leur problème. C'était comme autrefois quand ils se sentaient bien et heureux ensemble, et lorsque l'infirmière était entrée et que Chee avait dit qu'il fallait qu'il raccroche, Mary lui avait dit, «Je t'aime, Jim» et Chee, conscient de la présence de l'infirmière qui le regardait et l'écoutait, avait dit, «Je t'aime, Mary».

Et il l'aimait vraiment. Plus important, se disait-il même parfois, il l'estimait aussi. Il l'admirait. Il appréciait sa compagnie, sa voix, son rire, la façon dont elle le touchait, la façon dont elle le comprenait. C'était bien la bonne décision, celle qu'il était en train de prendre. Et il l'avait prise sans même en être conscient. Ce serait une erreur de sa part de la perdre. Ayant pris sa décision, il se mit en devoir de la conforter : il récapitula toutes les choses qui n'allaient pas concernant son travail, la réserve, la culture navajo. Il fit des comparaisons : entre cette chambre d'hôpital d'une part, le manque de confort et le froid du hogan de sa grand-mère d'autre part ; entre la sécurité d'une vie où la paye arrive régulièrement, et cette éternelle et horripilante dépendance à une pluie qui refuse de tomber et dont demeure esclave l'éleveur de moutons. Il compara les agréments de la société des Blancs avec le chômage et la pauvreté du Peuple. Avec une certaine perversité, ses pensées le conduisirent à la maison de repos *Les Cheveux d'Argent,* à Monsieur Berger, à la femme que son fils venait voir, et aux vieilles femmes qui habitaient dans Jacaranda Street, Femme-Voûtée Tsossie et Fille de Femme-Voûtée.

En fait, il lui fallut trois jours avant de pouvoir sortir de l'hôpital. Le lendemain, ses maux de tête étaient revenus, violents et persistants. Cela provoqua une seconde série de radios et un verdict renouvelé indiquant qu'il souffrait d'une commotion cérébrale. Mary appela dans le courant de l'après-midi et dut une nouvelle fois être dissuadée de tout laisser tomber pour venir le voir. Le jour suivant il se sentait mieux, mais les docteurs n'en avaient pas terminé avec telle ou telle analyse. Shaw passa et signala qu'il n'avait rien à signaler. Vaggan s'était révélé être étonnamment invisible. On le soupçonnait de n'être pas étranger à un cas d'agression extravagante contre l'une des personnalités de télévision de Southern California ; la description concordait et l'affaire semblait liée à un contrat non honoré, ce qui correspondait au genre de travail que faisait Vaggan. Mais il n'y avait aucune preuve tangible. Un témoin n'avait pas réussi à bien le voir, et la victime ainsi que sa petite amie avaient déclaré qu'il dissimulait son visage sous un bas. Shaw avait lancé un exemplaire du *Times* de Los Angeles sur le lit de Chee de façon à ce qu'il puisse lire ce qui concernait cette affaire. Il avait l'air fatigué et découragé.

Le lendemain, sur le chemin du retour, Chee sentit la même chose. Lui aussi se sentait déprimé, inquiet, frustré, irrité, et, d'une manière générale, à des lieues de cette condition à laquelle correspond le mot navajo *hozro**. Cela signifie une sorte de communion obtenue lorsqu'on est en harmonie avec son environnement, en paix avec ses conditions de vie, satisfait de sa journée, dépourvu de colère et libre de tous soucis. Chee pensa à l'apprentissage qu'il avait négligé et qui devait lui permettre de devenir *yataalii*, un shaman dont le travail consisterait à rendre ses frères navajos à l'état de *hozro*. Médecin, guéris-toi toi-même, pensa-t-il. Il roulait vers l'est, plus vite qu'il ne l'aurait dû, en direction de l'Interstate 40, renfrogné et maussade. Mary Landon ne quittait pas ses pensées : un problème qu'il avait réglé mais qui refusait de le rester. Et quand il détournait son esprit de ces pensées, c'était pour constater l'absence de cette insaisissable carte postale qui semblait être venue de nulle part pour arriver dans les mains d'Albert Gorman, puis dans celles d'Ashie Begay, avant de disparaître... à moins que Margaret Sosi ne l'ait en sa possession.

Il fit halte au motel de Flagstaff. Les nouvelles de vingt-deux heures touchaient à leur fin et ils en étaient aux prévisions météorologiques : la carte indiquait une zone de hautes pressions qui s'était installée au-dessus du nord de l'Utah et promettait de faire obstacle à l'hiver pendant au moins vingt-quatre heures encore. Chee se laissa tomber sur son lit, fatigué mais sans avoir sommeil, et se surprit à reprendre l'affaire depuis le début.

Tout ce qu'il y avait de plus simple en ce qui concernait Los Angeles. Un trafic de voitures volées démantelé, plusieurs suspects inculpés, d'autres persuadés d'apporter leur témoignage à la justice. L'un d'eux était Leroy Gorman. Jusque-là, ça paraissait clair. Leroy Gorman embarqué et caché sous le nom de Grayson selon le programme de protection officielle spéciale des témoins, et niant qu'il était Gorman parce que les agents fédéraux lui avaient ordonné de le nier. Si les informations dont disposait Shaw étaient correctes, Albert Gorman avait refusé de coopérer. Upchurch n'avait rien obtenu qui lui permette de lui faire peur. Mais quelque chose (apparemment cette photo/carte postale représentant la caravane), avait poussé Albert à décider de partir pour Shiprock afin de voir son frère. Il avait été pris en chasse. Pourquoi ? Vraisemblablement parce que ses employeurs voulaient qu'il les conduise à Leroy de telle sorte que Leroy puisse être éliminé en tant que témoin. Albert Gorman avait résisté. Albert Gorman avait été tué.

Allongé sur son lit, Chee pensait à tout cela en écoutant le grondement des camions qui circulaient sur l'autoroute. Il y avait un trou bizarre dans la partie qui concernait Los Angeles. Albert Gorman n'avait pas été suivi jusqu'à Shiprock. Ils avaient su qu'il s'y rendait. Lerner avait directement pris l'avion pour Farmington puis s'était directement rendu à Shiprock. Et si ce que Berger lui avait dit était exact, Vaggan s'était rendu à l'appartement de Gorman pour l'empêcher de se rendre à Shiprock. Autant pour ça. Autant pour les explications raisonnées et logiques. Mais au moins il savait maintenant pourquoi Lerner était parti faire le sale travail à la place de Vaggan. Vaggan était en train de faire mettre une attelle à son doigt qui avait été cassé quand Albert avait claqué la portière dessus. Un sacré progrès !

Chee grommela, expédia des coups de poing dans l'oreiller pour mieux en répartir la bourre et roula sur le côté. Rien ne concordait. Demain matin il allait appeler le capitaine Largo pour lui dire qu'il serait de retour à Shiprock avant le milieu de l'après-midi, et pour voir si Largo avait appris quelque chose pendant que lui était parti perdre son temps en Californie. Et il se plaindrait de ses maux de tête et demanderait une semaine de congé maladie. Il y avait un travail qu'il tenait à faire.

22.

De Flagstaff, qui se trouve près de la limite ouest de la Grande Réserve Navajo, à Shiprock, qui est presque

tout au nord, il y a environ trois cent soixante-dix kilomètres quand on prend la route la plus directe qui passe
par Tuba City. Chee prit cette route-là, partant du motel
avant le lever du soleil et s'arrêtant brièvement à Gray
Mountains pour appeler Largo.

D'abord, il régla les questions de service. Il allait
demander une semaine de congé maladie afin de laisser
le temps à son crâne de se remettre. Cela lui serait-il
accordé ? D'accord, dit Largo, d'une voix qui paraissait
neutre.

Au cours d'un coup de téléphone qu'il lui avait passé
depuis l'hôpital, Chee avait porté à la connaissance de
Largo les points essentiels concernant ce qui lui était
arrivé et ce qu'il avait appris. Cette fois, il lui en dit un
peu plus, y compris ce que Shaw avait appris, ou n'avait
pu apprendre, lors de sa visite au bureau de l'assistant
du district attorney.

— Pour Shaw cela ne fait aucun doute que le dénommé
Grayson est en réalité Leroy Gorman, expliqua Chee.
Pour moi non plus. Mais ce serait une bonne chose d'en
obtenir confirmation. Y a-t-il pour vous moyen d'y parvenir ? D'être absolument sûr que c'est effectivement un
témoin protégé ?

— Il l'est, répondit Largo.

— Vous avez vérifié ?

— J'ai vérifié. Grayson est Leroy Gorman. Ou je
devrais plutôt dire, Leroy Gorman est Grayson et le restera jusqu'à ce qu'ils le rembarquent pour Los Angeles
et qu'ils le fassent témoigner. Alors il sera à nouveau
Leroy Gorman.

Chee voulait demander à Largo comment il avait fait
pour l'apprendre. Il était évident que le FBI n'allait pas
confier à Largo ni à qui que ce soit d'autre ses histoires
de témoins qui étaient *top-secret*. Le fait que les agents
fédéraux faisaient entrer toutes sortes de criminels notoi-
res dans leur juridiction sous de fausses identités et sans
en prévenir personne constituait un point sensible depuis
fort longtemps aux yeux des autorités locales chargées

de faire respecter les lois. Le Ministère de la Justice disait que c'était essentiel pour la sécurité des témoins. Les autorités locales voyaient là une insulte implicite : un exemple supplémentaire démontrant que, pour les fédéraux, il ne pouvait être question de faire confiance aux gens du cru. Alors comment Largo avait-il vérifié ? La première possibilité qui vint à l'esprit de Chee fut une visite auprès du bureau local des téléphones afin de découvrir qui avait demandé que la caravane soit reliée au réseau.

— Est-ce que c'est Sharkey qui règle les notes de téléphone de Grayson ? demanda-t-il.

— Exactement, gloussa Largo. Et aussi la note correspondant au remorquage de la caravane de Farmington jusqu'ici : la compagnie qui s'en est chargée l'a envoyée directement au FBI. Mais quand j'ai dit à Sharkey tout ce que nous savions là-dessus, on aurait dit qu'il n'arrivait pas à comprendre pourquoi je m'imaginais que ça allait l'intéresser.

— Bon, conclut Chee. Rendez-vous la semaine prochaine.

— Quand vous reprendrez le travail, je veux que vous fassiez une dernière tentative pour retrouver cette petite Sosi. Et cette fois, attachez-la à votre volant ou à n'importe quoi avec une paire de menottes pour arriver à la faire tenir tranquille suffisamment longtemps de façon à savoir de quoi il retourne pour cette carte postale. Vous croyez que vous pourrez arriver à faire ça ?

Chee répondit qu'il pouvait essayer, puis il demanda au capitaine de lui passer le standard.

— Le standard ? répéta Largo.

— Oui. Si je n'ai pas reçu de courrier, ça m'évitera de passer.

Largo transmit l'appel.

Chee n'avait pas de courrier. Il ne s'attendait pas à en avoir. Il prit ses dispositions pour qu'on lui prépare un cheval sellé et une remorque pour l'après-midi. Le capitaine Largo aurait pu s'en occuper, mais le capitaine Largo aurait voulu savoir pourquoi il avait besoin du cheval.

Une fois sorti du magasin de Gray Mountains, Chee s'étira, bâilla, et emplit ses poumons d'air. Il faisait froid ici, il y avait encore de la gelée blanche accrochée au bord des herbes sur les bas-côtés de la route, et la silhouette recouverte de neige des Monts San Francisco, à vingt kilomètres au sud, semblait suffisamment proche pour qu'on puisse la toucher tant l'air était limpide en altitude. La tempête hivernale à laquelle faisaient échec les hautes pressions de l'Utah dont avait parlé le bulletin météorologique de la veille était toujours retenue quelque part au-dessus de l'horizon. Les seuls nuages, ce matin, étaient des cirrus très hauts et si fins que le bleu du ciel était visible au-dessus d'eux. Aux yeux de Chee, tout cela était beau. Il était de retour à Dine' Bike'yah, de retour Entre les Montagnes Sacrées, et il se sentait bien à nouveau, bien dans un paysage que reconnaissait sa mémoire. Il demeura à côté de son pick-up truck, repoussant pour un instant les quatre ou cinq heures qui lui restaient à conduire, et contempla la montagne. C'était une chose que Frank Sam Nakai l'avait convié à faire : «Inscris les lieux dans ta mémoire,» lui avait dit son oncle. «Pose ton regard sur un lieu et apprends-le. Vois-le sous la neige, quand la première herbe repousse, et lorsque la pluie tombe. Imprègne-t'en et respire son odeur, marches-y, touche les pierres, et il sera en toi pour toujours. Quand tu seras loin, tu pourras le rappeler. Quand tu en auras besoin, il sera là, dans ton esprit.»

C'était là l'un de ces lieux pour Chee : ces pentes désertiques qui partaient vers les collines, lesquelles s'élevaient pour devenir Dook'o'oosli'id, la Montagne de la Lumière du Soir, la Montagne de l'Ouest, la montagne bâtie par Premier Homme pour être le lieu où vivrait Garçon Abalone, gardé par le *yei** du Vent Noir. Il avait inscrit cet endroit dans sa mémoire à l'époque où son travail dépendait de l'agence de Tuba City. Il posa ses coudes contre le toit du pick-up truck et se remit ce lieu en mémoire, avec les nuages qui s'effilochaient en passant au-dessus des sommets enneigés et le soleil matinal qui dessinait des ombres allongées sur les contreforts montagneux. «Touche-le avec ton esprit,» lui avait dit Frank Sam Nakai. «Emplis tes poumons de l'air qui le caresse. Ecoute les bruits qu'il fait.» Les bruits que faisait cet endroit ce matin étaient les bruits des corneilles, de centaines de corneilles, qui prenaient leur envol depuis les arbres entourant le comptoir d'échanges pour rejoindre l'endroit où cette colonie passait ses hivers.

Chee remonta dans son véhicule et prit la direction de l'US 89 Nord. Là où il devait se rendre, il voulait arriver bien avant la nuit.

Il parvint à destination vers le milieu de l'après-midi, après avoir conduit vite et de manière régulière en dépit d'un vent du nord de plus en plus vif qui lui indiquait que la tempête échappait enfin aux limites de l'Utah pour se rapprocher. Il fit un petit arrêt à sa maison mobile, à Shiprock, pour ceindre son étui à pistolet, prendre sa grosse veste et emporter une miche de pain ainsi que ce qui lui restait d'un paquet de saucisses de Bologne. Il alla chercher le cheval et la remorque aux écuries tribales et mangea pendant le long trajet cahoteux qui le ramena au cœur des monts Chuskas, poursuivi maintenant par un vent du nord glacial. Il se gara à l'endroit où Albert Gorman avait abandonné sa Plymouth endommagée, détela le cheval et parcourut sur son dos le reste du chemin menant au hogan de Begay. Les nuages envahissaient le ciel, formant un plafond menaçant qui descendait du nord-ouest. Il attacha le cheval à l'intérieur du corral vide de Begay, puis inspecta rapidement les alentours immédiats du hogan. Si quelqu'un était venu depuis son dernier passage, il n'en restait aucune trace. Ensuite, il fit le tour du hogan et s'approcha du mur nord défoncé.

Le vent soufflait maintenant par rafales, fouettant la poussière autour de ses pieds et sifflant à travers le trou du mort. Chee s'accroupit et plongea le regard à l'intérieur. Dans la lumière grise de cet après-midi de tempête il voyait juste ce qu'il avait vu à la lumière de sa lampe la dernière fois qu'il était venu : le fourneau en fer rouillé, le tuyau qui le reliait au trou à fumée, divers objets qui ne servaient plus à rien. Le vent hurla à travers le trou et souleva un morceau de papier qu'il fit virevolter sur le sol de terre durcie. Il se mit à tourbillonner autour du col de sa veste doublée, touchant son cou de sa caresse glacée. Chee frissonna et resserra son col autour de son cou. Selon la tradition navajo, Albert Gorman avait désormais achevé le voyage qui l'avait mené au monde inférieur et avait disparu dans les ténèbres inconnues que la métaphysique du Peuple n'avait jamais essayé d'expliquer ni d'explorer. Mais son *chindi* était là, une présence malheureuse, discordante et mauvaise (tout ce qui, dans Gorman, avait été en contradiction avec l'harmonie), à jamais prisonnier à l'intérieur du hogan où Gorman était mort.

Chee prit une profonde inspiration et entra par le trou.

Il fut aussitôt conscient qu'il faisait plus chaud à l'intérieur, et que cela sentait la poussière et quelque chose d'autre, une odeur plus forte. Il s'immobilisa un instant, essayant d'identifier de quoi il s'agissait. L'odeur, ancienne, de la graisse, des cendres, de la sueur : l'odeur de la présence d'un être humain. Chee ouvrit la porte du fourneau. Rien dans le four. Il ouvrit le foyer. Les cendres avaient déjà été visitées, probablement par Sharkey. Il ramassa le bout de papier que le vent avait déplacé. Un vieux morceau d'enveloppe déchirée sur lequel il n'y avait rien d'écrit. Du côté ouest du hogan, il trouva l'endroit où Begay avait eu l'habitude de disposer ses peaux de mouton pour dormir. Il sortit son couteau et le plongea dans la terre dure, cherchant il ne savait quoi. Il ne trouva rien du tout et s'arrêta, accroupi sur les talons, pour réfléchir.

Jim Chee avait conscience de la présence du vent, à l'extérieur, qui murmurait autour du trou du mort et au-dessus de sa tête au niveau du trou à fumée obstrué. Il était très conscient de la présence du fantôme d'Albert

Gorman dans l'air tout autour de lui, et soudain il fut conscient, avec certitude et clarté, de la nature du *chindi* de Gorman. Comme Gorman (évidemment comme Gorman puisqu'il s'agissait de Gorman), c'était Los Angeles avec les petites prostituées qu'il avait vues sur Sunset Boulevard, avec l'impersonnelle précision des hordes sur les autoroutes, l'atmosphère grise polluée, la propriétaire d'Albert Gorman, l'aide-soignant au visage rose de l'Institution *Les Cheveux d'Argent*. Et maintenant c'était le fantôme de Jim Chee parce que Jim Chee l'avait choisi : il avait pénétré dans l'obscurité par le trou du mort, librement et de son plein gré, ayant décidé de le faire de manière raisonnée. Ayant donné la préférence à Los Angeles par rapport à Shiprock, et à Mary Landon par rapport à la solitude, la pauvreté et la beauté de *hozro*. Chee était accroupi sur ses talons ; il regardait autour de lui et il essayait de penser à ce qu'il devrait chercher. Au lieu de cela, le chant du rite de bénédiction du hogan lui revenait en mémoire.

Ce hogan sera un hogan béni.
Il deviendra un hogan de l'aube,
Fils de l'Aube viendra y vivre dans la beauté,
Il sera un hogan du maïs blanc,
Il sera un hogan des nourritures tendres,
Il sera un hogan de l'eau cristalline,
Il sera un hogan de la poussière de pollen,
Il sera un hogan de toute une vie de joie,
Il sera un hogan avec la beauté au-dessus de lui,
Il sera un hogan avec la beauté tout autour de lui.

Les paroles de Dieu qui Parle revenaient à la mémoire de Chee. Elles avaient été chantées ici, quand la famille de Begay s'était assemblée pour l'aider à bénir ce hogan, il y avait de cela longtemps. Chee se redressa, sortit à nouveau son couteau et se dirigea vers le mur est. Là, sous l'extrémité de la poutre de base, juste au-dessus des pierres de fondation, le chanteur engagé par Ashie Begay

189

pour exécuter le rite du hogan avait dû placer un échantillon de la turquoise de Begay.

Du bout de son couteau, Chee s'attaqua à l'enduit fait de boue et de paille séchée, en délogea un bon morceau qu'il écrasa entre ses doigts. La turquoise y était : une gemme polie de forme ovale, d'un bleu clair. Chee l'essuya contre sa chemise, l'examina attentivement et la remit sous la poutre. Il alla au mur ouest, creusa sous l'extrémité de la poutre de fondation, et en extirpa un coquillage de couleur blanche. La coquille d'abalone symbolisait le grand *yei* Fils Abalone, tout comme la turquoise représentait l'esprit de Fils Turquoise. Mais que lui avaient appris ces découvertes ? Rien, se dit-il, qu'il n'eût déjà été persuadé de savoir : que Begay était un Navajo orthodoxe, que ce hogan avait été béni selon les rites, que Begay, en abandonnant sa maison, avait laissé ces bijoux rituels derrière lui. Etait-ce là une manière d'agir orthodoxe ? Probablement, se dit-il. A moins que Begay n'eût pensé à les retirer avant qu'Albert Gorman ne meure, jamais ce ne serait fait : pareillement, le bois de ce hogan ne serait plus jamais réutilisé, pas même pour faire un feu. Mais de les retirer avant que Gorman ne meure aurait été une marque de prudence, d'autant que Begay avait dû voir la mort venir et que Femme-Voûtée avait décrit son petit-fils comme un homme prudent. Qu'est-ce qu'un homme prudent sauverait de son hogan s'il voyait que la mort le menaçait ? Qu'est-ce que Femme-Voûtée avait voulu qu'il découvre ici ?

Bien sûr ! Chee contourna le fourneau et s'approcha de l'entrée orientée face à l'est. Il tâtonna sur toute la longueur du long linteau qui surplombait la porte, faisant courir ses doigts dans la poussière qui s'y était accumulée. Rien. Il essaya sur la droite de la porte. Là, ses doigts, en fouillant l'espace qui existait au-dessus de la poutre, rencontrèrent quelque chose.

Il prit l'objet dans sa main gauche : c'était une petite bourse poussiéreuse en daim marron, fermée sur le dessus par une lanière de cuir. La bourse contenait quatre objets doux au toucher. Il dénoua la lanière et fit tomber dans le creux de sa main quatre bourses plus petites, également en daim. Il tenait dans ses mains la Bourse* des Quatre Montagnes d'Ashie Begay.

Dès l'instant où il la reconnut, il sut qu'Ashie Begay était mort.

Il franchit le trou du mort en sens inverse et posa le pied sur de la neige. Le vent apportait maintenant de petits flocons légers qui volaient autour du hogan d'Ashie Begay et tombaient sur le sol, aussi secs que de la poussière. La Bourse des Quatre Montagnes au fond de la poche de sa veste, il suivit la pente en direction du corral pour retourner à l'endroit où il avait attaché son cheval. Et il réfléchit à ce qu'il venait de trouver : cette bourse représentait des semaines de labeur, un pélerinage à chacune des quatre montagnes sacrées pour prélever sur chacune d'elles les herbes et les minéraux prescrits par le Peuple Sacré. Chee avait constitué la sienne pendant l'été, au cours de sa première année passée à l'Université du Nouveau Mexique. Le Mont Taylor et les Monts San Francisco n'avaient pas posé de problèmes majeurs, grâce aux routes d'accès qui menaient à leurs deux sommets où l'Office des Forêts avait installé des points de surveillance contre les incendies. Mais pour le Mont Blanca des Sangre de Cristo et le Mont Hesperus des Las Platas, cela n'avait pas été la même chose. Begay avait mené à bien cette difficile épreuve à une époque où elle l'était davantage encore, avant que les routes ne grimpent vers les sommets. Ou il avait pu hériter de cette bourse de quelqu'un de sa famille. Quelle qu'en eût été l'origine, il ne l'aurait jamais laissée derrière lui dans un hogan frappé par la mort. C'était là sa possession la plus précieuse, un patrimoine qui n'avait pas de prix.

Que s'était-il passé, en ce cas, au hogan d'Ashie Begay ?

Chee s'était procuré le cheval parce qu'il avait eu l'intention, quoi qu'il puisse découvrir à l'intérieur du hogan, d'effectuer une fouille générale du territoire rattaché à l'habitation d'Ashie Begay. Maintenant, cette fouille prenait une signification nouvelle. Le cheval, frigorifié et prêt à partir, frappa le sol du sabot et hennit à son approche. Chee le détacha, chassa la neige de ses flancs et monta en selle. Que s'était-il passé à ce hogan ? Etait-il possible que Begay fût parti puis revenu pour s'apercevoir que Gorman était mort et qu'il eût oublié sa bourse sacrée en abandonnant le hogan ? C'était inconcevable. Alors que s'était-il passé ?

Quelqu'un d'autre était-il venu sur les traces d'Albert Gorman après que Lerner eut échoué dans sa tentative pour le neutraliser, l'avait-il trouvé au hogan d'Ashie Begay, les avait-il tués tous les deux puis avait-il consacré le temps qu'il fallait pour enterrer Gorman selon les rites, pour vider le hogan et dissimuler le corps de Begay ? Chee considéra cette hypothèse. Possible. En fait, c'était quelque chose de ce genre qui avait dû se passer. Mais quel en était le mobile ? Il ne parvenait à en concevoir aucun qui fût vraisemblable.

Il fit le tour du domaine appartenant au hogan puis suivit un chemin à moutons qui partait vers l'est en longeant la rive de l'arroyo. Il progressait lentement, attentif à tout ce qui pourrait s'écarter tant soit peu de ce qui était normal. Après plus de quinze cents mètres parcourus sans avoir absolument rien trouvé, il fit faire demi-tour au cheval, puis lui fit prendre le trot pour revenir au hogan. Il neigeait davantage et la température baissait rapidement. La seconde piste qu'il essaya montait au-delà de la pente d'éboulis, au-delà de l'endroit où le corps de Gorman avait été laissé, et continuait sous la falaise à l'ouest du hogan. Elle était face au vent, ce qui faisait renâcler le cheval et rendait la visibilité difficile. Il rabattit le rebord de son chapeau et baissa la tête en courbant les épaules pour empêcher les flocons de lui rentrer dans les yeux. Il progressait péniblement, étudiant le sol, sachant ce qu'il cherchait sans laisser cette pensée prendre une forme bien définie dans son esprit. La neige tenait, s'amoncelait rapidement. Bientôt elle allait tout recouvrir et rendre sa recherche inutile. Il aurait dû s'y prendre bien avant. Il aurait dû se servir de sa tête. Obéir à sa conscience instinctive qui lui disait que Hosteen Ashie Begay n'aurait pas abandonné cet endroit à un fantôme, qu'il n'aurait pas laissé son neveu à moitié préparé pour son voyage vers le monde inférieur. Il y avait cette piste à vérifier, plus deux autres au moins, et il n'aurait tout simplement pas le temps de s'en acquitter entièrement avant que la neige ne recouvre tout.

Il n'avait pratiquement plus de temps.

Il vit le cheval sans comprendre qu'il voyait autre chose qu'un gros rocher rond recouvert de neige. Mais il y avait quelque chose d'un peu bizarre au niveau de la couleur à l'endroit où la neige ne tenait pas encore, une teinte rougeâtre qui détonnait par rapport au granit gris présent dans ce paysage. Chee tira sur les rênes, chassa les flocons de ses sourcils et regarda attentivement. Puis il mit pied à terre. Il ne vit le second cheval que lorsqu'il fut descendu dans le petit ravin qui longeait la piste pour aller examiner le premier.

Celui qui les avait tués les avait traînés tous les deux suffisamment loin en contrebas de la piste pour qu'ils soient hors de vue s'ils étaient tous deux tombés comme il l'avait escompté. Mais celui que Chee avait repéré n'avait apparemment pas voulu se montrer coopératif. C'était un grand hongre de couleur baie, et la balle qu'on lui avait tirée en plein front avait, semble-t-il, déclenché une lutte frénétique. Il s'était élancé vers la piste, effectuant deux ou trois bonds réflexes à en juger par les pierres qu'il avait délogées, avant que son cerveau ne soit saisi par la mort.

Les biens de Hosteen Begay avaient été abandonnés un peu plus bas dans le wash à un endroit où on ne pouvait les voir, derrière un écran de pins pignons. Chee en fit rapidement l'inventaire, identifiant couvertures, vêtements, boîtes d'ustensiles de cuisine, et deux sacs de nourriture. Les meubles de Begay étaient là eux aussi. Une chaise de cuisine, un lit de camp, une petite commode, et suffisamment d'articles variés nécessaires à la vie courante pour convaincre Chee que même avec deux chevaux pour porter l'ensemble, il avait fallu plus d'un voyage pour amener le tout jusqu'ici. Il resta à côté de la cachette et regarda autour de lui. C'était là ce à quoi il s'était attendu, ce à quoi il s'était attendu depuis que son esprit avait eu le temps d'estimer ce que signifiait la découverte de la Bourse des Quatre Montagnes. Il s'y était attendu, mais cela le rendait quand même malade. Et il lui restait encore une chose à découvrir.

Il découvrit Ashie Begay un peu plus bas dans le wash, son corps abandonné sans plus de cérémonie que ses meubles. Il avait été abattu d'une balle en plein front, exactement comme ses chevaux.

23

Il fallut trois heures à Chee pour parvenir à arracher son pick-up truck aux Monts Chuska. A deux reprises, il dut se creuser un passage à travers les congères, et à deux reprises il fut obligé de faire descendre le cheval et de lui faire escalader des côtes quand le véhicule n'avait pas assez de puissance pour tirer sa charge. Quand il atteignit enfin la route entretenue qui conduisait à l'école de Toadlena, il était perclus de fatigue et il lui restait vingt kilomètres à parcourir dans la neige pour atteindre le Highway 666, puis encore cinquante jusqu'à Shiprock. La neige tombait sans interruption du nord-nord-ouest et il faisait route en direction du nord à travers un étroit tunnel blanc que lui ouvrait le faisceau de ses phares en se réfléchissant sur les flocons poussés par le vent, puis à travers de brefs instants de noir absolu causé par de violentes bourrasques qui soufflaient au sol. Sa radio lui apprit que la Route Navajo 1 était coupée de Shiprock sud à Kayenta, la Route Navajo 3 de Two Story à Keams Canyon, et que l'US 666 était coupée de Mancos Creek, Colorado, à Gallup, Nouveau Mexique. Cela expliquait mieux pourquoi son pick-up truck avait l'autoroute pour lui tout seul. Il faisait à peu près du quarante à l'heure, ralentissant autant qu'il le pouvait lorsqu'il sentait arriver les rafales de blizzard, les doigts sensibles à la façon dont ses roues accrochaient dans la neige, les muscles des épaules crispés et douloureux. Il avait recouvert le corps de Hosteen Ashie Begay avec la couverture de celui-ci, en se disant que lui aussi, exactement comme Gorman, avait été contraint d'effectuer le voyage vers le monde inférieur avec les cheveux non lavés, sans même avoir reçu les préparations imparfaites auxquelles le corps de Gorman avait eu droit. Mais du moins l'homme qui l'avait tué avait-il fait partir en même temps que lui l'esprit de ses chevaux. Savait-il que sacrifier le cheval appartenant au mort avait autrefois été une coutume navajo ? Peut-être. Mais Chee ne s'illusionnait pas au point de croire que c'était là la raison pour laquelle les chevaux avaient été abattus. Ils l'avaient été pour la même raison que Begay avait été tué, que son hogan avait été vidé et que le corps de Gorman avait été préparé pour son enterrement : beaucoup de mal pris pour donner l'impression qu'il ne s'était rien passé d'anormal au hogan de Begay. Mais pourquoi ? Pourquoi ? Pourquoi ?

Pour Chee, il ne semblait guère y avoir de mystère concernant l'identité du tueur. C'était Vaggan, ou un substitut de Vaggan : l'un de ceux qui, dans la société des hommes blancs, faisaient ce genre de choses pour de l'argent. Mais c'était probablement l'homme que Shaw avait identifié comme étant Vaggan. Cela semblait correspondre à sa manière de faire, quel qu'en pût être le but. Et cela n'avait pas dû poser beaucoup de difficultés de se renseigner sur les coutumes navajos concernant l'enterrement des morts. Le sujet devait être traité dans n'importe lequel des cinq ou six ouvrages disponibles à la bibliothèque de Los Angeles. A condition de savoir lire, n'importe qui avait pu en apprendre assez pour maquiller ce qui s'était passé au hogan de Begay. Cela n'avait pas d'importance de savoir qui l'avait fait : Vaggan ou quelqu'un qui lui ressemblait. La question était de savoir pourquoi.

Chee découvrait qu'il ne parvenait pas à faire fonctionner son esprit correctement. Les maux de tête étaient de retour. L'épuisement physique, probablement, de même que la fatigue oculaire due à l'obligation de plonger le regard à travers la neige éblouissante. Il chassa le corps de Begay de ses pensées conscientes et se concentra uniquement sur la conduite. Et finalement, là, sur sa droite, il vit le panneau annonçant l'embranchement de la route qui conduisait à la piste d'atterrissage de Shiprock, puis il sentit que la chaussée descendait vers le fond de la vallée de la San Juan, et Shiprock se trouva juste devant lui.

Il mit le cheval à l'abri dans l'écurie tribale, laissa la remorque sur le parking puis remonta dans son véhicule et entra dans le village. Il eut un moment d'hésitation en passant sur le pont. Un virage sur la gauche, à l'intersection, le conduirait directement à sa maison mobile, à un café chaud, à de la nourriture et à son lit. A un téléphone pour appeler Largo et lui faire le compte-rendu de ce qu'il avait découvert. Pour en arriver à nouveau à la question du pourquoi. Le sujet de la carte postale serait abordé une fois de plus. Inévitablement. Elle se trouvait au cœur de toute l'histoire. Elle avait, apparemment, tout déclenché. Qu'est-ce qu'il y avait d'écrit dessus ? Chee tourna sur sa droite, suivit la rivière vers l'aval en direction de l'endroit où la caravane en aluminium était garée sous un tremble.

Dans cette tempête, elle lui parut quelque peu différente. Avant que la température n'ait eu le temps de chuter, une couche de neige s'était déposée sur l'aluminium froid et en avait encore attiré plus encore, ce qui coûtait à la caravane son apparence de produit manufacturé. Dans les phares du pick-up truck, elle apparaissait comme une grande silhouette blanche, rattachée à la terre par une congère, aussi naturelle qu'un gros rocher couvert de neige, et elle donnait l'impression d'être sous son arbre depuis toujours. De la lumière brillait à travers les petites fenêtres. Grayson, ou quelqu'un d'autre, était à l'intérieur. Chee fit retentir son klaxon et attendit un moment avant qu'il ne lui vienne à l'esprit que Grayson était quelqu'un de la ville qui ignorait sûrement cette habitude des campagnes consistant à prévenir de son arrivée avant d'envahir l'intimité d'autrui. Il remonta le col de sa veste et sortit au milieu des rafales de neige.

Si Grayson avait entendu son coup de klaxon, rien ne l'indiquait. Chee cogna du poing contre le panneau de la porte en aluminium, attendit, frappa à nouveau. Le vent s'engouffrait sous le bas de sa veste, autour de son cou et dans les jambes de son pantalon, aussi glacial que la mort. Cela rappela à Chee le cadavre de Hosteen Ashie Begay, raide et glacé sous la couverture du vieil homme. Puis la voix de Grayson se manifesta à travers la porte.

— Qui est-ce ?

— C'est Chee, hurla ce dernier. Police Navajo.

— Qu'est-ce que vous voulez ?

— Nous avons trouvé le corps de votre oncle, Ashie Begay. Il faut que je vous parle.

Silence. Le froid s'agrippait à ses chevilles, engourdissait ses joues. Puis la voix de Grayson cria :

— Entrez.

La porte s'ouvrit. Elle s'ouvrait vers l'extérieur, comme le font les portes des caravanes pour économiser la place à l'intérieur ; pas plus de quinze centimètres, puis le vent la referma. Chee resta un moment sur place à la regarder, se demandant ce que Grayson fabriquait et finissant par comprendre. Grayson ne prenait aucun risque ainsi que l'on pouvait s'y attendre de la part d'un témoin sous protection spéciale. Chee ouvrit la porte et pénétra à l'intérieur.

Grayson était assis derrière la table, le dos contre le mur, et il observait Chee. Celui-ci referma la porte et s'y adossa, profitant de la chaleur et laissant Grayson voir que ses mains étaient vides.

— Vous avez trouvé le corps de qui ? demanda Grayson. Où ça ? Qu'est-ce qui s'est passé ?

Les mains de Grayson étaient invisibles sous la table. Se pouvait-il qu'il ait une arme ? Est-ce qu'un témoin protégé de la sorte avait le droit d'avoir un pistolet ? Peut-être l'encourageait-on même à en avoir un ? Pourquoi pas ?

— Pas loin de son hogan, reprit Chee. Quelqu'un lui a tiré dessus.

Le visage de Grayson trahit une espèce de consternation. Il paraissait un peu plus âgé que dans le souvenir de Chee, un peu plus fatigué. Peut-être était-ce dû à la lumière artificielle. Plus vraisemblablement à l'humeur de Chee. L'un des coins de sa bouche se rétracta pour ébaucher l'un de ces petits bruits diffus qui expriment la compassion, la surprise ou la tristesse, mais Grayson l'empêcha d'aller plus loin. Il sortit ses mains de dessous la table, se passa la droite sur le visage. La gauche demeura posée sur le meuble, inerte et vide.

— Quelle raison quelqu'un pourrait-il avoir de tuer ce vieil homme ? demanda-t-il.

— Votre oncle, précisa Chee.

Grayson fixa son regard sur lui.

— Nous savons qui vous êtes, poursuivit Chee. Cela nous fera gagner du temps si nous nous débarrassons de ce point-là tout de suite. Vous êtes Leroy Gorman. Sous le nom de Grayson vous êtes pris en charge au titre du Programme de Protection Spéciale des Témoins par le Ministère de la Justice. Vous habitez ici sous le nom de Grayson en attendant que le moment soit venu de vous rapatrier à Los Angeles pour vous faire témoigner devant la cour fédérale.

L'homme qui était Leroy Gorman, le frère aîné d'Albert Gorman, le neveu d'Ashie Begay, regardait fixement Chee et son visage était vide. Et livide. Et, pensa Chee, quel est son véritable nom ? Son nom de guerre ? Le nom que son oncle maternel lui a donné, dans le secret et le silence, alors qu'il était enfant, le nom qui lui a été murmuré à travers le masque du rite *Yeibichi **, quand, de garçon, il était devenu homme ? Le nom qui correspondait à sa véritable identité, que personne ne connaissait hormis ceux qui étaient très proches de lui, quel était-il ? Ce Navajo de Los Angeles n'a pas de nom de guerre, pensait Chee, parce qu'il n'a pas de famille. Il n'appartient pas au Dinee. Il se sentit pris de pitié pour Leroy Gorman. C'était en partie dû à son état d'épuisement, en partie à la pitié qu'il ressentait à son propre égard.

— Elles sont belles, leurs saloperies de promesses, s'exclama Leroy Gorman. Personne n'est au courant à l'exception d'un seul type du bureau du procureur et de votre ange gardien du FBI. Voilà ce qu'ils vous racontent. Personne d'autre. Pas les flics du coin. Personne, point. Donc c'est impossible que ça se sache. (Il donna un violent coup sur le plateau de la table en formica). A qui ils l'ont dit ? Ils en ont parlé à la télé ? En première page du *Times* ? A la radio ?

— Ils ne l'ont dit à personne, pour autant que je sache. C'est la carte postale que vous avez écrite qui vous a trahi. Celle que vous avez envoyée à votre frère.

— Je n'ai pas écrit de carte postale, réfuta Gorman.

— Laissez-moi jeter un coup d'œil à votre appareil photo.

— Mon appareil photo ?

Il avait l'air décontenancé. Il se leva, ouvrit le placard qui se trouvait sous le plafond, derrière lui, et fouilla à l'intérieur pour en ressortir un appareil photo. C'était un appareil Polaroïd muni d'un flash. Chee l'examina. Il était équipé d'un déclencheur à retardement.

— Pas vraiment une carte postale, dit Chee. Vous avez réglé ce truc pour prendre une photo de vous devant la caravane, puis vous l'avez envoyée à votre frère. Je ne sais pas ce que vous avez écrit derrière, mais ça a eu pour conséquence qu'il s'est précipité ici, à Shiprock, à votre recherche. Et quand Grand-Père Begay l'a vue, a vu ce qu'il y avait d'écrit dessus, ou quand il a entendu quelque chose qu'Albert lui a dit, ça a eu pour conséquence qu'il l'a envoyée à sa petite-fille pour lui dire de se tenir à l'écart.

Gorman le regardait et il réfléchissait. Il secoua la tête.

— Qu'est-ce que vous avez écrit dessus ? interrogea Chee.

— Pas grand-chose, en fait. Je ne m'en souviens plus exactement. Je m'étais juste dit qu'Albert devait être inquiet à mon sujet. J'ai juste mis un petit mot. Du genre : dommage que tu ne sois pas là.

— Est-ce que vous avez indiqué de quel «là» il s'agissait ?

— Bon Dieu, non ! s'écria Gorman.

— Juste un petit mot, reprit Chee. Alors à votre avis c'est quoi qui a fait rappliquer votre frère à toute allure ?

Gorman réfléchit. Il fit un petit bruit avec sa langue.

— Peut-être, commença-t-il, peut-être qu'il avait appris quelque chose que j'avais besoin de savoir.

— Comme par exemple ?

— Je sais pas. Peut-être qu'il avait appris qu'ils étaient à ma recherche. Peut-être qu'il avait appris qu'ils savaient où me trouver.

Cela paraissait plausible. Albert avait appris qu'il y avait eu des fuites concernant l'endroit où se cachait Leroy. Quand la carte envoyée par Leroy était arrivée, il avait vu le tampon de la poste de Shiprock et s'était dépêché de venir afin d'avertir son frère, mais il avait échoué de peu. Et quelqu'un avait été envoyé pour s'assurer qu'Albert Gorman n'allait pas survivre à sa blessure. Comment Albert Gorman était-il vraiment mort ? Le médecin légiste avait dit par balle, ce qui était évident et correspondait à ce à quoi ils s'attendaient et à ce qu'ils auraient cherché. Mais s'ils avaient cherché autre chose, qu'auraient-ils trouvé ? Qu'Albert Gorman était mort étouffé, ou quelque chose comme ça, un truc qui ne se verrait pas beaucoup mais qui accélérerait un peu la fin qui devait résulter de la blessure par balle ? Ou est-ce que celui qui était venu jusqu'au hogan l'avait trouvé mort en arrivant et avait tué Ashie Begay à cause de ce qu'Albert avait pu lui dire ? Cela n'avait pas vraiment d'importance. Chee avait mal à la tête, ses yeux le brûlaient. Il se disait que tout compte fait Albert Gorman était peut-être mort à l'extérieur du hogan. Peut-être n'avait-il pas pénétré dans un hogan *chindi* en passant par le trou du mort. Peut-être n'était-il pas sous l'emprise de la maladie du fantôme. Mais cela non plus n'avait pas d'importance. La maladie du fantôme avait commencé quand il avait franchi le pas : quand il avait quitté *hozro* pour pénétrer dans les ténèbres. Quitté son appartenance au Dinee pour devenir un homme blanc. Pour Chee, c'était là que résidait la maladie.

— Vous avez une idée de qui l'a tué ou de pourquoi on l'a fait ? s'enquit Gorman.

— Non, dit Chee. Et vous ?

Gorman était tassé contre le dossier de sa chaise, les deux mains sur la table devant lui, le regard fixé dans le vide. Il poussa un soupir, et le vent au dehors fut pris d'un regain d'ardeur suffisant pour leur rappeler la tempête.

— Ça pourrait être par méchanceté pure et simple, dit-il.

Il soupira à nouveau puis demanda :

— Vous l'avez retrouvée, la gamine ?

— Pas exactement, avoua Chee.

— Je n'ai pas l'impression qu'elle va venir ici, reprit Gorman. Vous ne m'avez pas dit que son grand père lui avait dit de rester à l'écart ? Qu'il y avait du danger ?

— Si. Mais ça ne l'a pas arrêtée la première fois.

— Qu'est-ce qu'il lui a dit ?

Gorman avait toujours le regard fixé au-dessus de ses mains en direction de la porte. Le vent se jetait contre elle, permettant au froid de s'infiltrer à l'intérieur.

— Elle le sait que je suis un voleur de voitures ?

— J'ignore ce qu'il lui a dit. J'ai bien l'intention de le découvrir.

— Elle et moi sommes parents, dit Gorman. J'en ai pas beaucoup. Pas beaucoup de famille. Juste Al et moi. Papa nous a abandonnés, notre mère était en mauvaise santé et on a jamais connu personne. C'est ma nièce, c'est ça ? La petite-fille de Begay. Sûrement par la sœur de ma mère. Je savais qu'elle en avait une quelque part par ici. Je me souviens l'avoir entendu le dire. Je me demande si cette tante à moi serait toujours en vie. Je me demande où elle est allée, cette gamine.

Chee ne répondit rien. Il avait très envie d'une tasse de café. Et de nourriture, et de sommeil. Il essaya de réfléchir à ce qu'il pourrait demander d'autre à cet homme, ce qu'il pourrait bien lui apprendre pour empêcher tout cela de n'être qu'un nouveau cul-de-sac dans une série déjà longue. Il ne parvint pas à trouver quelque chose.

— J'aimerais faire sa connaissance, continua Gorman. Rencontrer sa famille. Je n'ai pas fait un homme blanc très réussi. Peut-être que quand j'en aurai fini avec tout ça je pourrai faire un Navajo plus correct. Vous savez où je pourrais trouver la famille Sosi ?

Chee secoua la tête. Il se leva, remercia Leroy Gorman de lui avoir consacré tout ce temps et passa la porte en aluminium pour se retrouver au cœur des bourrasques de neige, après avoir laissé Gorman assis à l'intérieur, le regard fixé sur ses mains, le visage trahissant de multiples pensées.

24.

De sa maison mobile, il appela Largo tandis que le café passait et lui raconta ce qu'il avait découvert au hogan de Begay. Il fallut à Largo quelque chose comme une micromilliseconde pour chasser le sommeil, puis il se montra prolixe en questions dont certaines auxquelles Chee ne put répondre. Enfin, cet aspect des choses fut réglé : il était deux heures du matin. Chee avait bu beaucoup de café chaud, mangé deux sandwiches, et il était couché et endormi presque avant d'avoir pu apprécier les bruits de l'hiver au-dehors.

Il se réveilla avec le soleil en plein visage. La tempête avait rapidement poursuivi sa route ainsi que les premières tempêtes de l'hiver ont tendance à le faire dans l'Ouest des reliefs, et avait laissé dans son sillage un temps calme, froid et lumineux. Chee prit son temps. Il se fit réchauffer un reste de ragoût de mouton pour son petit déjeuner, et mangea des tortillas de maïs et de la purée de haricots rouges pour l'accompagner. Il mangea beaucoup et lentement parce qu'il avait beaucoup à faire et un long trajet à parcourir ; et qu'il ait ou non un autre repas chaud dans la journée dépendrait de l'état des routes. Il enfila ses sous-vêtements d'hiver, ses chaussettes de laine, les bottes qu'il utilisait quand il y avait de la boue. Il s'assura que son jeu de chaînes était dans la boîte qui se trouvait derrière son siège dans le pick-up truck, que sa pelle, son treuil à main et sa chaîne de remorquage étaient bien à leur place. Il fit halte à la station-service située à côté du pont de la San Juan pour compléter son réservoir et s'assura que son réservoir de secours était plein lui aussi. Alors il quitta Shiprock et prit la direction de l'Ouest pour aller trouver Frank Sam Nakai. Nakai était son professeur, son ami depuis sa plus jeune enfance et, ce qui était fondamental pour tout ce qui concernait l'ordre des valeurs chez les Navajos, il était le frère de sa mère : son oncle* de clan par excellence.

Les premiers cent-dix kilomètres qui le firent passer par Teec Nos Pos, Red Mesa*, Mexican Water et Dennehotso, furent assez faciles à cause de la couche de neige compacte qui recouvrait l'asphalte de la Route 504. Après Dennehotso il fallait, pour atteindre le hogan de Frank

203

Sam Nakai, quitter la grande route vers le sud et emprunter une piste de terre qui serpentait à travers Greasewood Flats, plongeait dans le fond, à sec en général, de Tyende Creek Canyon, puis escaladait Carson Mesa. Après avoir fait huit kilomètres sur cette route douteuse, Chee décida que ça n'allait pas marcher. L'air était toujours froid mais le soleil était en train de transformer la neige en bouillie. Il avait installé les chaînes autour de ses roues avant de quitter la route principale, mais malgré cela, son véhicule glissait et lui échappait. Au fur et à mesure que la journée allait s'avancer, cela allait empirer, jusqu'à ce que tout regèle avec le coucher du soleil. Il rebroussa chemin jusqu'à la grand-route et effectua le détour de cent-cinquante kilomètres qui le faisait repasser par Mexican Water, prendre ensuite vers le sud en direction de Round Rock, de Many Farms et de Chinle, puis emprunter la longue piste glissante qui conduisait au versant sud de Black Mesa et qui le ferait passer devant l'école de Cottonwood et par Blue Gap avant d'atteindre une vieille route menant à Tah Chee Wash. Cette dernière était aussi mauvaise que la route qui partait de Dennehotso en direction du sud, mais de l'endroit où la chaussée cesserait d'être praticable, à proximité de Blue Gap, il lui resterait beaucoup moins de chemin à parcourir. Chee s'y engagea en seconde, faisant prudemment du quinze à l'heure. Il allait continuer aussi longtemps que la neige en train de fondre l'y autoriserait, puis il parcourrait à pied les derniers kilomètres, et les referait en sens inverse quand l'obscurité glacée aurait transformé la neige en glace et conféré à la boue la dureté gelée du fer.

La partie à parcourir à pied se révéla faire une quinzaine de kilomètres : quatre heures laborieuses dans la neige molle. Cela lui donna le temps de réfléchir, de tout reprendre dans l'ordre. Il aboutit à une seule et unique énigme centrale : pourquoi quelqu'un s'était-il donné tant de mal pour cacher le meurtre d'Ashie Begay ? Chee parvenait à comprendre quelle raison on avait pu avoir de suivre Gorman jusqu'au hogan de Begay. C'était la suite logique des efforts faits pour retrouver Leroy Gorman. McNair, d'une manière ou d'une autre, semblait avoir appris que Leroy se trouvait à Shiprock, avoir appris que Gorman y allait, en avoir conclu que l'arrivée d'Albert allait effrayer le FBI et l'inciter à emmener Leroy ailleurs avant que sa retraite exacte ne puisse être déterminée, et avoir envoyé quelqu'un pour rattraper Albert et apprendre de sa bouche où l'on pouvait trouver Leroy. Albert avait résisté, avait été blessé et s'était enfui. Il avait été traqué jusqu'au hogan d'Ashie Begay par quelqu'un (Vaggan probablement) qui cherchait une réponse à la même question. Soit Vaggan avait trouvé Albert mort ou mourant, soit il l'avait tué et avait tué Ashie Begay pour éliminer un témoin de son crime.

C'était tout à fait plausible. Cela laissait des questions en suspens, certes. Comment Vaggan avait-il trouvé Albert Gorman aussi rapidement au hogan de Begay ? Probablement parce que McNair en savait assez sur les liens familiaux qu'Albert avait à la réserve pour tenter de deviner sans trop risquer de se tromper. Après tout, l'un des individus directement concernés était un Navajo : Beno. Robert Beno, avait dit Upchurch. Suffisamment haut placé dans l'organisation pour justifier un procès de cette envergure, et le seul à avoir réussi à prendre la fuite. Un autre membre de sa famille, peut-être. Un autre Navajo appartenant au Clan du Dindon. Quelqu'un qui était capable de deviner l'unique endroit où Albert Gorman pouvait trouver refuge. Ou peut-être était-ce plus simple que cela. Albert avait certainement eu l'intention de rendre visite à son oncle quand il était arrivé à la réserve (pour l'esprit navajo de Chee, une telle visite de la part d'un neveu était certaine et inévitable), et il en avait parlé à madame Day qui avait transmis le renseignement. De toute façon, cela ne semblait pas très important. Ce qui l'était, c'était la raison pour laquelle quelqu'un avait pris toute cette peine dans le but de rendre invisible le crime commis au hogan de Begay.

Chee progressait difficilement dans la neige qui lui

montait aux chevilles, envisageant différentes possibilités. Etait-ce parce que Vaggan ne voulait pas que la police apprenne qu'il cherchait Leroy et qu'il était dans un rayon de moins de cent cinquante kilomètres de l'endroit où il se cachait ? Cette solution lui parut un instant convenir mais la fusillade du parking avait déjà mis le FBI en alerte. Quel autre mobile pouvait-il y avoir ? Chee ne parvint à en trouver aucun et passa à une autre question. Si les hommes de McNair savaient, ou ne faisaient que soupçonner, que Leroy se cachait quelque part à Shiprock, pourquoi ne s'étaient-ils pas mis à sa recherche ? Largo lui avait dit qu'il n'y avait absolument aucun signe allant dans ce sens. Le capitaine avait fait circuler le mot d'ordre dans les stations-service, les magasins d'approvisionnement, à la poste, à la laverie, partout. C'était une méthode simple et ancienne, mais d'une efficacité totale, et Chee n'avait pas le moindre doute : si quelqu'un (absolument n'importe qui) s'était manifesté à Shiprock, ou quelque part dans les alentours, en posant des questions, Largo l'aurait appris en moins d'un quart d'heure. Et à moins que McNair ne fût au courant de l'existence de la caravane en aluminium ou n'eût une idée de l'endroit où elle était installée, il était impossible de trouver Leroy Gorman sans poser des questions, des centaines de questions. Et si McNair était effectivement au courant en ce qui concernait la caravane en aluminium et le tremble, Leroy aurait été trouvé sans qu'aucune question n'eût été posée. Et Leroy serait tout aussi mort qu'Albert.

Tel était le tour que prenaient ses pensées, et elles décrivaient toujours le même cercle pour en revenir à la photographie de la caravane en aluminium qui avait été postée comme une carte postale, avec, apparemment, quelque chose d'écrit au dos qui avait fait accourir Albert et avait déclenché toute la suite. Quelque chose, même si Leroy ne se souvenait pas d'avoir écrit un texte aussi marquant que ça... ou prétendait ne pas s'en souvenir. Qu'est-ce que Leroy avait bien pu écrire qu'il refuserait de reconnaître ? Chee l'apprendrait, espérait-il, lorsqu'il parviendrait à retrouver Margaret Sosi (pour la troisième fois), et qu'il la tiendrait suffisamment longtemps pour lui arracher soit la carte elle-même, soit le souvenir exact et détaillé qu'elle avait de ce qu'il y avait d'écrit dessus et de ce que son grand-père lui avait dit concernant la raison qui faisait de Gorman (lequel des Gorman ?) quelqu'un de dangereux à approcher. Et pratiquement au moment où cette pensée lui venait, il sentit la fumée.

C'était l'odeur du pin pignon qui brûle, l'odeur parfumée de la résine chaude. Puis un ruban de fumée bleue se détacha sur les genévriers de la colline suivante et le domaine de Frank Sam Nakai fut en vue. Il y avait là un hogan de troncs d'arbres de forme octogonale, une maison de bois rectangulaire recouverte de papier goudronné noir, un camion semi-remorque plateau, un pick-up truck vert, un corral avec un enclos à moutons construit juste derrière lui, l'abri en tôle ondulée dans lequel Nakai conservait ses réserves de nourriture pour les bêtes et, à l'écart, adossée au flanc de la colline, la construction de planches de forme carrée dans laquelle la mère de l'épouse de Frank Sam Nakai habitait avec la fille de Frank Sam Nakai. Au-dessus des deux habitations, de la fumée sortait des tuyaux de poêles, deux rubans bleus aussi distincts que les repas mis sur le feu par les occupants. L'oncle de Chee et la belle-mère de son oncle suivaient les instructions données par Femme-qui-Change qui avait enseigné que lorsqu'un homme contemple la mère de la femme qu'il a épousée, la cécité ainsi que d'autres problèmes plus graves peuvent en découler. Pour Jim Chee cela paraissait tout à fait naturel.

Il lui paraissait également naturel que Frank Sam Nakai soit absolument ravi de le voir. Au moment où il vit Chee arriver, Nakai, muni d'une pelle, était occupé à mettre de la neige dans des barils où le soleil la transformerait en eau potable. Son cri de bienvenue fit sortir la tante de Chee de la maison. Sa tante, selon le système des hommes blancs, était madame Frank Sam Nakai. Ses amis Navajos, ses voisins et les membres de son clan l'appelaient Femme Bleue en l'honneur de ses impressionnants bijoux de turquoise. Mais pour Chee elle était, avait toujours été et resterait toujours, Petite Mère, et en l'honneur de sa visite elle ouvrit des boîtes de pêches et de patates douces confites pour accompagner les tacos de mouton pimentés qu'elle lui servit à manger. Ce ne fut que lorsque tout fut terminé, que la table eut été débarrassée et que les nouvelles de toute la famille eurent été prises, que Chee aborda ce qui l'avait amené.

— Mon père, dit-il en s'adressant à Frank Sam Nakai, combien reste-t-il de *yataalii* qui savent comment guérir quelqu'un qui a la maladie du fantôme ?

Derrière lui, venant de l'endroit où elle était assise à côté du poêle, Chee entendit le bruit que fit Petite Mère en retenant sa respiration. Son oncle digéra la question.

— Il y a deux manières de le faire, dit-il enfin. Il y a le chant qui dure neuf jours et celui qui en dure cinq. Je pense qu'ils ne sont plus nombreux à connaître encore celui de neuf jours. Peut-être juste un vieil homme qui vit là-haut du côté du Mont Navajo. Là-haut en Utah. Tu pourrais trouver un peu plus facilement quelqu'un pour effectuer le rite guérisseur de cinq jours. Il y avait un homme qui le connaissait, je me rappelle, quand nous apprenions aux jeunes à devenir *yataalii* à l'Ecole Communautaire Navajo. Je me rappelle qu'il avait dit que c'était son oncle qui lui avait appris, et son oncle vivait là-bas sur le Plateau de Moenkopi, du côté de Dinnebito Wash. Ce qui ferait deux. Mais son oncle était vieux déjà à cette époque. Peut-être est-il mort maintenant.

— Comment est-ce que je pourrais faire pour le retrouver ? Le plus jeune.

— Demain, nous nous rendrons à Ganado. A l'école. Ils y conservaient une liste où étaient marqués tous ceux qui connaissaient les chants et l'endroit où ils habitaient.

Le visage de son oncle posait la question que sa courtoisie ne lui permettrait jamais d'exprimer en paroles. Qui était atteint de la maladie du fantôme ? Etait-ce Jim Chee qui en était la victime ?

— J'essaye de retrouver une jeune fille du Clan du Dindon que les gens appellent Margaret Billy Sosi, expliqua Chee. Elle a pénétré à l'intérieur d'un hogan *chindi*, et je pense qu'elle va faire exécuter un chant pour cela.

Il entendit le soupir poussé par Petite Mère, l'expression du soulagement. Il ne voulait pas dire à ces deux-là que lui aussi était sous l'emprise du fantôme. Il ne voulait pas dire à son oncle ce qu'il avait fait. Il ne voulait pas lui dire qu'il allait accepter de travailler pour le FBI, quitter le Peuple, et abandonner l'idée de devenir *yataalii* comme lui. Il ne voulait pas lire la tristesse sur les traits de cet homme bon.

Ils avaient bu du café, mangé du pain et sellé trois chevaux avant que ne survienne le moment pour son oncle de prendre une pincée de pollen et une pincée de farine* de maïs et de sortir afin de bénir le soleil levant avec la prière adressée à Fils de l'Aube. Petite Mère partit avec eux pour ramener les chevaux, et tout alla très vite. Le pick-up truck refit la route en sens inverse sur une neige glacée, et ils eurent l'impression de rouler sur un sol de verre qui crissait et craquait sous les roues. En une demi-heure ils étaient sur la bonne route de l'autre côté de Blue Gap. Avant le milieu de la journée ils se trouvaient dans la bibliothèque de l'École Communautaire Navajo où ils se penchaient sur la liste des hommes et des femmes qui sont les shamans* des Navajos.

Chee avait ignoré qu'elle existait. Il n'aurait pas dû l'ignorer, se disait-il. Elle pouvait être utile à n'importe quel policier. Et alors même que cette pensée s'imposait à lui, à un autre niveau de conscience il se sentait consterné et atterré. Il y avait là si peu de noms. Et parmi eux il y en avait tant qui étaient inscrits comme ne connaissant que la Voie de la Bénédiction, ou la Voie de l'Ennemi, ou le Yeibichai, le Chant de la Nuit, ou les plus répandus et les plus courants parmi les rites guérisseurs. Il jeta un regard en direction de Frank Sam Nakai dont le doigt suivait la liste en descendant lentement vers le bas de la page. Son oncle lui avait dit que le Peuple Sacré avait appris au Dinee une soixantaine au moins de ces rites guérisseurs et que beaucoup d'entre eux s'étaient perdus au cours de ces années de triste mémoire où le Peuple avait été emmené en captivité et parqué à Fort* Sumner. Et il voyait bien aujourd'hui que d'autres étaient en train de se perdre. Il parcourut la liste pour voir combien de chanteurs connaissaient la Voie de la Chasse qu'il essayait d'apprendre. Il ne vit que le nom de son oncle et celui d'un autre homme.

— Deux seulement qui connaissent la Voie du Fantôme, dit son oncle. Ce gars dont je t'ai parlé et son vieil oncle qui habite tout là-bas à l'ouest du pays hopi. Deux seulement.

— Ce sera probablement le plus jeune. Il semble que le Clan du Dindon soit des Navajos de l'est ; essentiellement de ce côté-ci des Chuska.

— Tu comprends pourquoi nous avons besoin de toi, dit Frank Sam Nakai. Tout le monde est en train de tout oublier. Il ne restera plus personne pour guérir les autres. Personne pour nous permettre de rester des Navajos.

— Ouais, fit Chee. C'est bien l'impression que ça donne.

Il serait bientôt obligé de le dire à Frank Sam Nakai. Très bientôt. Mais aujourd'hui il ne pouvait absolument pas s'y résoudre.

Celui qui connaissait la Voie du Fantôme (ainsi que la Voie de la Bénédiction et la Voie du Sommet de la Montagne) était inscrit dans le livre comme étant Leo Littleben Junior. Et il habitait non pas au fin fond de nulle part au bout d'une piste de terre interminable mais à Two Story, à quarante kilomètres à peine sur la route qui menait à Window Rock. Et (miracle des miracles pour la réserve), il figurait sur l'annuaire des téléphones Navajo-Hopi.

— Je crois que la chance est en train de tourner, dit Chee.

Quelqu'un répondit au téléphone dans la maison Littleben. Une femme.

210

— Il n'est pas là en ce moment, dit-elle.

— Quand pensez-vous qu'il va revenir ?

— Je ne sais pas. Dans trois... quatre jours, je pense.

— Y a-t-il un endroit où je puisse le joindre ?

— Il exécute un chant.

— Est-ce que vous savez où ?

— Là-bas, dans la réserve Canoncito.

La chance n'avait guère tourné, pensa-t-il. Canoncito était aussi loin de Ganado que l'on pouvait aller tout en restant en pays navajo. C'était un morceau de réserve séparé de la Grande Réserve par des kilomètres de terres appartenant à des particuliers et par les réserves indiennes d'Acoma et de Laguna. C'était pratiquement à Albuquerque. En fait, c'était en dehors de Dine' Biké'yah, du mauvais côté de Montagne Turquoise. Certains hommes-médecine d'un traditionalisme strict refuseraient d'y exécuter un chant.

— Est-ce que vous savez pour qui c'est ? demanda Chee. Qui l'a engagé ?

— Pour une femme qui s'appelle Sosi, il me semble bien.

— Une Voie du Fantôme ?

— Une Voie du Fantôme, oui. Il exécute le chant de cinq jours. Il sera de retour dans trois ou quatre jours maintenant.

En définitive la chance avait bien tourné.

25.

Il faisait presque nuit lorsque Chee s'engagea sur la Sortie 131 de l'Interstate 40 et prit la route au revêtement abimé qui partait vers le nord. Pendant les premiers kilomètres, elle s'enfonça entre les barrières sur lesquelles étaient accrochés les panneaux d'interdiction d'entrer du Pueblo Indien de Laguna : une région de prairies où paissaient des bœufs Hereford. Mais le terrain monta, devint plus rocheux. Il y eut davantage de cactus, davantage de genévriers, de chamiza et d'arroche, puis un panneau à l'inscription décolorée :

BIENVENUE DANS LA RESERVE CANONCITO
Pays des Navajos du groupe Canoncito
Population : 1600

Leroy Gorman ne rencontrerait aucun problème pour arriver jusque-là, pensa Chee, pas s'il savait suffisamment bien lire les panneaux pour pouvoir s'y retrouver dans les autoroutes de Los Angeles. Il l'avait appelé de l'école, faisant usage de son numéro d'identification de la Police Tribale pour arracher au directeur du service des renseignements par téléphone le numéro de Grayson qui ne figurait pas dans l'annuaire.

— Vous m'avez dit que vous aimeriez bien rencontrer d'autres membres de votre famille, avait dit Chee à Gorman. Vous y tenez suffisamment pour accepter de faire trois cents bons kilomètres ?

— Qu'est-ce qu'il faut faire d'autre ? avait répondu Gorman. Par où je passe ?

— Prenez la direction de Gallup, au sud. Puis l'Interstate 40 vers l'est, passez Grants, et après avoir traversé Laguna, vous commencez à guetter le panneau annonçant la Réserve Canoncito. C'est là que vous sortez, puis vous entrez dans la réserve et vous cherchez le poste de police. Je vous y laisserai une carte ou quelque chose pour vous indiquer où il faut aller.

— Vous avez trouvé la jeune fille ? Ils lui font un de ces trucs guérisseurs ?

— Exactement. Et plus il y aura de gens de sa famille, mieux ça marchera.

Huit kilomètres après le panneau marquant l'entrée

de la réserve, un bâtiment métallique préfabriqué de couleur verte, un hangar, une maison mobile, un semi-remorque garé et un panneau d'essence Philips 66 signalaient l'emplacement d'un comptoir d'échanges. Chee s'arrêta. Quelqu'un qui connaît la famille Sosi ? Pas de famille Sosi à Canoncito. Quelqu'un qui sait où il y a un chant en cours ? Tout le monde. Tout là-bas sur Mesa Gigante, chez Jimmie Yellow. Facile à trouver. Et le poste de police, où était-il, lui ? Y avait qu'à suivre la route, dans cinq-six kilomètres, avant d'arriver à la maison chapitrale. Impossible de le rater.

Il aurait, effectivement, été impossible de le rater : c'était une petite construction de bois à moins de quinze mètres en retrait de la route et avec un panneau qui indiquait simplement POSTE DE POLICE. Y était affecté, d'après le souvenir que Chee avait gardé de la situation locale, quelqu'un qui n'appartenait pas à la Police Tribale Navajo mais au Service du Maintien de la Loi et de l'Ordre dépendant du Bureau des Affaires Indiennes, un policier employé à temps partiel qui couvrait également la partie est du territoire de Laguna. Cet après-midi bien précis, il était placé sous la responsabilité d'une jeune femme qui portait des lunettes à double foyer.

Chee lui montra ses papiers officiels.

— J'essaye de trouver un chant qu'ils sont en train de tenir chez Jimmie Yellow, dit-il. Vous savez comment on fait pour y aller ?

— Bien sûr, affirma-t-elle. C'est sur Mesa Gigante.

Elle sortit une feuille de papier machine de son bureau, inscrivit *Nord* en haut de la page, *Est* sur le côté droit, puis dessina un minuscule carré vers le bas qu'elle appela *Flics*. Après quoi elle traça une ligne qui passait devant le carré et allait vers le nord.

— Ça, c'est la Route Cinquante-sept. Vous restez dessus jusqu'à ce que vous ayez passé (elle dessina une série de carrés minuscules à l'ouest de la ligne) la maison chapitrale et l'église baptiste qui se trouvent là, puis vous bifurquez vers l'ouest sur la Route 7045. Il y a un panneau.

La carte prenait forme de manière détaillée sous sa plume : les embranchements à ne pas prendre étaient spécifiés et barrés par des X, et les points de repère tels que moulins, réservoirs d'eau ainsi qu'une mine de charbon abandonnée, étaient clairement indiqués.

— Elle finit par aboutir ici, au pied de cette paroi, et ensuite vous êtes sur la mesa. La seule route qui y monte, alors vous n'avez pas le choix. Il y a un vieux camion carbonisé là, juste au sommet, et à environ quinze cents mètres avant d'arriver chez Yellow, vous dépasserez les ruines d'un ancien hogan sur votre gauche. Et de la route vous verrez où il habite.

— Et je ne peux pas le rater, compléta Chee avec un large sourire.

— A mon avis, non. C'est au second embranchement, et le premier mène à l'ancien hogan en ruines.

Elle le regarda d'un air sombre au-dessus de ses verres de lunettes en ajoutant :

— Quelqu'un y est mort, si bien que plus personne n'emprunte cette piste-là. Et après l'embranchement qui mène chez Yellow, il n'y en a plus pendant des kilomètres parce que ceux de la famille de Jimmie Yellow sont pratiquement les seuls à être encore là-haut.

Chee lui signala que Gorman allait arriver de Shiprock et qu'il lui avait donné pour instruction de s'arrêter là pour trouver son chemin. Est-ce que cela allait poser un problème ? Absolument pas. Mais tandis que Chee s'éloignait, il eut la désagréable impression qu'il y avait quelque chose qui allait en poser un, qu'il y avait quelque chose qu'il oubliait, quelque chose dont il avait omis de tenir compte, ou alors qu'il était en train de commettre une erreur.

L'endroit où vivait Jimmie Yellow, plus encore que celui d'Ashie Begay, semblait avoir été choisi davantage pour la vue qu'il offrait que pour le côté pratique. Perché près du rebord de la mesa, il dominait les profonds escarpements désertiques qui plongeaient vers le Rio

Puerco. A l'ouest, de l'autre côté de la Réserve Laguna, les cimes enneigées de la Montagne Turquoise renvoyaient la lumière de la lune naissante. A l'est, la crête arrondie des Monts Sandia se dressait sur l'horizon tandis qu'à leurs pieds brillaient les lumières d'Albuquerque. Au nord, une autre ligne de couleur blanche signalait les Monts Sangre de Cristo coiffés de neige et, plus bas, la tache de lumière jaune vif représentait la ville de Santa Fe distante de cent cinquante kilomètres. Une vue impressionnante, mais pas d'eau, seulement quelques groupes de genévriers épars pour donner du bois à brûler ; et les herbes-aux-serpents autour des bottes de Chee indiquaient ce qu'un trop grand nombre de moutons, il y avait de cela longtemps, avaient pu faire aux herbages de la mesa.

Néanmoins, la vue était extraordinaire et, en temps normal, Jim Chee l'aurait appréciée et l'aurait ajoutée à la collection d'endroits splendides qu'il confiait à sa mémoire. Mais pas ce soir. Ce soir, lorsqu'il s'autorisa à y penser, le spectacle des montanges l'emplit d'un sentiment de déracinement. Il ne se faisait aucune illusion sur l'endroit où sa carrière au FBI allait l'entraîner. Ils le considèreraient comme un Indien, cela il en était sûr. Et cela signifiait qu'il serait employé d'une manière apparemment appropriée. Mais ils ne le ré-expédieraient pas chez lui afin qu'il travaille au milieu de ceux qui appartenaient à sa famille, au milieu de ses proches ou des membres de son clan. Trop de risques de conflits d'intérêt pour ça. Il travaillerait à Washington, probablement, dans un bureau destiné à assurer la coordination entre le travail effectué par l'Agence et le Bureau des Affaires Indiennes. A moins qu'on ne l'envoie au nord pour tenir son rôle de policier au cœur des Cheyennes, ou au sud en Floride pour lutter contre les crimes relevant du domaine fédéral en pays Séminole. Cette pensée peu encourageante mise à part, Chee ne pouvait pas apprécier la vue parce qu'il n'était pas d'humeur à apprécier quoi que ce soit. Il avait trouvé Margaret Billy Sosi pour la troisième fois, lui avait arraché la dernière pièce du puzzle qui lui manquait encore, et cela ne lui révélait absolument rien.

Il sortit de la poche de sa veste la Bourse des Quatre Montagnes d'Ashie Begay et la fit sauter dans la paume de sa main. Derrière lui vibrait dans l'air calme et froid le son d'un tambour, et, l'accompagnant, la voix de Littleben montait et retombait pour le chant qui racontait comment les Jumeaux* Héroïques avaient décidé que Grand-Père La Mort* devait être épargné et non éliminé lors de la campagne qu'ils avaient menée pour délivrer Dinetah de ses monstres. La même brise légère qui amenait ces sons apportait l'odeur de la fumée du feu de bois qui brûlait dans le hogan, lui rappelant qu'il faisait chaud à l'intérieur et que le froid qu'il ressentait, lui, au-dehors, sur ce bloc de grès où il s'était assis, pénétrait jusqu'à ses os. Mais il ne voulait pas être à l'intérieur, assis le dos contre le mur du hogan, à regarder Littleben exécuter la dernière des peintures de sable du rite, ni partager la musique, la poésie et la bienveillance de ces gens. Il voulait être là où il se trouvait dans le froid afin d'essayer de réfléchir, de reprendre toute l'affaire depuis le début.

Il avait pu discuter avec Margaret Sosi lorsque Littleben avait achevé la section du chant qui relatait comment Tueur de Monstres et Fils Né des Eaux étaient revenus sur le Monde de la Surface de la Terre avec les armes qu'ils avaient dérobées à leur père, le Soleil. Littleben était sorti du hogan en essuyant la transpiration en-dessous du bandeau rouge qu'il portait autour du front, et en regardant curieusement autour de lui comme le font les gens qui sont restés enfermés trop longtemps. Puis les autres participants à la bénédiction de la cérémonie étaient sortis également, et parmi eux se trouvait Margaret Sosi, le visage caché sous la couche noire qui la rendait invisible aux fantômes. Elle semblait épuisée et toute maigre, mais les yeux qui regardaient de sous la couche de suie étaient vifs et animés. Margaret Sosi est en train d'être guérie, avait pensé Chee. Un jour, peut-être, il pourrait l'être.

Margaret Sosi avait été heureuse de le voir. Elle lui avait demandé comment allait sa tête et lui avait dit qu'il n'aurait pas dû sortir de l'hôpital.

— Je veux vous remercier de m'y avoir emmené, avait-il répondu. Comment vous y êtes-vous donc prise ?

— Quand vous l'avez frappé, il a lâché son arme. Je n'ai eu qu'à la ramasser et à lui dire de nous conduire à l'hôpital.

— Aussi facile que ça ?

Margaret Sosi avait frissonné.

— J'ai eu peur, avait-elle avoué. J'ai eu une peur bleue.

— Avant que quoi que ce soit de ce genre ne se reproduise, il y a quelques questions qu'il faut que je vous pose. Est-ce qu'Ashie Begay vous a envoyé une carte postale qu'il tenait d'Albert Gorman ? Une photo...

— Oui, avait-elle répondu.

— J'aimerais la voir.

— Bien sûr. Mais elle est dans ma chambre. A Sainte Catherine. Nous y sommes repassés avant de venir ici pour le chant.

Evidemment, s'était dit Chee. Elle ne pouvait pas être ici. Jamais au grand jamais il ne la verrait vraiment, cette carte postale, jamais.

— Qu'est-ce qu'il y avait d'écrit dessus ?

Elle avait froncé les sourcils.

— Il y avait juste, «Fais confiance à personne». C'est tout. Il y avait le nom de monsieur Gorman, plus une adresse à Los Angeles et ça : «Fais confiance à personne». C'est tout ce qu'il y avait. Et en bas, «Leroy».

Chee n'avait pas su quoi dire, alors il avait dit :

— Pas l'adresse de l'expéditeur ?

— Non, et même pas de timbre. Le facteur avait mis un de ces tampons timbre-taxe dessus.

— Ah ! avait fait Chee. Merde.

— Est-ce que vous avez retrouvé mon grand-père ?

Chee avait su que la question allait venir. Il s'y était préparé. Il avait décidé que le mieux, pour toutes les parties concernées, consistait simplement à lui dire que son grand-père était mort. Franchement. A s'en débarrasser. Il avait pris une profonde inspiration.

— Margaret, avait-il commencé. Euh, eh bien…

— Il est mort, n'est-ce pas ? l'avait interrompu Margaret Billy Sosi. Je crois bien que je le savais depuis le début mais que je n'étais pas capable de regarder les choses en face. Je le savais que jamais il n'aurait abandonné son hogan comme ça. Pas pour s'en aller comme ça sans rien dire à personne.

— Oui, avait confirmé Chee. Il est mort.

Les larmes avaient creusé un sillon à travers la suie qui recouvrait le visage de la jeune fille, y laissant une trace humide qui réfléchissait la froide lumière de la lune, mais sa voix n'avait pas changé :

— Bien sûr qu'il l'était. Bien sûr. On l'a tué, n'est-ce pas ? Je crois que je le savais déjà.

— Et je ne pense pas que c'était vraiment un hogan sous l'emprise d'un fantôme dans lequel vous avez pénétré, avait ajouté Chee. Je pense que Gorman est mort dehors. On a juste voulu donner l'impression que Hosteen Begay l'avait enterré et avait fait le trou dans le mur du hogan avant de l'abandonner. Pour que personne ne vienne traîner dans le coin à sa recherche.

— Mais pourquoi ?

— Je ne sais pas, avait répondu Chee. Je ne sais pas pourquoi.

Mais il savait qu'il y avait forcément une raison. Il fallait qu'il y en ait une. Si seulement il pouvait se montrer suffisamment intelligent pour la trouver. Et cela l'avait ramené à la photographie.

— Est-ce que l'adresse qui s'y trouvait…, avait-il commencé.

Mais Margaret Sosi avait elle aussi commencé à parler :

— Ça n'a pas d'importance, maintenant. Que ça ait été un hogan de fantôme ou pas. Dans quelques heures à peine, je serai guérie de ça. Monsieur Littleben aura fini exactement au moment où le soleil se lèvera. Et je me sens déjà guérie.

Chee ne se sentait pas guéri. La maladie du fantôme adhérait sur lui et pesait aussi lourd qu'une couverture de selle trempée de pluie. Il se sentait pris de vertiges. Gagné de nausées.

— L'adresse qui se trouvait dessus, avait-il repris, est-ce que c'était la même que celle de l'endroit où vous êtes allée à Los Angeles ?

— Oui. C'est comme ça que j'ai su qu'elle existait. Je voulais trouver ma famille et la femme qui était là-bas m'a indiqué le bus qu'il fallait que je prenne pour me rendre là où Femme Voûtée et Fille de Femme Voûtée habitent.

— Et tout ce qu'il y avait d'écrit sur la photo, c'était, «N'aie confiance en personne» ?

— «Fais confiance à personne», avait-elle corrigé. C'était tout. Avec «Leroy» tout en bas.

C'était là exactement tout ce qu'il avait appris. Il avait dit à Margaret Sosi que lorsque la cérémonie serait terminée il allait la ramener à Santa Fé et récupérer la photo/carte postale. Mais au moment où il le lui disait, son instinct l'avertissait que même s'il tenait cette carte postale dans sa main, elle ne lui apprendrait rien qu'il ne sût déjà. L'ultime pièce du puzzle enfin trouvée ; le puzzle demeurait inachevé.

Tous ensemble, une trentaine de personnes, ils avaient alors mangé deux marmites de ragoût de mouton et un panier de pain frit. Ils avaient mangé au dessert des gâteaux de boulanger à base de farine d'avoine, et avaient bu du coca-cola et du café. Hosteen Littleben était venu et avait accepté de purifier la Bourse des Quatre Montagnes de Begay, un rite qui comprenait son rinçage avec une petite quantité de cette substance émétique qui avait été préparée pour être bue par le patient au terme de la cérémonie.

— Frank Sam, il me raconte que vous allez être *yataalii*. Il m'a dit que vous connaissiez déjà la plus grande partie de la Voie de la Bénédiction et que vous en appreniez d'autres. C'est une bonne chose.

Hosteen Littleben était un petit homme gras qui marchait avec une légère claudication parce qu'il avait une jambe raide. Les cheveux de ses deux courtes nattes étaient noirs, mais sa moustache était presque grise et son visage présentait un paysage creusé de rides. Si Frank Sam Nakai ne se trompait pas, si Hosteen Littleben était le plus jeune homme-médecine vivant à connaître la Voie du Fantôme, le Peuple était sur le point de perdre une nouvelle portion de l'héritage que lui avait légué le Peuple Sacré.

— Oui, avait répondu Chee. C'est une bonne chose d'apprendre les chants.

C'était une bonne chose, avait-il pensé ; le temps qui convenait, c'était l'imparfait.

Et puis était arrivé le moment de la dernière partie du chant de la Voie du Fantôme. Les toutes dernières lueurs du crépuscule avaient disparu, la lune montait dans le ciel, la mesa était dans l'ombre et les lumières d'Albuquerque brillaient aux pieds des Monts Sandia à soixante-cinq kilomètres (et un monde) de distance. Hosteen Littleben allait à deux reprises couvrir le sol en terre du hogan de ces peintures de sable compliquées qui faisaient partie du rite : elles illustraient des épisodes des aventures mythiques à la suite desquelles le Peuple Sacré avait pu résoudre le problème causé par le résidu perturbateur qui demeure présent après la mort. Margaret Sosi allait rester assise, entourée de cette imagerie abstraite, et grâce à l'amour et à l'affection de ces individus qui constituaient les derniers représentants du Clan du Dindon, elle allait être rendue à la beauté et à *hozro,* guérie du fantôme. Chee n'avait pas suivi les participants à l'intérieur du hogan. Pour que le rite soit correctement observé, il fallait avoir l'esprit entièrement livré à de bonnes pensées : libre de pensées mauvaises, de colère, de contrariété, et de tout ce qui était négatif. Il était resté au dehors, dans le froid, l'esprit envahi de pensées mauvaises.

Leroy Gorman était arrivé un peu plus tard, au volant d'une Chevrolet blanche qu'il avait garée à côté du groupe de véhicules à proximité du hogan de Yellow. Il l'avait regardé tandis qu'il grimpait la pente menant vers le hogan et que la lumière de la lune éclairait la calotte de son chapeau ainsi que sa grosse veste de chasse en tissu écossais bleu et blanc.

— Pas facile à trouver comme coin, avait dit Gorman. Le poste de police était fermé mais ils avaient épinglé votre carte sur la porte. Mais même avec une carte, j'ai fait tout le tour de la région. J'arrêtais pas de me tromper. Comment est-ce qu'ils font pour gagner leur vie ici ?

— On ne peut pas vraiment dire qu'ils la gagnent, avait répondu Chee.

Gorman avait regardé en direction du hogan d'où montaient à nouveau les accents du chant de Littleben, puis vers le pied de la pente où se trouvait le groupe de baraques et de constructions qui abritaient les membres de la famille Yellow élargie. Il avait secoué la tête.

— Ma famille, avait-il commenté.

— Qu'est-ce que vous avez voulu dire quand vous avez écrit «Fais confiance à personne» sur cette photo ?

Gorman regardait à nouveau le hogan. Pendant un instant, la question avait semblé ne pas s'inscrire dans son cerveau.

— Quoi ? avait-il dit.

— La photo que vous avez envoyée à Albert, là-bas, à Los Angeles. Pourquoi est-ce que vous avez écrit ça dessus ?

— Ce n'est pas moi, avait assuré Leroy Gorman. Je ne comprends absolument pas de quoi vous voulez parler.

— Vous m'avez dit que vous aviez écrit à votre frère à L.A. Juste un petit mot gentil. Un truc de ce genre. Nous l'avons, la carte. Elle est adressée à Albert et ce qu'il y a de marqué dessus c'est : «Fais confiance à personne».

— Pas moi, avait-il répété.

Chee l'avait observé attentivement, essayant de voir son visage que le large bord de son feutre dissimulait aux rayons de la lune. Il n'était parvenu à voir qu'un faible reflet de lumière dans le verre de ses lunettes.

— J'ai écrit juste après mon arrivée à Shiprock. J'ai envoyé une lettre à Albert où je lui disais que j'allais bien. Et je lui ai demandé d'appeler quelqu'un pour moi pour dire que j'allais être absent quelque temps et qu'il ne fallait pas s'inquiéter.

— Appeler qui ?

Pendant un moment, Leroy Gorman n'avait rien répondu. Puis il avait haussé les épaules.

— Quelqu'un que je vois souvent. Une femme. (A nouveau il avait haussé les épaules). Je ne voulais pas qu'elle s'inquiète et qu'elle se foute en colère. J'avais son numéro de téléphone mais je n'étais pas sûr de l'adresse, alors j'ai envoyé le numéro à Al et je lui ai demandé de lui faire la commission.

— Alors comment est-ce qu'Albert a fait pour avoir cette photo de vous à côté de la caravane avec le message écrit derrière ?

— C'est en partie facile à expliquer. C'est moi qui lui ai envoyé la photo. Je l'ai mise dans la lettre. Mais j'ai rien écrit dessus.

— Vous lui avez donc bien envoyé le cliché polaroïd ?

— Ouais. J'avais mis l'appareil sur le capot de ma voiture puis j'avais réglé le déclencheur et j'étais allé me mettre à côté de la caravane pendant que l'appareil prenait la photo. Mais je n'ai rien écrit au dos. Je crois que si on fait ça, ça abîme l'image. L'encre passe au travers.

Chee considéra ce qu'il venait d'apprendre. Le dernier morceau complétait le puzzle et venait donner naissance à un autre. Qui avait écrit *Fais confiance à personne* au dos de cette fichue photo ? Et quand ? Comment l'avaient-ils eue en leur possession ? Et pourquoi ? Pourquoi ? Pourquoi ?

— Quelqu'un l'a envoyée, avait repris Chee. Par la poste. Il y avait un tampon timbre-taxe appliqué dessus. Et quelqu'un l'a signée «Leroy».

— Il y avait «Fais confiance à personne» de marqué ? Rien d'autre ?

— C'est ça.

— Qui ça peut bien être ? avait demandé Gorman.

Il avait relevé le bord de son chapeau et les rayons de la lune avaient éclairé son visage creusé de rides et s'étaient reflétés dans ses lunettes.

— Et pourquoi ? avait-il ajouté.

C'étaient exactement les questions que se posait Chee. Il se les posait et elles restaient sans réponse. Gorman et Chee avaient essayé un moment de leur trouver des réponses sans parvenir à une meilleure compréhension des choses. Et Chee avait expliqué à Gorman qu'il ne serait pas bon que lui, Gorman, un étranger ici, pénètre dans le hogan à ce stade de la cérémonie. S'il était arrivé une heure plus tôt, il aurait pu faire la connaissance de sa nièce et de ses autres parents pendant qu'ils dînaient. Maintenant il allait devoir attendre l'aube, le moment où le rite s'achèverait. Gorman s'était éloigné en direction du feu autour duquel se tenaient des spectateurs qui ne participaient pas au rite à l'intérieur du hogan. Chee l'avait entendu se présenter et, un peu plus tard, il avait entendu des rires. Au moins Leroy Gorman avait-il rencontré des gens qui étaient aux franges de sa famille.

Chee retourna à son pick-up truck et fit démarrer le moteur. La piste s'arrêtait là. Il allait reconduire Margaret Sosi à Santa Fé, récupérer la photogrohie, la regarder, et voir ce dont on lui avait déjà fourni la description. Et c'en serait fini. Il ne resterait plus aucun indice négligé, plus rien. Juste une série d'incidents criminels qui semblaient contraires à la raison. Ils étaient à coup sûr contraires aux lois fondamentales de l'univers de Frank Sam Nakai, des lois qui étaient devenues celles de l'univers de Chee. Il existe une interdépendance entre toutes choses. La loi universelle est celle qui associe à chaque effet une cause. Rien n'a lieu sans raison ou sans effet. L'aile du coléoptère exerce une influence sur la direction du vent, sur la manière dont le sable se dépose, sur la manière dont la lumière se reflète dans les yeux de l'homme qui contemple la réalité de son monde. Chaque élément fait partie d'un tout, et dans ce tout l'homme trouve son *hozro,* sa manière de marcher dans l'harmonie, avec la beauté tout autour de lui.

Les pensées de Chee revenaient toujours au même problème. Pourquoi cette mise en garde contre la confiance ? s'interrogeait-il. Qui n'était pas digne de cette confiance ? Devait-il, en ce qui le concernait, se conformer à cet avis ? A qui donc faisait-il confiance dans cette affaire ?

Il y avait Shaw. Le policier dont la motivation était la fidélité à un ami et le désir que justice soit faite. Etait-ce crédible ? Chee ne parvenait à trouver aucune raison de mettre en doute ce qu'il avait appris sur l'agent du FBI : ce qui n'allait d'ailleurs pas bien loin. Il y avait même Upchurch. Avait-il fait quelque chose qui fût sujet à caution avant de mourir ? A qui d'autre Chee s'était-il fié ? A Leroy Gorman. Il n'avait pas appris grand-chose de lui, sinon qu'il avait nié avoir écrit l'avertissement qui figurait sur la photographie. Chee envisagea un instant cet aspect des choses. Croyait-il Gorman implicitement ? Bien sûr que non, pas plus qu'il ne croyait ce qu'avait pu lui dire la logeuse d'Albert Gorman. Il s'attendait à ce qu'ils continuent à se comporter comme ils avaient appris à le faire, rien de plus. De la même façon qu'on pouvait s'attendre à ce que le facteur dépose le courrier dans la boîte. Chee se souvint de la boîte aux lettres de Gorman, de la manière dont il s'était servi de son corps pour empêcher la logeuse de Gorman de voir qu'il était en train d'en inspecter le contenu. Tout à coup, un type de raisonnement entièrement nouveau se fit jour en lui. La lettre que Leroy Gorman avait envoyée avait dû arriver dans cette boîte aux lettres précisément, sous les yeux de Madame Day... la logeuse qui était payée pour tenir McNair au courant de ce qui se passait. Mais la photographie, envoyée comme une carte postale avec une adresse mais sans timbre et sans adresse d'expéditeur avait dû arriver de manière légèrement différente. Le facteur avait dû frapper à la porte pour se faire remettre le montant de l'affranchissement impayé. Madame Day n'avait pas eu la possibilité de l'intercepter, celle-là. Cela avait-il de l'importance ? Chee voyait bien en quoi ça pouvait en avoir. Il réfléchit encore.

— Ah ! fit-il.

Si son raisonnement était exact, le gang McNair avait su que Leroy Gorman était caché à Shiprock très peu de temps après son arrivée sur place. Madame Day avait dû voir dans la boîte aux lettres d'Albert la lettre que Leroy lui avait expédiée, elle avait dû noter l'adresse de l'expéditeur et passer ce fameux coup de fil qui valait cent dollars. Et dans une communauté d'aussi faible importance, ils auraient pu découvrir un étranger. Pas vite, peut-être, parce que de toute évidence c'était Albert qui avait la photographie et non pas eux. Mais c'était possible. Apparemment ils n'avaient pas essayé de le faire. Pourquoi ?

Chee poussa un soupir. Et la carte postale ? Leroy Gorman disait qu'il avait envoyé le cliché polaroïd dans une enveloppe et qu'il n'avait pas écrit l'avertissement qui y figurait. Mais on avait appliqué un tampon timbre-taxe dessus, et il y avait une adresse. Qu'est-ce qui pouvait expliquer cela ? Deux photographies identiques ? Pas vraiment possible avec une épreuve polaroïd. Albert Gorman avait dit à grand-père Berger que c'était son frère qui lui avait envoyé la photo et qu'il était inquiet. Le «Dommage que tu ne sois pas là» que Leroy prétendait avoir écrit ne risquait pas vraiment de provoquer une telle inquiétude. L'inscription «Fais confiance à personne», oui.

Chee abaissa ses paupières, se fermant le plus possible aux rayons de la lune et aux accents du chant de Littleben afin de mieux parvenir à se remémorer la scène qui s'était déroulée sur la pelouse des *Cheveux d'Argent*. Il y avait là Monsieur Berger qui se servait de ses mains pour raconter l'arrivée du type blond, ainsi que la manière dont Albert Gorman avait claqué la portière de la voiture sur son doigt. Gorman avait dit à Berger qu'il n'était pas censé aller à Shiprock mais qu'il y allait quand même. Berger pensait que le blond était venu pour l'en empê-

cher. Cela n'avait pas paru clair du tout à Chee à ce
moment-là, et ça ne lui paraissait pas clair du tout maintenant. S'ils n'avaient pas découvert Leroy, ils auraient
été ravis qu'Al aille le trouver pour eux. Mais s'ils
l'avaient trouvé ? Est-ce que dans ce cas ça aurait eu de
l'importance ? Peut-être.

Brusquement, Chee se redressa sur son siège, les yeux
grands ouverts. Ça en aurait eu beaucoup si l'homme
qu'Albert Gorman découvrait en trouvant la caravane
n'était pas son frère. Et si le gang McNair avait découvert Leroy dans sa caravane, l'avait emmené et l'avait
remplacé ? Mais cela ne pouvait pas marcher. Chee
explora rapidement sa mémoire à la recherche de raisons
qui pouvaient faire obstacle à cela.

Il n'y en avait pas. Upchurch, qui se serait immédiatement rendu compte de la substitution, était mort. Farmer, qui était le seul au courant du bureau du District
Attorney. Upchurch lui avait confié ses témoins, et il était
parti bien loin à San Francisco où il travaillait pour le
compte d'une étude privée. Qui d'autre pouvait connaître Leroy Gorman ? Sharkey ? Guère vraisemblable.
Sharkey savait bien qu'il avait quelqu'un sous son aile,
il devait être en contact téléphonique, prêt à intervenir.
Mais il éviterait également de se montrer pour éviter
d'attirer l'attention sur son protégé.

En y repensant, plus tard, Chee ne put jamais dire exactement à quel moment la lumière se fit jour en lui. En
premier lieu, il comprit enfin vraiment quelle était l'origine de la carte postale. Leroy Gorman avait dû se rendre compte qu'il avait été découvert. Ils avaient dû
envoyer Vaggan pour se débarrasser de lui. Peut-être
avait-il repéré Vaggan le premier. Instantanément, cela
lui avait indiqué que le Programme de Protection Spéciale des Témoins avait échoué. Il essayait depuis pas mal
de temps de convaincre son frère de coopérer avec les
agents fédéraux. Il savait maintenant que c'était là une
erreur fatale. Il avait dû chercher désespérément à le prévenir. Il avait réussi à griffonner l'adresse et l'avertisse-

ment sur la seule chose qu'il avait sur lui et qui pouvait être glissée dans une boîte aux lettres : le cliché polaroïd. «Fais confiance à personne» incluait le FBI, le gang McNair et tout le monde.

Une fois parvenu à ce premier résultat, le reste devint simple et clair. La mort d'Upchurch avait dû tout déclencher et cela n'avait aucune importance que ce soit Shaw ou le coroner qui ait raison. La mort avait probablement été naturelle. Ce qui était important, c'était que McNair l'avait su rapidement et qu'il avait compris la chance qui lui était ainsi offerte. Le secret dont s'était entouré Upchurch avait signifié la chute du Clan McNair, mais maintenant cela offrait à McNair un moyen de s'en sortir, une substitution de témoin. Ce qui rendait absolument logique ce qui s'était passé au hogan de Begay. Tout devait être fait pour éviter de soulever des questions, d'attirer l'attention vers l'homme qui se trouvait dans la caravane en aluminium à Shiprock. Une fois de plus, la loi immuable de la cause et du mobile à laquelle croyait Frank Sam Nakai trouvait ici sa confirmation.

Ce fut approximativement à ce moment-là que Jim Chee commença à réfléchir à qui pouvait être véritablement l'homme que jusque-là il avait appelé Leroy Gorman, et aux implications qui découlaient de sa présence. Et il se rendit compte que si les choses se déroulaient comme prévu, il ne quitterait peut-être pas Mesa Gigante vivant.

Et Margaret Billy Sosi non plus.

26.

Chee tourna la clef de la boîte à gants, glissa la main au milieu des cartes routières, des outils et des papiers

227

qui s'y trouvaient et en tira son pistolet. C'était un petit revolver calibre 38 à canon court, et Chee le regarda sans plaisir. Il n'avait rien contre ce pistolet-là en particulier ; c'était simplement qu'il n'appréciait nullement les armes et qu'il n'était pas particulièrement adroit au tir. Tous les ans cela représentait pour lui une épreuve que de réussir à atteindre, au tir à la cible, le niveau minimum requis par le service. Et s'il y parvenait néanmoins, c'était toujours d'extrême justesse. Et pourtant, en l'occurrence, le poids du pistolet était rassurant dans sa main. Il l'inspecta, s'assura qu'il était chargé, l'arma puis replaça le cran de sûreté. Ensuite il le glissa dans la poche latérale de sa veste. Cela une fois fait, il était temps de penser à un plan. Ce qui voulait dire qu'il fallait essayer de deviner ce qui avait de grandes chances de se passer sur la mesa.

La clef de tout le problème était simple : Leroy Gorman n'était pas Leroy Gorman. Il était peut-être Beno, si Chee ne se trompait pas de nom : ce Navajo dont Shaw lui avait dit qu'il avait été reconnu coupable par la commission d'enquête, mais sur lequel on n'avait jamais mis la main. Cela semblait logique. Shaw avait précisé qu'il était très difficile de le retrouver parce qu'il n'avait pas de dossier judiciaire, ce qui voulait dire ni photos, ni empreintes digitales, ni aucun renseignement utilisable. Si bien que personne n'allait le reconnaître. Et quand viendrait le moment où McNair se présenterait devant le tribunal, un Navajo identifié comme étant Leroy Gorman serait amené à la barre des témoins, et comment allaient-ils s'y prendre à partir de là ? Chee était persuadé de ne pas se tromper. Quand le District Attorney l'interrogerait, il débiterait son témoignage d'une manière hachée et hésitante, ce qui ferait naître le doute dans l'esprit des jurés. Puis, mis sur la sellette par la défense, il dirait qu'Upchurch lui avait dicté ce qu'il devait dire ; qu'Upchurch lui avait fourni toutes ces informations, l'avait assuré qu'elles étaient vraies et l'avait prévenu que s'il ne récitait pas sa leçon devant le tribunal, il serait envoyé en prison sous l'accusation de vol. Il dirait qu'en réalité il ne savait rien de l'affaire ; il répétait seulement ce que l'agent du FBI lui avait dit de raconter. Et cela, bien sûr, déteindrait sur tout ce que diraient les autres témoins à charge, instaurerait le doute dans l'esprit des jurés qui, en leur âme et conscience, laisseraient McNair rentrer chez lui librement.

Le véritable Leroy Gorman était incontestablement mort. On ne peut plus mort. Ils avaient fait en sorte que son corps ne soit jamais découvert.

Chee reprit les choses depuis le début. Sharkey ? Aucun problème. L'avertissement de Leroy avait été expédié presque aussitôt après son installation sur place. Il n'y avait pratiquement aucune chance que Sharkey l'ait vu. Donc Leroy Gorman n'était pas Gorman. Chee se surprit à repenser à cet homme en tant que Grayson. Que devait-il faire vis-à-vis de Grayson ?

Il descendit de son pick-up truck et regarda en direction du hogan. La cérémonie exécutée par Littleben était à ce moment-là silencieuse : Chee l'imagina à genoux, occupé à réaliser la dernière peinture de sable. A l'exception de deux hommes et d'une femme très grosse qui discutaient à côté du feu, ceux qui attendaient que l'aube signale la fin du rite le faisaient dans la chaleur relative de leurs voitures. Chee fixa son regard sur la Chevrolet de Gorman, essayant de voir si l'homme s'y trouvait. Impossible de le savoir. Il posa la main sur le pistolet à l'intérieur de sa poche, fit deux pas en direction de la voiture de Gorman. Et s'arrêta. Toute sa théorie s'écroulait d'un seul coup : elle s'expliquait par le coup reçu sur la tête et les trop nombreuses heures sans sommeil. Il s'imagina en train d'arrêter Gorman.

— De quoi m'accusez-vous ?

— Je crois que vous vous faites passer pour un témoin du FBI.

— C'est un crime ?

— Euh, c'est possible.

Et il s'imagina debout devant le bureau de Largo avec

le capitaine qui le regardait fixement d'un air triste sans prononcer une parole, atterré par la dernière stupidité en date de Jim Chee. Avec Sharkey, peut-être, au fond de la pièce, pris d'une telle fureur qu'il tenait des propos incohérents.

Chee reprit la direction de son pick-up truck et s'appuya contre le véhicule en essayant de réfléchir. Si Gorman était un complice travaillant pour McNair, qu'est-ce qu'il aurait fait quand Chee l'avait appelé pour lui dire que la petite Sosi avait été retrouvée et qu'il l'avait invité à venir la rencontrer ? Il ne serait pas venu. Bien sûr, puisque Margaret Sosi avait forcément vu la photo de Leroy Gorman et aurait vu qu'il n'était pas Leroy, ce qui aurait tout fichu en l'air. Il était venu, par conséquent il était le vrai Leroy Gorman.

Chee poursuivit sa réflexion. Sa théorie, toute erronée qu'elle fût, permettait de tout raccorder. Tout. Elle expliquait ce qui s'était passé au hogan de Begay. Rien d'autre ne le faisait. Par conséquent c'était un imposteur, et il était venu quand même.

Mais bien sûr ! Grayson était obligé de venir. Ici, Chee allait rencontrer Sosi, voir la photographie, apprendre que Grayson n'était pas Leroy Gorman, et tout allait s'écrouler autour de lui. Donc il était venu, mais suffisamment tard pour que Margaret Sosi ne puisse pas le voir à un moment où il faisait encore assez clair. Et d'ailleurs, jusqu'à maintenant, elle ne l'avait pas vu du tout. Il était venu parce que c'était la dernière possibilité de récupérer la photo avant qu'elle n'entraîne des ennuis sérieux et d'éliminer Sosi qui avait vu la photo.

Une seconde pensée effrayante s'imposa à Chee. Quelle que soit son identité, il n'était pas venu seul s'il avait pu faire autrement. Il avait dû appeler Los Angeles pour se faire envoyer Vaggan. Combien de temps cela pouvait-il prendre ? Un avion affrété spécialement, une voiture louée. Chee essaya de faire le calcul. Largement le temps de prendre l'avion pour Albuquerque puis d'arriver par la route. Une pensée qui était encore pire lui vint à l'esprit.

Vaggan n'était pas resté à traîner du côté de Los Angeles pendant tout le temps que Chee avait passé à récupérer sur place à l'hôpital. Il était bien plus probable qu'il
avait obtenu la confirmation que la petite Sosi avait quitté
la ville, et il avait dû prendre aussitôt la route pour la
réserve afin de se mettre à sa recherche. Ce qui avait dû
grandement lui faciliter les choses pour venir jusqu'ici.
Il avait pu venir avec Gorman. Mais Chee en doutait.
Il avait sûrement amené son propre véhicule. Et où aurait-
il pu le laisser ?

Chee avait une réponse possible pour ça. A petites fou-
lées, il reprit en sens inverse la piste qui menait chez Monsieur Yellow et atteignit la route qu'il avait empruntée
pour grimper sur Mesa Gigante. Parvenu à cet endroit,
il se mit à marcher en restant bien à l'écart de la route.
Le hogan en ruines que lui avait décrit la femme-policier
se trouvait à environ quinze cents mètres, près du rebord
de la mesa. Chee s'en approcha avec prudence, s'abritant derrière les genévriers lorsque cela était possible, pro-
gressant en demeurant plié en deux lorsqu'il n'y avait pas
d'abri. A l'endroit où la piste partait de la route pour
mener à la ruine, Chee fit halte, s'agenouilla et étudia
le sol. Des traces de pneus. La lumière de la lune, qui
était maintenant tout près de l'horizon vers l'ouest, était
plus diffuse, mais les marques étaient très claires. Faites
le jour même. Faites quelques heures auparavant à peine,
sans que ni le vent, ni le temps n'aient pu les atténuer.
Toujours à genoux, Chee prit la direction du hogan, dissimulé par un repli de terrain. Nul Navajo Canoncito
n'irait emprunter cette piste de nuit pour aller défier un
fantôme. Il avait indiqué l'emplacement du hogan sur la
carte qu'il avait laissée à l'intention de l'homme qui
n'était pas Leroy Gorman. Celui-ci avait dû laisser la
carte pour Vaggan, et Vaggan (c'était évident d'après ce
qui s'était passé au hogan de Begay) avait pris la peine
de se renseigner sur l'attitude des Navajos vis-à-vis des
fantômes et des hogans qui étaient sous leur emprise.

Chee avançait prudemment le long de la piste, restant

à l'abri des genévriers. Il n'eut pas besoin d'aller bien loin. Après avoir parcouru moins d'une cinquantaine de mètres, il disposa d'un champ de vision suffisant au-dessus de la butte pour pouvoir discerner le haut de ce qui restait du mur du hogan. Et derrière le mur, le toit d'une camionnette de couleur sombre. Chee la regarda en se remémorant la dernière fois qu'il l'avait vue (et ce qu'il avait vu pendant le court instant délirant où il était monté à l'intérieur), en se remémorant le ratelier d'armes à feu qui se trouvait derrière le siège du conducteur ainsi que ce qui y était rangé. Il avait vu un fusil de chasse automatique, quelque chose qui ressemblait à un fusil automatique M16 et au moins deux armes automatiques de moindre taille : un arsenal.

Il s'aperçut assez rapidement, tandis qu'il revenait vers le hogan de Yellow, que si les choses tournaient mal (ce qui semblait fort probable), c'était uniquement à cause de sa propre stupidité. Il leur avait retrouvé Margaret Sosi, après quoi il les avait appelés pour la leur livrer. Deux autres points aussi paraissaient manifestes. Vaggan n'allait rien tenter sur place au vu et au su de tous, au cours de ce rite, parce qu'il était suffisamment intelligent pour savoir combien de temps il allait lui falloir pour parcourir la distance qui le séparait d'un endroit où il lui serait possible de disparaître. Les régions désertiques et dépourvues de chemins d'accès posaient des problèmes à ceux qui étaient chargés de faire respecter la loi, mais elles avaient également leurs avantages, et l'un d'eux était que les barrages routiers étaient extrêmement efficaces. Si vous avez un véhicule à moteur, vous ne pouvez aller nulle part. Si vous n'en avez pas, il est facile de se cacher mais il n'y a pas d'eau. Donc Vaggan attendrait. Il les suivrait probablement quand ils repartiraient. Il les doublerait peut-être sur la grand-route et mettrait un point final à toute l'affaire en tirant une volée de balles avec son fusil automatique. Ou au moins, il suivrait Margaret Sosi. Chee, aussi longtemps qu'il n'aurait pas vu la photographie, n'était pas dangereux. Et il avait dit au faux Gorman qu'elle se trouvait à Santa Fé.

Finalement il s'aperçut qu'il disposait d'un avantage. Il savait que Grayson était l'ennemi. Il savait que Vaggan était là à attendre. Ce qu'il ne savait pas, pas encore, c'était comment utiliser cet avantage. Il progressait rapidement à travers les herbes-aux-serpents et les cactus pour revenir au hogan de Yellow. A l'horizon, vers l'est, il distinguait maintenant les silhouettes découpées des monts Sandia et Manzano, soulignées par les premières lueurs de l'aube. Il avait très peu de temps pour prendre une décision.

Le feu était reparti grâce à un nouvel arrivage de bûches et il projetait des étincelles bien au-dessus du toit du hogan lorsque Chee arriva. Tout le monde était là à attendre le dernier acte du chant qui allait libérer Margaret Sosi du fantôme qui s'était emparé d'elle et la ramener dans le chemin de la beauté. Chee parcourut la foule des yeux pour voir où était Grayson. Il le repéra en bordure du groupe au moment précis où la voix de Littleben se tut. C'était un peu trop tôt. Il se mêla à la foule pour être à nouveau hors de vue de Gorman.

La porte du hogan s'ouvrit vers l'extérieur et Littleben apparut, suivi de Margaret Sosi. Il tenait un petit récipient d'argile dans sa main droite et deux bâtons* de prière, richement peints et décorés de plumes, dans l'autre. Il leva bien haut les *pahos** ornés de plumes, les entrecroisant à mi-hauteur pour dessiner un X.

Maintenant notre fille va boire ce breuvage, psalmodia-t-il.

Maintenant notre fille, qui est la fille de Dieu Noir,
Maintenant notre fille, qui est la fille de Dieu-qui-Parle,
Maintenant notre fille, qui est Fille-Silex-Bleu,
Maintenant notre fille, qui est Fille-Coquillage-Blanc,
Maintenant notre fille va boire et chasser le mal,
Maintenant notre fille va être rendue à hozro,
Maintenant notre fille va marcher à nouveau sous
l'averse de pluie mâle,

Maintenant notre fille va marcher avec le brouillard sombre autour d'elle,

Maintenant notre fille va partir avec la beauté au-dessus d'elle.

Maintenant notre fille...

Chee avait reperdu Grayson. Il se détourna de la poésie du chant pour le chercher. Quand le moment allait venir, il voulait savoir exactement où il pouvait le trouver. Il voulait que Grayson ne soit pas loin. Et Grayson n'était pas loin. Il s'était simplement un peu rapproché du hogan. Mais il continuait néanmoins à se tenir dans un endroit où Margaret Sosi ne risquait guère de le remarquer. Elle avait bu le breuvage émétique fumant et son regard était tourné vers l'Est. Elle était censée vomir au moment précis où le rouge signalant la partie supérieure du soleil allait apparaître au-dessus de l'horizon. Il était clair, en voyant les traits contractés de son visage, qu'elle avait envie de vomir tout de suite. Mais là-bas, soudain, apparut le haut du soleil. Le moment était venu pour Chee de mettre à profit son unique avantage.

Il fendit la foule des spectateurs pour atteindre Grayson et le saisit par le coude.

— Leroy, dit-il. C'est grave.

— Quoi ? fit Grayson en prenant un air effrayé.

— Il y a Vaggan qui est là. Un grand type blond qui sert de tueur à McNair. Il y a sa camionnette qui est garée là-bas.

— Vaggan ? répéta Gorman. Mon Dieu !

— Il doit être en train d'attendre que ça se termine. Que la foule se disperse. Ou alors il attend que vous partiez et il va vous suivre.

— Ouais, fit Gorman qui avait l'air aussi alarmé que la situation l'exigeait.

— Il y a une autre route pour filer d'ici, lui dit Chee. Après être passée là-bas devant, la route redescend par l'autre face de la mesa. Elle est mauvaise mais c'est faisable.

Autour d'eux, les spectateurs riaient et applaudissaient. Margaret Sosi était débarrassée du mal dont elle avait subi l'emprise et avait été rendue à *hozro*. Ses parents se pressaient tout autour d'elle.

— Vous n'avez qu'à tourner à gauche là où la piste qui mène au hogan de Yellow rejoint la route puis à aller tout droit. Je vais récupérer Margaret et vous suivre.

— A gauche, répéta Gorman. O.K.

Il se mit à courir vers sa voiture. Chee traversa rapidement la foule pour s'approcher de Margaret Sosi. Elle était en train de parler avec une vieille femme et Littleben se tenait à côté d'elle.

— Venez, lui ordonna Chee. Vaggan est là. Il faut que nous filions.

Margaret Sosi avait l'air de ne pas comprendre. Maintenant que le noir avait été essuyé de son visage, elle avait également l'air très pâle.

— Vaggan ? fit-elle.

— Un grand type de Los Angeles. Vous voyez ? Celui qui prétendait être flic. Celui qui m'a frappé.

— Oh ! fit Margaret Sosi.

Elle se dépêcha de le suivre en disant :

— Au revoir. Au revoir. Et merci.

La Chevrolet de Grayson s'éloignait en dévalant la piste dans un rugissement de moteur. Chee fit démarrer son pick-up truck, effectua une marche-arrière en soulevant un nuage de poussière et s'élança sur la piste. Parvenu dans le fond de l'arroyo, il s'arrêta discrètement, passa la première et remonta prudemment le cours du wash au milieu des cailloux contre lesquels le véhicule cognait et se heurtait, et entre les buissons d'acajou des montagnes et de chamiza qui se plaisaient au fond du lit de la rivière et qui griffaient la carrosserie. Lorsqu'il se fut suffisamment éloigné de la piste pour être hors de vue, il coupa le moteur. Margaret Sosi le regardait, une question inscrite sur son visage.

Il avait assez de temps pour tout lui expliquer car maintenant il n'y avait rien d'autre à faire qu'attendre...

— Et c'est pour ça, conclut Chee, que j'ai dit au gars qui prétend être Gorman que j'avais repéré Vaggan ; puis je lui ai dit d'essayer de s'enfuir en prenant une route qui redescend de l'autre côté de la mesa, et je lui ai dit que vous et moi nous allions le suivre. Il est parti aussitôt, mais là où il va aller c'est prévenir Vaggan que nous l'avons vu et que nous avons pris la fuite.

— Mais quand il va se lancer à notre poursuite…, commença Margaret.

— Nous lui laissons le temps de le faire, et après nous prendrons vraiment la fuite.

— Mais pourquoi n'avons-nous pas tout simplement pris la route qui descend de l'autre côté ?

— Elle n'aboutit nulle part. C'est ce qu'ils m'ont dit au poste de police. Elle continue un petit peu de ce côté-là avant de se transformer en piste à chariots. Mais il n'y a pas d'autre chemin pour quitter la mesa ; seulement celui par lequel nous sommes arrivés. La seule route pour descendre passe juste devant l'endroit où Vaggan s'est installé.

— Oh ! fit Margaret Sosi. Je comprends.

Ils restèrent assis sans rien dire.

— Combien de temps attendons-nous ?

Exactement la question que se posait Chee. Il avait compté : quatre des sept véhicules qui étaient venus se garer chez Yellow étaient passés sur la piste derrière eux. Maintenant la piste comme la route étaient silencieuses. Les trois autres véhicules, se dit-il, devaient rester pour le petit déjeuner et un séjour plus prolongé. Il lui fallait laisser davantage de temps à Gorman pour qu'il puisse arriver au vieux hogan, avertir Vaggan, et qu'ils puissent revenir et dépasser l'intersection de la piste qui conduisait chez Yellow. Leur laisser davantage équivaudrait à une perte de temps parce qu'il ne faudrait sans doute pas longtemps à Vaggan pour se rendre compte que la route ne débouchait nulle part. Mais leur laisser moins serait fatal. Chee ne se faisait aucune illusion sur le résultat d'une confrontation entre son pistolet et l'arme automatique de Vaggan.

Il ferma totalement les yeux, essayant d'estimer le temps qui s'était écoulé et de lui faire correspondre les faits et gestes de Vaggan.

— Je pense que ça doit aller, dit-il.

Il redémarra et redescendit en marche arrière le lit de l'arroyo en cahotant. A l'intersection il n'y avait rien en vue sur la route d'un côté comme de l'autre. Il avait laissé s'écouler un peu plus de temps que nécessaire, ce qui voulait dire que la poursuite commencerait un peu plus tôt qu'elle n'aurait pu. Il lança le pick-up truck sur la terre creusée d'ornières. L'aube était assez claire maintenant pour pouvoir se passer des phares, mais encore assez diffuse pour qu'il soit difficile de distinguer les irrégularités à la surface de la route. Il prit en dérapant le virage où la route plongeait soudain par-dessus le rebord de la mesa, freina à nouveau à l'endroit où elle décrivait une autre épingle à cheveux pour contourner un piton de schiste et de grès, puis braqua brutalement sur la droite pour dépasser la paroi de pierre.

Juste de l'autre côté de la paroi, la grosse camionnette marron était arrêtée, bloquant le passage. Vaggan se tenait derrière elle, le fusil automatiquement braqué sur le pare-brise de Chee. Celui-ci écrasa les freins, partant dans une embardée qui mit le pick-up truck en travers de la route et l'immobilisa parallèlement à la camionnette. Le policier navajo enclencha désespérément la marche-arrière, ce qui fit patiner les roues dans le sable de la route. Grayson se tenait sur le bas-côté, à moins de quinze mètres de là, et son pistolet était braqué sur Chee.

— Arrêtez le moteur, hurla Vaggan. Ou je vous tue tout de suite.

Chee arrêta le moteur.

— Passez les mains à l'extérieur pour que je les voie.

Chee passa les mains à l'extérieur.

— Maintenant baissez un bras, toujours à l'extérieur pour que je voie votre main, ouvrez la portière, et descendez en gardant les mains là où je peux les voir. Votre main cesse d'être visible et je vous tue tout de suite.

Chee ouvrit la portière et mit pied à terre. Il sentait le poids du calibre 38 dans la poche droite de sa veste. Combien de temps lui faudrait-il pour s'en emparer et tirer sur Vaggan ? Trop longtemps, infiniment trop longtemps.

— Je vais vous passer les menottes et vous faire monter dans la camionnette avec moi, dit Vaggan.

Il s'avança vers Chee, son fusil automatique braqué sur le ventre du policier.

— Ensuite, vous, la fille et nous tous, nous allons nous rendre dans un endroit plus discret où nous pourrons discuter tranquillement. Où est votre pistolet ?

— Je n'en ai pas, mentit Chee. Je ne suis pas en service. Il est chez moi, à Shiprock.

— Je ne suis pas idiot, répliqua Vaggan. Si je l'étais, je serais en train de vous courir après sur la route que vous avez dit à Beno que vous alliez prendre. Allongez-vous sur le ventre. Par terre. Bras et jambes écartés. Beno, viens lui prendre son revolver. Sans doute un étui d'épaule ou glissé dans sa ceinture.

Chee resta debout, essayant de penser à quelque chose qui pourrait l'aider.

— Par terre, ordonna Vaggan.

Il le frappa à la poitrine avec le canon de son arme.

Chee tomba à genoux, la respiration coupée. Il savait exactement ce qui allait se passer. Vaggan allait les emmener dans un endroit isolé où les coups de feu ne risqueraient pas d'attirer quelqu'un qui viendrait aussitôt voir ce qui se passait. Après quoi il allait les tuer. Deux balles, c'est tout, pensa-t-il. Une pour chacun. Moins il y en aurait de tirées, moins il y aurait de chances d'éveiller la curiosité de quelqu'un.

— Par terre, répéta Vaggan en lui enfonçant le fusil dans le dos.

Chee s'écroula face contre terre.

— Il est là, dit Vaggan. Dans la poche de sa ves...

Le bruit de la détonation couvrit le reste de la phrase.

Vaggan lui avait tiré dessus mais il ne sentait rien à part la douleur à l'endroit où le canon du fusil s'était enfoncé dans le dos. Pendant une fraction de seconde totalement détachée de la réalité, son cerveau essaya de localiser le point d'impact, la souffrance que la balle devait lui causer. Il vit, au-delà de la touffe d'herbes-aux-serpents contre laquelle reposait sa joue, le mouvement que faisait Vaggan en tombant, en tombant sur le côté, les bras étendus devant lui.

— Non, hurla quelqu'un. Non.

Pendant une autre fraction de seconde appartenant au même moment, Chee comprit qu'on ne lui avait pas tiré dessus. La voix était celle de Grayson et, tandis qu'il s'efforçait de se relever, son cerveau effectuait automatiquement la correction, passant de Grayson à Beno. Il se remit debout en titubant, essayant d'arracher le pistolet de sa poche, essayant de l'armer. Mais il n'avait pas besoin de son pistolet.

Margaret Sosi était penchée à la portière du côté du conducteur, et elle tenait un énorme revolver à deux mains. Le revolver était braqué sur Beno. Vaggan gisait sur le flanc, le visage tourné contre le sol, son fusil dans la poussière à côté de lui ; une de ses jambes remontait lentement vers sa poitrine.

— Non, hurla Beno à nouveau. Ne tirez pas.

Il avait les bras levés bien haut au-dessus de sa tête.

Chee finit par arriver à décoincer son pistolet et à le sortir de sa poche. Beno n'était plus armé. Il avait laissé tomber son pistolet à côté de la jambe de Vaggan. Chee le ramassa. Il entendit un bruit métallique. Margaret Sosi tremblait et le canon de son arme cognait contre le métal de la portière. Où s'était-elle procurée cette arme ? C'est à ce moment-là que ça lui revint. Ce devait être le pistolet que Vaggan avait laissé tomber quand Chee l'avait frappé avec sa lampe torche, là-bas, à L.A. Elle l'avait gardé. C'était bien là le genre de choses raisonnables auxquelles on pouvait s'attendre de la part de Margaret Sosi. Et elle avait tiré sur Vaggan en utilisant le propre pistolet du tueur.

27.

Quand Chee arriva à Shiprock, il trouva la lettre dans sa boîte aux lettres. Il vit immédiatement que l'écriture sur l'enveloppe était celle de Mary Landon, et que le tout était assez épais pour contenir deux ou trois feuillets. Une longue lettre. Il la mit dans la poche de sa veste ainsi que ce qui ressemblait à une sollicitation de la part d'une compagnie d'assurances.

Une fois dans sa maison mobile, il posa l'enveloppe sur la table. Il rangea sa veste et son chapeau, enferma son pistolet dans le tiroir et versa une mesure d'eau dans sa cafetière électrique M. Coffee. Il se déshabilla et prit une douche chaude. Cela eut pour effet de le faire se sentir propre et un peu plus détendu. Mais il ressentait la fatigue. Une fatigue profonde, totale, et c'était cela, probablement, qui entraînait ces violents maux de tête. Il s'assit à côté de la table, vêtu de sa sortie de bain, et regarda la lettre. Dans un instant il allait l'ouvrir. Est-ce qu'il lui restait quelque chose à faire auparavant, des choses laissées en suspens ? Il n'en trouva pas. L'hélicoptère ambulance était arrivé du Centre Médical de l'Université du Nouveau Mexique et les médecins avaient examiné Vaggan avec des visages peu encourageants. Et ils étaient repartis en l'emmenant avec eux. Les policiers de l'état du Nouveau Mexique étaient arrivés au poste de police de Canoncito en compagnie de deux agents du FBI que Chee n'avait jamais vus. Ils l'avaient débarrassé de Beno. Margaret Sosi avait pris un petit déjeuner en sa compagnie à la gare routière d'Albuquerque, puis elle avait passé un coup de téléphone et, peu après, la mère d'une camarade de classe qui habitait le pueblo d'Isleta était venue la chercher. La présence de Chee n'avait pas semblé lui plaire, et elle s'était agitée autour de Margaret avant de l'emmener avec elle pour qu'elle aille dormir. Ensuite, Chee avait pris une chambre dans un motel avec l'intention de dormir un peu lui aussi. Mais il était trop énervé pour s'endormir. Il avait donc fait les trois-cent-vingt kilomètres qui le séparaient de Shiprock, avait appelé le capitaine Largo pour le tenir au courant de ce qui s'était passé, puis il avait pris son courrier et était rentré chez lui.

Aucun point en suspens. Rien. Tout était réglé. Du doigt il poussa l'enveloppe, la faisant tourner de façon à ce qu'elle soit dans le bon sens et qu'il puisse lire son nom écrit de la main assurée et déterminée de Mary Landon.

Puis il l'ouvrit.

Jim chéri,

Pourquoi est-ce que je t'écris ? Parce que je veux être certaine d'arriver à te dire ce que je veux te dire et cela de telle sorte que tu le comprennes. Peut-être cela m'aidera-t-il moi aussi à le comprendre.

Ce que j'ai à te dire c'est que j'ai une amie qui s'appelle Theresa McGill et qui, quand elle était à l'université, est tombée amoureuse d'un garçon qui était en train d'achever ses études au séminaire, il étudiait pour devenir prêtre catholique. Elle l'aimait, peut-être pas autant que je t'aime, mais elle l'aimait beaucoup. Et ils se sont mariés, ce qui signifiait, bien sûr, qu'il ne pouvait plus être ordonné prêtre. Il a trouvé un travail d'enseignant, ils ont eu une fille, et pendant très longtemps j'ai été persuadée qu'elle était heureuse. Mais l'été dernier elle m'a raconté comment ça se passait vraiment. Elle le voyait souvent qui restait sans bouger à ne rien faire. Il regardait par la fenêtre ou il restait assis tout seul dans le jardin de derrière. Ou il partait pour de longues promenades solitaires. Et un samedi après-midi elle l'a suivi et elle

241

l'a vu entrer dans une église. Une église vide. Il n'y avait pas de messe en cours. Pas de fidèles à l'intérieur. Mais il y est resté pendant une heure. Theresa m'a dit qu'il lui fallait vivre avec ça. Elle aime son mari et elle sait qu'elle l'a privé de quelque chose qui avait pour lui une importance fondamentale. Et qui aura toujours la même importance.

Voilà, c'est cela que j'essaye de te dire. Je ne veux pas que cela nous arrive, alors je veux te dire que j'ai changé d'avis. Je ne t'épouserai pas selon les conditions que j'avais posées (que nous quittions la réserve et que nous élevions nos enfants ailleurs). Peut-être t'épouserai-je selon tes conditions à toi (que nous vivions ici au milieu de ton peuple). Si tu le veux toujours. Mais il me faut du temps pour y réfléchir. Alors je retourne chez moi, dans le Wisconsin. Je vais aller en discuter avec ma famille, faire des balades dans la neige, du patin à glace, et voir ce qui se passe dans ma tête. Mais il y a un point sur lequel je ne changerai pas d'avis : je ne vais pas contraindre mon Jim Chee à devenir un homme blanc...

Chee posa la lettre à côté de l'enveloppe sur le dessus de la table et essaya de se concentrer sur lui-même, à la recherche d'une réaction. Il était fatigué et tout à coup il avait également sommeil. Il n'était pas surpris outre mesure. Cette lettre était tout à fait dans le caractère de Mary. Tout à fait. Il aurait dû le savoir. Peut-être était-ce le cas. Sinon, pourquoi cette absence de surprise ? Et que ressentait-il d'autre ? Une sorte de torpeur et de vide, comme si tout cela concernait quelqu'un d'autre. Cela aussi était dû à l'épuisement, se dit-il. Demain cette torpeur aurait disparu. Et demain il déciderait de ce qu'il allait faire. Probablement appeler Mary. Mais que lui dirait-il ? Il ne semblait pas capable de le savoir. Il s'aperçut qu'au lieu de cela il était en train de penser à Leo Littleben Junior, de se demander si Littleben allait véritablement être le dernier homme vivant à connaître le rite de la Voie du Fantôme.

Il se leva, déjà tout ankylosé, se versa une tasse de café et s'appuya contre l'évier pour la boire. Quand il l'aurait vidée, il irait se coucher et dormir jusqu'au printemps. Et quand il se réveillerait, un jour ou l'autre, il réfléchirait à la lettre de Mary Landon et il déciderait de ce qu'il devait faire. Il contacterait aussi Frank Sam Nakai pour demander à son oncle de faire le nécessaire afin que Hosteen Littleben exécute pour lui le rite guérisseur de la Voie du Fantôme. Et après, se dit-il, il parlerait à Littleben. Il tâterait le terrain pour savoir combien Littleben lui demanderait pour lui apprendre le rite. Ce serait une bonne chose qu'un homme plus jeune le connaisse.

Et, avec cette pensée en tête, Chee s'écroula sur son lit sans avoir retiré sa sortie de bain puis, presque instantanément, il s'endormit.

Glossaire

Ahnii : terme navajo désignant une vieille femme qui tient le rôle de juge/matriarche/fontaine de sagesse.

Arroyo : terme espagnol désignant le lit sec, en général au fond d'une gorge ou d'un canyon, d'une rivière dont l'eau se tarit en été.

Bain de vapeur (ou bain de sueur) : il a vocation purificatrice, de même que le lavage des cheveux.

Bâton de prière (paho) : offrande faite aux esprits tutélaires. Le plus souvent, il s'agit d'une tige de saule rouge décorée de plumes. Egalement appelé plume de prière.

Belacani (mot navajo) : homme blanc.

Bourse des quatre montagnes (ou bourse à médecine), *jish* en navajo : indispensable pour assurer les rites guérisseurs, elle symbolise l'harmonie, la substance de la vie et la force de vie (v. dualisme), et est constituée d'un ensemble d'objets sacrés parmi lesquels des échantillons provenant du sol des quatre montagnes sacrées.

Chanteur (yataalii en navajo) : chez les Navajos, il est

celui que l'on appelle pour tenir les rites guérisseurs car il est le dépositaire de ces procédures extrêmement complexes destinées à libérer le malade de l'emprise d'un sorcier au moyen de chants et de prières associés à des peintures sur sable (v. ce mot). Un chanteur ne peut donc connaître que plusieurs «chants» et certains rites disparaissent actuellement. Mais le chanteur n'est ni un homme-médecine, ni un shaman : la guérison est collective, profite d'abord au patient puis, par voie de fait, à l'univers tout entier qui retrouve l'harmonie *(hozro)*.

Chindi : mot navajo désignant le fantôme. Les Navajos ne croient pas à un au-delà après la mort. Au mieux, ils trouvent le néant. Au pire, la partie malsaine et malfaisante de l'individu revient hanter les vivants et leur apporter la maladie et la mort.

Clan : concept familial très élargi. Chez les Navajos, on en dénombre soixante-cinq (v. famille).

Dinee : le Peuple : tel est le nom que se donnent les Navajos. Ils habitent la région qu'ils appellent *Dinetah*.

Dualisme : Dieu-qui-Parle et Dieu-qui-Appelle, Premier Homme et Première Femme, Garçon Abalone et Fille Abalone, la source de vie qui contient à la fois la «matière» nécessaire à la vie et le moyen lui permettant de passer l'épreuve du temps, la forme non-physique dissimulée à l'intérieur de la forme physique des choses, tous ces éléments de la mythologie navajo relèvent d'un dualisme presque systématique.

Le chiffre quatre est également très important (les 4 montagnes sacrées, les 4 plantes sacrées, les 4 bijoux sacrés etc.).

Ecole communautaire : établissement à cycle d'étude court orienté vers la vie active ; il a vocation locale, d'où son nom.

Emergence : avant d'atteindre la surface de la terre, les hommes durent émerger des mondes inférieurs (de 4 à

12 suivant les mythologies) en empruntant le tronc d'un arbre perçant les différentes couches successives. Les Navajos émergèrent du dernier monde souterrain, alors envahi par les eaux, en empruntant un roseau.

Famille : système matrilinéaire chez les Navajos ; les jeunes époux se mettent en quête d'un endroit où construire leur hogan, tant pour s'isoler que pour avoir suffisamment d'espace pour pratiquer l'élevage des moutons. Il faut ici distinguer la notion de clan de ce que Hillerman appelle «outfit» : une sorte de famille ou de clan géographique élargi permettant aux Navajos isolés de se regrouper pour participer à certains travaux ou à certains rites. Cette famille élargie peut regrouper de 50 à 200 personnes.

Fantôme : v. *chindi.*

Farine de maïs : quantité de rites font appel à la farine de maïs qui est l'une des quatre plantes sacrées des Navajos (les autres étant la courge, le haricot et le tabac).

Femme-qui-Change : dans la mythologie navajo, elle est fille de Premier Homme et de Première Femme ; elle s'accoupla avec Shivanni, le Soleil-Père, pour donner naissance aux Jumeaux Héroïques, Tueur-de-Monstres et Fils-Né-des-Eaux. Dieu-qui-Parle et Dieu-qui-Appelle lui donnèrent par la suite le don de création. Elle est la seule représentante du Peuple Sacré à être entièrement bonne.

Fort Sumner : le célèbre Kit Carson mena une campagne sauvage contre les Navajos tout au long de l'année 1863 et au début de 1864, tuant sans merci et pratiquant la politique de la terre brûlée. Huit mille Navajos rescapés furent acheminés en plusieurs convois au cours d'une «Longue Marche» de près de cinq-cents kilomètres, puis parqués à Bosque Redondo, à côté de Fort Sumner (Nouveau Mexique), jusqu'en 1868 : les sept mille survivants purent alors regagner leur territoire.

Grand-père : terme qui, du fait du système clanique des Navajos, s'applique aux hommes âgés appartenant au clan de la mère.

Hogan : la maison de l'Indien Navajo, sorte de structure au toit arrondi faite de rondins et de boue séchée. Un abri et un corral au minimum viennent la compléter. Le hogan d'été, utilisé pendant le pacage des moutons, est de facture plus grossière.

Hopi : dans la langue de ces Indiens pueblos, *hopitu* signifie «le peuple paisible». Leur réserve se trouve enclavée dans la réserve navajo du nord de l'Arizona : 3000 d'entre eux environ vivent dans des villages perchés sur trois mesas. Leur mythologie est proche de celles d'autres pueblos. Ils sont célèbres pour leur Danse du Serpent et leurs cérémonies religieuses. Ce sont avant tout des cultivateurs et des chasseurs.

Hosteen : mot navajo exprimant le respect dû à l'homme adulte à qui l'on s'adresse.

Hozro : mot navajo signifiant l'harmonie, la beauté.

Jumeaux Héroïques : v. Femme-qui-Change.

Mesa : (mot espagnol) : montagne aplatie caractéristique des états du sud-ouest. Lorsqu'elles ressemblent plus à des collines qu'à des plateaux elles deviennent des buttes. Et les buttes au sommet arrondi sont des collines. Parmi les mesas les plus connues, citons Mesa Verde, dans le Colorado, haut-lieu archéologique, et les Première, Deuxième et Troisième Mesas sur lesquelles se perchent les villages hopi ancestraux.

Mort : les Navajos ont une crainte maladive de la mort au point de s'entourer de toutes sortes de précautions et d'éprouver une intense répugnance à toucher un cadavre, qu'ils enterrent le plus vite possible dans un lieu secret. Pour eux, il n'y a pas de «paradis», au mieux le repos. Dans la mythologie navajo, les Jumeaux Héroïques, après avoir dérobé les armes au Soleil et massacré les monstres qui apportaient la mort au Peuple, épargnent une sorte de mort appelée *Sa* qui regroupe la Vieillesse, la Saleté, la Misère, la Faim et quelques autres.

Navajo : les prêtres espagnols les appelaient «Apaches del nabaxu» ; le terme actuel est la corruption espagnole du mot pueblo signifiant «grands champs cultivés». Arrivés tardivement en Arizona ils se rendirent odieux par leur violence et leurs rapines avant d'acquérir, au contact des autres civilisations, nombre de techniques et de connaissances. Leur faculté d'adaptation s'est une nouvelle fois vérifiée lors de la Deuxième Guerre mondiale. Ils habitent la plus grande réserve des USA, la terre de leurs ancêtres, et exploitent eux-mêmes les ressources naturelles d'un sous-sol riche. Ils constituent la nation indienne la plus importante du pays (plus de 130 000 habitants).

Oncle : v. famille et grand-père.

Paho : v. bâton de prière.

Peinture sur sable : elles font partie des rites guérisseurs et ont donc pour but de permettre au «malade» de retrouver une unité d'harmonie entre le monde et lui-même. Le chanteur et ses aides y travaillent pendant des heures et utilisent pollens, pierres écrasées, charbon de bois etc. pour représenter des sujets ayant trait au Peuple Sacré. L'œuvre est détruite avant la tombée de la nuit de peur que les esprits mauvais ne reprennent le dessus et ne rendent la guérison impossible.

Peuple : le nom que se donnent les Navajos.

Peuple Sacré : concept navajo. Ils sont capables du bien comme du mal et l'on peut arriver à les manipuler avec les chants et les prières appropriés : ce sont des animaux (le Coyote), le Peuple du Vent, le Peuple du Tonnerre etc. Le mot navajo correspondant est *yei.*

Peuple-qui-Appelle-les-Nuages : nom donné par les Navajos aux Indiens pueblos dont les rites ont pour but de faire apparaître leurs esprits tutélaires sous la forme de nuages de pluie.

Points cardinaux : ils jouent un très grand rôle dans les rites religieux. Chez les Navajos, la porte du hogan fait face à l'est qui symbolise la vie ; l'ouverture pratiquée dans un mur après un décès doit être dirigée vers le nord qui représente le mal ; l'ouest figure la mort. Les quatre montagnes sacrées des Navajos marquant les limites de Dinetah correspondent grossièrement aux points cardinaux ; ce sont Dook o' ooshid (ou Monts San Francisco à l'ouest, couleur jaune), Tso'dzil (ou Mount Taylor au sud, bleue), Sis no jin (ou Blanca Peak à l'est, blanche), et Debe'ntsa (ou La Plata Mountains au nord, noire).

Pueblo : village en espagnol. Au contraire des bergers navajos, semi-nomades, les Indiens pueblos (Hopis, Zunis, etc.) sont des agriculteurs sédentaires. On les trouve exclusivement dans le sud-ouest des USA. Taos, au Nouveau Mexique, est le plus visité des pueblos.

Religion : chez les Navajos, le Conseil Tribal est une création récente (vers 1930). Ce peuple n'a jamais constitué une tribu à proprement parler, ce qui explique le non-respect de certains traités au XIXème siècle : la parole d'un chef de clan n'engageait pas les autres Navajos. Chez eux, il n'y a pas de sociétés religieuses.

Pour l'essentiel, les Indiens du Sud-Ouest croient à l'interdépendance des choses de la nature et à l'harmonie, ou beauté, *hozro* en navajo, qui doit régner dans leur réserve et, par voie de conséquence, dans l'univers tout entier.

Mais les rites navajos sont, à l'exception de la Voie de la Bénédiction, destinés à guérir, à redonner la santé à l'individu et à restaurer l'équilibre de l'univers, alors que chez les Indiens pueblos, les cérémonies religieuses ont pour but d'appeler les bienfaits que les kachinas, ou esprits ancestraux, pourront leur apporter sous la forme de nuages de pluie.

Rites guérisseurs : à chaque maladie correspond chez les Navajos un rite guérisseur qui peut durer jusqu'à neuf jours. Parfois, pour un seul chant, plusieurs centaines de prières et d'incantations doivent être exécutées au mot près. Si le chanteur est à la hauteur, la guérison suivra.

Par exemple, la Voie de l'Ennemi permet de guérir celui qui est sous l'emprise d'un sorcier, la Voie du Sommet de la Montagne soulagera celui qui s'est trop approché d'un ours...

Shaman (ou homme-médecine) : terme quelque peu impropre pour désigner le chanteur navajo.

Shivanni : le Soleil Père.

Sorciers : hommes et femmes qui ont décidé de faire le mal, très présents chez les Navajos.

Végétation : acajou (cedrela), olivier de Bohême (elaeagnus angustifolia), épicéa (pinus glabra), genévrier (juniperus), pin (pinus), pin pignon (pinus pinea), pin ponderosa (pinus ponderosa), tremble d'amérique (populus tremuloides) pour les arbres. Pour herbes et buissons : arroche (atriplex), bouteloue (bouteloua ou grama grass en américain), chamiso ou chamiza (terme indien dont la traduction est herbe-aux-lapins), creosote (larrée en français, larrea tridentata), érigéron (une cinquantaine d'espèces dont l'herbe-aux-chevaux, erigeron canadensis), graminées à touffes (bunchgrass en américain, terme collectif), herbe-aux-bisons (deux herbes courantes : buffalo grass ou grama grass en américain, variétés de dactyle ou de bouteloue respectivement en français, buchloë dactyloides et bouteloua en latin), herbe-aux-serpents (snakeweed en américain, terme collectif désignant des plantes associées aux serpents par la forme, les vertus curatives etc.), herbe des Bermudes (cynodon dactylon, graminacée fourragère appelée dactyle en français), mesquite (prosope en français, prosopis), sauge (salvia), tumbleweeds (terme collectif américain, peut-être traduit du hopi ou du navajo, qui désigne ces plantes épineuses que le vent arrache et fait rouler sur le sol), yucca (v. ce mot). Pour certaines de ces plantes nous avons préféré le terme local au terme français.

Voie : rite guérisseur navajo telles la Voie de la Beauté ou la Voie du Sommet de la Montagne. Seule, la Voie de la Bénédiction a un but préventif en enseignant comment le Peuple Sacré a créé le Peuple de la Surface de la Terre, et comment il lui a communiqué les techniques nécessaires pour y vivre.

Wash : le lit, souvent asséché, d'un important cours d'eau, que des pluies torrentielles tombées parfois très loin en amont peuvent soudain transformer en un fleuve en furie.

Yataalii (mot navajo) : v. chanteur.

Ya-ta-hey : salutation navajo.

Yei : v. Peuple Sacré.

Yeibichai : neuvième et dernière nuit de la Voie de la Nuit au cours de laquelle les exécutants portent des masques (navajo).

Yucca : (mot haïtien). Plante arborescente à tige ligneuse dont les Indiens du sud-ouest ont toujours tiré un maximum de ressources tant au niveau alimentaire que vestimentaire et pratique (cordes, paniers, etc.).

Rivages / noir

Pierre Siniac
Les mal lunés (n° 208)
Sous l'aile noire des rapaces (n° 223)
Démago Story (n° 242)
Le Tourbillon (n° 256)
Femmes blafardes (n° 274)
L'Orchestre d'acier (n° 303)
Luj Inferman' et La Cloducque (n° 325)

Les Standiford
Pandémonium (n° 136)
Johnny Deal (n° 259)
Johnny Deal dans la tourmente (n° 328)

Richard Stark
La Demoiselle (n° 41)
La Dame (n° 170)

Richard Stratton
L'Idole des camés (n° 257)

Vidar Svensson
Retour à L.A. (n° 181)

Paco Ignacio Taibo II
Ombre de l'ombre (n° 124)
La Vie même (n° 142)
Cosa fácil (n° 173)
Quelques nuages (n° 198)
À quatre mains (n° 227)
Pas de fin heureuse (n° 268)
Même ville sous la pluie (n° 297)
La Bicyclette de Léonard (n° 298)

Ross Thomas
Les Faisans des îles (n° 125)
La Quatrième Durango (n° 171)
Crépuscule chez Mac (n° 276)
Traîtrise ! (n° 317)
Voodoo Ltd (n° 318)

Jim Thompson
Liberté sous condition (n° 1)
Un nid de crotales (n° 12)
Sang mêlé (n° 22)

Rivages / Mystère

Achevé d'imprimer sur rotative
par l'imprimerie Darantiere à Dijon-Quetigny
en septembre 1999

Dépôt légal : octobre 1990
N° d'impression : 99-0886

14ᵉ édition